Y0-AGI-830

Отблеск костра
Исчезновение

ДОКУМЕНТАЛЬНАЯ ПОВЕСТЬ
РОМАН

МОСКВА
СОВЕТСКИЙ ПИСАТЕЛЬ
1988

ББК 84 Р7
Т 69

Художник
Евгений СОКОЛОВ

Т $\frac{4702010201-211}{083(02)-88}$ 138—88

ISBN 5—265—00159—X

Отблеск костра

Документальная повесть

В бой роковой мы вступили с врагами,
Нас еще судьбы безвестные ждут...

Из старой революционной песни

На каждом человеке лежит отблеск истории. Одних он опаляет жарким и грозным светом, на других едва заметен, чуть теплится, но он существует на всех. История полыхает, как громадный костер, и каждый из нас бросает в него свой хворост.

Отец любил делать бумажные змеи. В субботу он приезжал на дачу, мы сидели до позднего вечера, строгали планки, резали бумагу, клеили, рисовали на бумаге страшные рожи. Рано утром выходили через задние ворота на луг, который тянулся до самой реки, но реки не было видно, а был виден только высокий противоположный берег, желтый песчаный откос, сосны, избы, колокольня Троицко-Лыковской церкви, торчащая из сосен на самом высоком месте берега. Я бежал по мокрому лугу, разматывая бечевку, страшась того, что отец сделал что-нибудь не совсем так и змей не поднимется, и змей действительно поднимался не сразу, некоторое время он волочился по траве, неудачно пытался взлететь и опускался, трепыхался, как курица, и вдруг медленно и чудесно всплывал за моей спиной, и я бежал изо всех сил дальше.

Ни у кого не было таких больших, так громко трещащих змеев, как у меня. Потому что отец делал их из старых военных карт, напечатанных на плотной бумаге, а некоторые карты были даже на полотняной подкладке.

Мне всегда было немного жаль истреблять эти карты, такие красивые, добротные, со множеством мельчайших названий, напечатанных старинным шрифтом с буквами *ять* и *и десятиричное*. Это были царские армейские карты, но их использовали наши во время гражданской войны.

Отец почему-то не жалел эти карты. Он считал что они сделали свое дело.

Высоко в синем небе плавал и трещал змей, сделанный из карты Восточного фронта, где отец провел такие тяжелые месяцы с лета 1918-го до лета 1919 года...

Но об этом я узнал позже. Мне было одиннадцать лет, когда ночью приехали люди в военном и на той же даче, где мы запускали змеев, арестовали отца и увезли. Мы с сестрой спали, отец не захотел будить нас. Так мы и не попрощались. Это было в ночь на 22 июня 1937 года.

Прошло много лет, прежде чем я по-настоящему понял, кем был мой отец и что он делал во время революции, и прошло еще много лет, прежде чем я смог сказать об этом вслух. Нет, я не имею в виду невиновность отца, в которую верил всегда с мальчишеских лет. Я имею в виду работу отца до революции, его роль в создании Красной гвардии и Красной Армии, в событиях гражданской войны. Вот об этом я узнал поздно. То, что написано ниже, не исторический очерк, не воспоминания об отце, не биография его, не некролог. Это и не повесть о его жизни.

Все началось после чтения бумаг, которые нашлись в сундуке. В них гнездился факт, они пахли историей, но оттого, что бумаги эти были случайны, хранились беспорядочно и жизнь человека проглядывалась в них отрывочно, кусками, иногда отсутствовало главное, а незначительное вылезало наружу, оттого и в том, что написано ниже, нет стройного рассказа, нет подлинного охвата событий и перечисления важных имен, необходимых для исторического повествования, и нет последовательности, нужной для биографии. Все могло быть изложено гораздо короче и в то же время бесконечно шире. Потом я кое-что расширил, мне захотелось рассказать и о других людях, о тех, кто был рядом с отцом. И я полез в архивы. Меня заворожил запах времени, который сохранился в старых телеграммах, протоколах, газетах, листовках, письмах. Они все были окрашены красным светом, отблеском того громадного гудящего костра, в огне которого сгорела вся прежняя российская жизнь.

Отец стоял близко к огню. Он был одним из тех, кто раздувал пламя: неустанным работником, кочегаром революции, одним из истопников этой гигантской топки.

Наверху в сундуке хранились карты, внизу лежало много разных других бумаг. Нет, не ко всем своим бумагам отец относился так легкомысленно, как к старым армейским картам. Некоторые он чрезвычайно берег. Большинство этих бумаг относилось к периоду Петроградской Красной гвардии, другие документы были из эпохи гражданской войны на Урале, на Юго-Восточном и Кавказском фронтах, где отец был членом Реввоенсовета. Отец, я помню, все намеревался что-то написать о Красной гвардии: то ли исторический очерк, то ли книгу воспоминаний, но так и не написал. Всю жизнь был занят напряженной работой и писал то, чего требовала эта работа,— статьи по экономике, по военным и международным вопросам,— а занятие мемуарами откладывал, видимо, до каких-то отдаленных времен, когда он стал более свободен. Такие времена не наступили.

Как большинство людей, ставших во главе Красной гвардии в 1917 году, Валентин Андреевич Трифонов был профессиональный революционер, старый большевик, прошедший тюрьмы и ссылки. По происхождению он был донской казак, уроженец станицы Новочеркасской, хутора Верхне-Кундрюченского, но с семи лет, когда родители его умерли, жил в городе, воспитывался в ремесленном училище в Майкопе.

Было их два брата: старший Евгений и младший Валентин. Оба совсем молодыми, отец шестнадцати лет, а Евгений девятнадцати, вступили в партию — в Ростове, в 1904 году. И очень скоро, через год, они доказали, что связывали свою жизнь с партией не только затем, чтобы в конспиративных квартирах вечерами изучать «диалектику по Гегелю» и историю культуры по книжкам Липперта и Мижуева. В 1905 году оба брата участвовали в вооруженном восстании в Ростове, и Евгения судил военно-окружной суд после того, как восстание было подавлено. Евгений получил десять лет каторги, а Валентин — без суда — административную ссылку в Сибирь. Вот так они вступили в партию. И так началась и кончилась их юность: баррикадами, судом и Сибирью.

Да и была ли юность у этих юношей? Было сиротство, была голодная жизнь у чужих людей, был труд, изнурительный и жестокий, с малых лет: отец работал слесарем в железнодорожных мастерских, Евгений был грузчиком в порту, рабочим на мельницах, масленщиком на товарных пароходах, служил одно время в казачьем полку, откуда ушел самовольно, потом сошелся с босяками, с шайкой ростовской шпаны, так называемых «серых», терроризировавших окраины Ростова и Нахичевани. «Серые» одевались франтовато, с особым шиком, носили широкие пояса. («Не бойся меня, а бойся моего красного пояса!» — там, мол, нож.) У шайки происходили стычки с молодыми рабочими, которые оказывали сопротивление «серым», поножовщина. Но вскоре Евгений отбился от «серых», почувствовал к ним отвращение.

У отца была такая же бесприютная молодость, только без братниных завихрений, без «серых». Это зависело от характера. Валентин, хотя и младший, был уравновешенней, трезвее, Евгений же был вспыльчив, драчлив, в крови его кипело казачье буйство.

Они и внешне были разные, хотя чем-то похожи: отец широкоплечий, черноволосый, Евгений же рыжеват, строен и всегда казался моложе брата. Оба немного близоруки, это было семейное, хотя отец и рассказывал, что зрение у него сильно ухудшилось в тюрьме, после побоев.

О молодых годах отца знаю мало. Известно, что в ремесленном училище в Майкопе он организовывал забастовку, за что впервые был арестован. Зато Евгений кое-что поведал о предреволюционном, ростовском периоде своей жизни в книге «Стучит рабочая кровь». (После гражданской войны он выпустил несколько книг стихов и прозы, воспоминаний о каторге, революции и войне, написанных в том бурном, романтическом стиле, который был в моде в двадцатые годы. Он состоял членом «Кузницы», писал под псевдонимом Евгений Бражнев.)

Со своей родней Валентин, как и Евгений, давно потеряли связь, они и друг с другом виделись редко.

Вскоре у них появились новые товарищи, рабочие, и среди них несколько человек, связанных с подпольной социал-демократической организацией. Через них в руки Евгения стали попадать прокламации Донского комитета РСДРП, попадалась и ленинская «Искра». Сначала не все было понятно, но нравилось, как смело, в открытую говорилось в газете о царе, попах, жандармах. А потом — первый кружок, чтения, споры, первая партийная кличка «Женька Казак» и первый арест «по политике».

В полиции узнали, что Евгений самовольно сбежал из Христиановских казарм, где отбывал службу в 24-м конном полку, и отправили его в родную станицу: в Новочеркасскую военную тюрьму. Там верноподданные матерые казаки избили его до полусмерти, как «продавшегося жидам» (эпизодик этот красочно описан самим Бражневым: «Казаком зовется, гавно. Сын тихого Дона! — с презреньем сказал подхорунжий, дежурный по тюрьме.— Пакостят, сволочи, казачье имя... Казак жисть кладет за честь знамени, а ты из-под знамя — бегать? Зачем бежал из сотни, хам, жидовская сопля, сицилист, таку твою мать?! Ну! Почему бежал? — грозно рявкнул подхорунжий. В следующий миг комната с треском перевернулась в моих глазах...»), после чего Евгения направили в полк. Но по дороге из Новочеркасска в Персиановку ему удалось удрать, обманув конвоира. Было это в феврале 1905 года, в мае его снова арестовали, но скоро выпустили, в июле на сходке взяли и Валентина, тоже выпустили — улик у полиции пока не было, не за что зацепиться, одни подозрения,— а уж в октябре обоих схватили крепко, при печатании прокламаций. Но тут выручил «всемилостивейший манифест», и в конце октября братья вышли на волю. В декабре оба участвовали в вооруженном восстании на Темернике, командовали «десятками» дружинников — «десятком» называлась вооруженная группа, в которой могло быть и более десяти человек, могло быть пятнадцать, двадцать. Интересно, что это же наименование, «десяток», сохранили красногвардейцы Питера в своем уставе в 1917 году.

О революции 1905 года в Ростове, кровопролитной, отчаянной и недолгой — она длилась всего-то около десяти дней, из которых три дня было сравнительное затишье из-за внезапного тумана,— написано немало воспоминаний. В Архиве Октябрьской революции в Москве есть доклад Е. Трифонова о Ростовском восстании, сделанный им в Обществе политкаторжан в 1935 году, по случаю тридцатилетней годовщины восстания. Несколько дней пятьсот дружинников, вооруженных кое-как, немногие винтовками, большинство револьверами, охотничьими ружьями и самодельными бомбами, удерживали в своих руках Темерник, железнодорожные мастерские и вокзал, отбитый 15 декабря у казаков. Но силы были слишком неравные. Казаки несколько раз атаковали баррикаду, были отброшены и сочли за благо уступить место артиллерии. Две батареи спокойно и беспощадно громили Темерник с утра до вечера. Артиллеристам никто не мешал. Они вели стрельбу, как на учениях. Темерник горел, рушились рабочие хибарки, гибли мирные жители, а у дружинников не хватало оружия, иссякли патроны. 17 декабря, пользуясь туманом, Е. Трифонов проехал в Нахичевань и купил там у дашнаков 10 бурханов, небольших скорострельных карабинов... «На наемном извозчике,— вспоминает он,— я проехал через все полицейские преграды на Темерник. Когда мы подъехали к Темернику и извозчик узнал, что мы везем, с ним приключилась медвежья болезнь». 20 декабря было решено отступить. Стали отходить к Нахичевани. В столовой завода «Аксай» сложили оружие, порох, бомбы, поставили охрану из девяти человек, а затем там произошел взрыв, уничтоживший все оружие и боеприпасы дружинников. Причины взрыва неясны до сих пор. Скорей всего, был трагический случай. Надежды на то, что вести партизанскую борьбу — а дружинники рассчитывали на это,— рухнули. Надо было исчезать. Все, кто мог, разъехались из Ростова.

Донской комитет РСДРП был тогда в основном меньшевистский и выступал против восстания. Е. Трифонов высказывается определенно: «Если восстание разразилось, то только вопреки комитету. Можно привести ряд фактов саботирования вооружения рабочих на протяжении ряда лет». И дальше говорит кое-что о причинах неудачи: «Мы действовали по образцам классических революций, а технические средства стали иными. Мы строили баррикады и ждали, что нас будут атаковать. А нас поливали железом издалека». Кроме того, был, конечно, расчет на то, что немедленно подымутся рабочие соседних с Ростовом городов, но этого не случилось. Подкрепления, прибывшие на Темерник, были незначительны: человек сто из Тихорецкой, еще меньше из Таганрога, с Кавказской.

Братьям Трифоновым удавалось некоторое время скрываться от полиции, но 27 февраля Евгения задержал городовой Болдырев, узнавший его в лицо: во время боев этот городовой был захвачен дружинниками в плен. Начальник Донского областного жандармского управления доносил 30 марта 1906 года в департамент полиции: «Доношу, что казак Валентин Андреев Трифонов, 17 лет, задержан в г. Ростове-на-Дону городовым Болдыревым, признавшим в нем члена боевой дружины, которого он видел в то время, когда был задержан мятежниками во время вооруженного восстания. По обыску у Трифонова найдены револьвер системы Браунинг и план предместья Ростова-на-Дону — Темерник, на коем отмечено место, где находится штаб мятежников. На основании данных следствия Трифонов признан одним из главарей восстания в г. Ростове-на-Дону и, как взятый к тому же с оружием в руках, подлежит преданию суду для осуждения по законам военного времени...»

Почему Евгений назван здесь Валентином?

Дело в том, что Евгению Трифонову, как совершеннолетнему и уже привлекавшемуся прежде к суду, а также как дезертиру с казачьей военной службы, грозила казнь, а несовершеннолетнему Валентину могло быть снисхождение. Поэтому Евгений назвался Валентином, а Валентин, которого тоже через несколько дней схватила полиция и который уже знал об уловке брата, назвал себя Евгением. Эта хитрость спасла Евгению жизнь. Отца арестовали 9 марта 1906 года по делу так называемой группы Самохина, собиравшейся именно в этот день, 9 марта, совершить вооруженное нападение на типографию Гуревича в Нахичевани. Выдал всех провокатор Аким Майоров. Сохранился протокол показаний предателя, данных им в тот же день в полицейском участке, где Майоров — из крестьян, 21 года, по профессии наборщик, приехавший для подыскания работы всего лишь две недели назад,— хладнокровно рассказывает, как он устроил завал группы. Сначала он организовал арест главарей, Самохина и Эпштейна, затем пошел в чайную, где его должны были ждать другие товарищи для того, чтобы передать ему оружие. Его действительно ждали двое, один из них был В. Трифонов. Все вышли из чайной и пошли в городской сад, где В. Трифонов сказал, что принес четыре револьвера. Тут же, в саду, всех задержали. Предатель, знавший отца мало, называет его Евгением Трифоновым: так же, как тот сам назвался при аресте.

Последняя фраза протокола такая: «Прошу, чтобы

это показание было совершенно секретно, так как в противном случае моей жизни будет угрожать опасность». Вместе с отцом были арестованы Гавриил Борисенко, Дмитрий Михин, Иван Боков, Михаил Чудовский. У них отобрали семь револьверов, какие-то рукописные заметки и Устав боевой дружины. В архиве ЦГАОР есть копия устава; это любопытное сочинение, стоит привести из него отрывки:

«Общие указания. Револьвер заряди дома, а патроны положи в карман. Револьвер спрячь так, чтобы легко было его вытащить. Не пренебр. хорошим ножом, кастетом, палкой и пр. На сбор. месте соедин. с товар. небольшими группами. Из середины толпы не стреляй: можешь застрелить товар. Держи револьвер дальше от лица стоящ. товар., чтобы не опалить его. Заряды береги, зря не стреляй. На ходу не стреляй, остановись и целься... Как только солдаты готовятся к стрельбе, сейчас же стреляй. Не спеши и целься лучше. Как только офицер отдаст команду, убей его. Если солдаты лезут в штыки, допусти на 30 шагов и стреляй.

Кавалерия. Если есть поблизости телега или что-нибудь другое громоздкое — положи поперек дороги. Если есть гвозди в 4-мя остриями, разбросай их кругом. Допусти конницу на 60 шагов и стреляй, быстрей и чаще. Сплотись в кучу, конь не пойдет в толпу. Когда кавалерия смешается с толпой, стреляй во всадников и пыряй ножом лошадь».

Как видно, был прав Е. Трифонов, говоривший, что некоторые из защитников баррикад на Темернике совсем почти не умели стрелять.

Валентина привели в ту же камеру, где сидел брат. Помню, отец рассказывал: «Ввели меня, вижу сидит Евгений, одетый в пальто. «Ты чего одетый?» — «Одевайся и ты. Сейчас бить будут». Действительно, на вечерней поверке камеры обходит начальник тюрьмы. Команда «Встать!». Политические демонстративно не встают. Надзиратели набрасываются и начинают избивать. И так каждый вечер».

Следователи почуяли неладное с именами братьев, вызвали из Новочеркасска старшую сестру Трифоновых Зинаиду, привели в тюрьму и показали ей из окна Евгения, которого вывели на тюремный двор. Евгений, не понимая, оглядывался — кругом пусто, ни одного человека. У сестры спросили: «Это ваш брат?» —

«Да».— «Как его зовут?» Чуть было не проговорилась ничего не подозревавшая сестра, но что-то остановило ее, внезапное предчувствие: «Я давно братьев не видела, больше десяти лет, как родители умерли. Они от дома совсем отбились — даже узнать не могу...»

Так отец в апреле 1906 года и поехал в административную ссылку в Тобольскую губернию под именем брата. Вскоре он бежал, вернулся в родной город, где был схвачен в октябре и после трехмесячной отсидки в Ростовской тюрьме вновь отправлен в Тобольскую губернию. А следствие по делу Евгения Трифонова и других участников вооруженного восстания продолжалось. Процесс начался лишь в конце декабря 1906 года. Судили 43 человека. Это было громкое дело, взволновавшее город. Боясь рабочих выступлений, генерал-губернатор предупредил население о том, что военное положение не отменено и всякие сходки, митинги, манифестации будут немедленно подавляться силой оружия. К зданию казарм, где происходил суд, подкатили орудия, полицейские и казачьи части стояли в боевой готовности.

Перед каждым подсудимым висела прибитая к барьеру табличка с фамилией, именем и отчеством. Перед Евгением на табличке значилось: «Трифонов Валентин Андреев».

Из 43 участников восстания 29 были осуждены и 14 оправданы. Евгений оказался одним из тех, кого суд наказал особенно строго: как несовершеннолетний, то есть как Валентин, он получил 10 лет каторги. В Сибирь его послали не сразу. Несколько месяцев просидел он в Новочеркасской военной тюрьме, откуда неудачно пытался бежать. Однажды вечером заключенные напали на надзирателей, схватывая их сзади за горло особым приемом — в уличных драках этот прием назывался «взять на грант»,— перевязали, выбежали во двор. Пока поднялась тревога, часть товарищей успела перелезть через высокую стену. Евгения взяли на стене.

Через несколько лет, в 1912 году, уже из Туруханской ссылки, отец написал заявление на имя енисейского губернатора с просьбой вернуть ему его настоящее имя, и такое же заявление сделал брат, отбывавший тогда каторгу в Тобольском централе. Заявление отца послужило началом запутаннейшей казенной переписки, длившейся несколько лет. Работая в Архиве

Октябрьской революции, я наткнулся на этот памятник кропотливой и довольно тупой полицейской мысли, запечатленной на пятидесяти листах «Дела о казаке Евгении Трифонове». В переписку кроме департамента полиции, министерства юстиции, енисейского и тобольского губернаторов, ростовского градоначальника были втянуты еще жандармские управления нескольких городов, наказной атаман Войска Донского, частные лица, родственники, бывшие каторжане, учителя Майкопского технического и Новочеркасского атаманского училищ, и все это для того, чтобы определить, был ли злой умысел в перемене имен или же была чистая случайность. Многолетние потуги не привели ни к чему: злой умысел так и не обнаружился. В 1916 году братьям было разрешено именоваться их собственными именами.

Я разбирал эту груду документов, аккуратно подшитых, с датами, гербами, номерами входящих и исходящих, с подписями, имевшими когда-то могущественную силу, а сейчас превратившимися в едва заметный, полустершийся чирк карандаша, и думал: какое количество бумажек окружает каждого из нас! Мы не догадываемся, что находимся в плену у бумажек. Они, невидимые, идут по нашим следам, им нет числа, нет сроков, нет смерти. Они — как загробные тени нашего земного существования, ведь мы умираем, а они остаются. Нет ни Евгения, ни Валентина, ни губернаторов, ни делопроизводителей, ни писцов, ни тюремщиков, никого, есть только бумажки. Они зачем-то нужны. Чего-то ждут. Вот я взял эту старую папку, которую никто не трогал лет пятьдесят, кроме архивариуса, оставившего метку инвентаризации в 1933 году, полистал ее, почитал и отдал обратно; и снова никто не притронется к ней лет пятьдесят, сто, триста. Господи, через триста лет бумажки расплодятся так, что вытеснят человека с земли! Будут созданы, вероятно, огромные архивные территории, вроде национальных парков, а потом и целые архивные города, потом такие же города для бумажек будут устроены под землей, а когда человечество переселится на другие миры, все помещение нашей старой планеты будет превращено в один гигантский архив!

Между прочим, более всего в папке «Дело о казаке Евгении Трифонове» меня интересовали фотографии отца и дяди. Они должны были там быть. Об этом говорится почти в каждой бумажке. Но их не было. Кому-то они понадобились, и, может быть, именно в том году, каким помечена инвентаризация. А может быть, чуть раньше или чуть позже. Это никому не известно. Никто не мог сказать мне ничего определенного. Бумажки живут своей скрытной медленной жизнью, рассчитанной на тысячелетия, как камни, как ледники.

В ссылках отец провел лучшие годы: с семнадцатилетнего возраста до двадцати шести лет. Об этих годах он рассказывал мало. Иногда в разговоре с матерью скажет полушутливо: «Кто из нас был в ссылке: ты или я?» — и это имело иронический смысл и было как бы требованием неких домашних поблажек за счет тяжелого прошлого. Для нас, детей, шутливость таких разговоров была очевидна, и потому представление об отцовских ссылках создалось несколько несерьезное. Ну, ссылался четыре раза, ну, бежал — это, наверно, очень интересно, романтично. Снова прошли долгие годы, прежде чем я кое-что узнал об отцовских ссылках тех лет, более полувека назад.

Романтичного в них было немного. Зато много было стужи, снега, бездомности, голодания, избиений солдатами (у отца была выбита кость в груди от удара прикладом), были разговоры изверившихся, были болезни, предательства, была смерть друзей в охолодавших станка́х под полярным небом — и была молодость, отчаянно боровшаяся со всем этим.

После того как в «Знамени» напечатали в первоначальном варианте этот очерк, стали откликаться люди, знавшие В. Трифонова в разные годы. Откликнулись двое, которые знали его по ссылке. Большинство-то умерло: прошло все-таки пятьдесят с лишком лет. Но двое выжили, два глубоких старика: Николай Никандрович Накоряков, человек известный, делегат Лондонского съезда, бывший директор Госиздата, и Борис Евгеньевич Шалаев, по профессии инженер-теплотехник, живущий сейчас в Свердловске, человек тоже с революционным прошлым. Как-то дома зазвонил телефон, и я услышал высокий старческий голос: «А я вашего батюшку знал по Тюменской ссылке 1907 года. Мы его звали Тришкой. Он немного прихрамывал».

Я не слышал, чтобы отец когда-нибудь прихрамывал. Но, наверно, это так и было.

Н. Н. Накоряков познакомился с ним сразу же после того, как отец бежал из Тобольска, из административной ссылки, в Тюмень. Отец отпустил бороду, чтобы изменить лицо. Возможно, он и прихрамывал тогда для маскировки. Я приехал к Николаю Никандровичу домой, в Мансуровский переулок, однако старичок — с гаснущим зрением, но с необыкновенно ясным, четким умом — немного смог добавить к тому, что сказал по телефону. С тех пор, с 1907 года, он не видел отца ни разу. В его памяти отец остался двадцатилетним юношей, Тришкой, вдвое более молодым, чем я. Поэтому он сказал разочарованно: «Вы на своего отца не походите». Он вспомнил еще, что отец работал в Тюмени слесарем на заводе Машарова.

От Бориса Евгеньевича Шалаева я получил много писем и его очень интересные воспоминания «Из прошлого рядового человека»: о пермском подполье, о Тобольской ссылке и о Тюмени, где он познакомился с В. Трифоновым. Судьба Б. Шалаева была и в самом деле судьбой рядового русского человека начала столетия: уральская глухомань, какая-то Нижняя Салда, семья горнозаводского крестьянина, выбившегося в лесники, учение в реальном, жадность к книгам, ко всем вперемешку, но непременно к «серьезным», юношеское философствование зимними вечерами у печки, и вдруг сразу — бомбы, тайная возня со взрывателями, знакомство со Свердловым, боевая дружина, выдача провокатором Папочкиным, арест и «башня» Пермской тюрьмы. Осенью 1907 года Б. Шалаев был выслан в административную ссылку в Тобольскую губернию. Он был старше отца на два года.

Путь из Тюмени в Тобольск — 250 верст этапом,— описанный Шалаевым в его воспоминаниях, проделал дважды и отец. «Скорость этапа в среднем 25—30 верст в сутки. Дневки через трое суток. Наконец выходим из Тюмени. Конвойные кричат, замахиваются прикладами. Строгость отменная! Выходим за город. Отойдя версты три — команда: «Стой! Старосту политических к начальнику конвоя!» Разговор короткий: «Говори, за каких людей ручаешься, что не убегут, и каким доверять нельзя. За кого поручишься — ходи как тебе надо. Только в деревне, чуть подыму тревогу мигом являйся, не подводи». Шли почти как на воле. Почему же такая неправдоподобная, кажется, свобода? Очень просто! Не зная, куда девать невероятно умножившиеся после пятого года неблагонадежные элементы в войсках, правительство вынуждено было, в целях изоляции, массами засылать неблагонадежных в самые медвежьи углы».

О том же вспоминал В. Трифонов: однажды гнали их по этапу — по тому же самому, на Тобольск,— и конвойные попались на редкость хорошие ребята, чем могли, старались облегчить путь. Ссыльные решили между собой: не бежать с дороги, не подводить конвой. Так и дошли до места, а уж оттуда бежали.

Тюменский конвой шел до полпути, до села Невлево, где долина реки Туры выходила на Тобол. Здесь этапников принимал тобольский конвой. А в Тобольске еще приходилось ждать днями, неделями парохода «на низ», то есть на север по Оби: кому куда было назначено поселение.

Тем же пароходом при некоторой отваге и счастливом стечении обстоятельств можно было вернуться «с низу» в Тобольск: так вернулся Б. Шалаев, раздобывший подложный паспорт. Таким же способом годом раньше вернулся в Тобольск В. Трифонов, откуда проехал на Урал (работал там по обучению боевых дружин, используя свой ростовский опыт), а после Урала перебрался в родной Ростов, где и был схвачен. Само по себе бегство из административной ссылки было делом нетрудным. Главная трудность — не попасться потом. Беглые поселенцы, пойманные за пределами Сибири, наказывались строго: до трех лет каторжных работ.

В конце 1906 года В. Трифонова из Ростовской тюрьмы переправили в Саратов, он просидел там несколько месяцев — Саратовская тюрьма оказалась тяжелой, режим почти каторжный, с карцерами, избиениями, отец там много болел,— и вновь его выслали в Тобольскую губернию, на этот раз в Туринск. Вот так вспоминает Б. Шалаев о своем знакомстве с отцом:

«В 1907 году В. Трифонов оказался в административной ссылке в г. Туринске вместе с А. А. Сольцем и Э. А. Сольц (сестрой Арона Александровича). Когда же обоим удалось перевестись в Тюмень, Валентин Андреевич нелегально уехал в Екатеринбург и стал работать там как организатор и член Екатеринбургского комитета. Об этом периоде его жизни я только слышал, так как сам лишь с зимы 1907 года появился в ссылке в г. Тобольске.

С открытием навигации 1908 года в Тобольск одним из первых пароходов приехал А. А. Сольц, который встретился там со мной и устроил мой перевод в Тюмень.

Вскоре встретился я в Тюмени и с Валентином Андреевичем. Он как раз собирался ехать «на низ» для подбора опытных кадров и для Тюмени и для Екатеринбурга из числа заброшенных далеко на север ссыльных. Поэтому он обратился ко мне с просьбой рекомендовать кого-либо из подходящих людей. Я назвал ему несколько фамилий, но предупредил, что точно не знаю, кто из них согласится на его приглашение, а особо крупных работников на Севере не знаю. Помню также, что, возвратившись из поездки, он с сердцем заметил: «Ну уж эти рекомендованные!» Оказывается, немало из указанных ему не удалось разыскать, а еще больше просто не пожелало ехать, так как успело уже «осесть» на месте и подыскать кое-какой заработок. Надо упомянуть, что это было время самой худшей реакции. Провокация работала весьма интенсивно, предыдущий разгром был еще слишком свеж, и возобновление партработы было очень нелегко. Знаю, что из крупных работников Трифонову удалось обнаружить на севере Мельничанского, который потом нелегально пробрался в Тюмень».

Тюмень тех лет — город своеобразный, живой, купеческий и пролетарский одновременно, с заводишками, мастерскими, судоверфью, железнодорожным депо. Кроме того, это был центр, сквозь который проходил, где сгущался, оседал, таился в бегах почти весь российский бунт, кочевавший в Сибирь и обратно. Три века Тюмень была перевалочным пунктом для тысяч и тысяч ссыльных, политических и уголовных: все они, миновав Уральский хребет, прежде всего попадали в Тюменскую тюрьму — первую тюрьму Сибири. Рабочих в городе было порядочно, работали, как повсюду в России, тяжко, до изнеможения, а по праздникам усердно пьянствовали и бились на кулачках «вýсмерть». Михаил Мишин, один из революционных тюменских деятелей тех лет, описал тюменскую старину в своих записках, напечатанных лет тридцать назад в журнале «Каторга и ссылка».

Описал кулачные битвы с криками «Бою подайте!», с кровавыми увечьями и многочисленной публикой, майскую забастовку пятого года, и то, как стала сколачиваться социал-демократическая организация, и как возникла типография, и как пошли споры большевиков с меньшевиками, и как началась борьба с эсерами. В июле 1907 года типография провалилась, Мишин попал в тюрьму. Из тюрьмы пытались наладить работу на гектографе, но работников, способных для этого дела, на воле никого не осталось. «Опять помогли беглые ссыльные,— вспоминает Мишин.— Для временной работы в это время остановились бежавшие с севера В. Трифонов и А. Валек». (Через двенадцать лет Антон Валек был повешен колчаковцами в Екатеринбурге.) По-настоящему революционная работа оживилась через год, с появлением в городе А. А. Сольца.

Об Ароне Сольце я должен рассказать подробней. Это был замечательный человек нашей революции. Его сутью была несокрушимая вера в силу справедливости. В. Трифонов познакомился с Сольцем в Туринске, близко сошелся с ним в Тюмени. А. Сольц был старше отца, имел большой опыт подпольной работы — участвовал в революционном движении еще с 1895 года, работал вместе с В. П. Ногиным в группе «Рабочее знамя», затем примкнул к «Искре», и влияние его на В. Трифонова, как и на других молодых ссыльных из рабочих, было велико, он воспитывал их духовно, приучал к марксистской, ленинской литературе, да и просто к культуре, к знаниям, чего многим не хватало. Дружба с А. Сольцем осталась у В. Трифонова на всю жизнь. Пожалуй, у отца и не было друга ближе, чем Арон Сольц.

Помню его с детства — мы жили в одном доме — маленького человека с большой, шишковатой, седой головой. У него были большие губы, большие выпуклые глаза, смотревшие проницательно и строго. Он казался мне очень умным, очень сердитым и очень больным, всегда тяжело, хрипло дышал. Кроме того, он казался мне замечательным шахматистом. Я всегда ему проигрывал.

Арон Сольц был уроженцем Вильно, вырос в семье сравнительно интеллигентной и зажиточной, купеческой. В своей автобиографии для 41-го тома энциклопедического словаря Гранат А. Сольц написал так: «За время моей гимназической жизни я мало, или, вернее, совсем не интересовался социальными вопросами, но был весьма оппозиционно настроен к власть предержащим. Источником этой оппозиционности было, несомненно, мое еврейство. В гимназию я попал с величайшими трудностями, ибо попал тогда, когда прием был чрезвычайно ограниченный, и вот неравенство в гражданских правах меня, конечно, и толкнуло в оппозицию». Сказано честно, как умел сказать Сольц.

Б. Шалаев вспоминает: как-то в Тюмени, после собрания, рабочие разговорились о том, как и почему они стали большевиками. Почти все говорили о «сознании долга», и только Шалаев признался в том, что сознание долга его ничуть не тревожило, а к марксизму он пришел по-интеллигентски, от философии. Над ним стали подтрунивать. Особенно зло вышучивал его пожилой рабочий, всеми уважаемый Иван Иванович Борисов; он и обычно-то относился к Шалаеву свысока, как «истый» пролетарий к интеллигенту. Но Сольц неожиданно поддержал Шалаева, сказав, что и он пришел к марксизму сходным путем. Интерес к философии возник от ущемленности, от поисков справедливости, и философия повела на поиски истины и идеала.

Между прочим, «истый» пролетарий Борисов через несколько лет сделался провокатором, это выяснилось после революции. Одной из любимых фраз Сольца была: «Где много говорится о добродетели, там наверняка прячется какое-нибудь преступление».

После гимназии Сольц учился в Питере, в университете, попал в гущу споров, в схватки марксистов с народниками, был изгнан за участие в беспорядках и впервые оказался в тюрьме в 1901 году. Потом было много арестов, были ссылки, побеги, голодовки, была в начале империалистической войны известная прокламация «Долой войну!», за которую Сольц получил по приговору военного суда два года крепости. После февральской революции Сольц редактировал газету «Социал-демократ», затем «Правду». В голодные девятнадцатый и двадцатый годы он работал в продовольственном отделе Моссовета, в Центросоюзе. Однажды какая-то делегация рабочих, доведенная до крайности ничтожными пайками и неуступчивостью Сольца, вздумала проконтролировать его самого: «А ну, проверим, чего начальники лопают!» Пошли к нему на квартиру, обыскали все углы и не нашли ни черта, кроме нескольких мороженых картошек. Между тем хозяин квартиры распоряжался вагонами с продовольствием.

Этот пример характерен, впрочем, не для А. Сольца, а для нравов революции.

Многие старые большевики называли А. Сольца «совестью партии». В 1920 году А. Сольц был введен в созданную по предложению Ленина Центральную контрольную комиссию, он неизменно входил во все составы ЦКК и ее Президиума вплоть до 1934 года. А. Сольц написал книгу о партэтике. В течение многих лет он работал в Верховном суде и в комиссиях по чистке партии. Я встречал людей, которых он спас от исключения из партии, и людей, которых он исключил: все вспоминали о нем с уважением. Потому что все, что он делал, он делал по совести.

В книге о партэтике А. Сольц писал: «Человек отдельными поступками не измеряется. Надо знать всего человека, что он из себя представляет».

Весной 1923 года А. Сольц столкнулся с некоторыми фактами, которые побудили его заняться обследованием тюрем. По его инициативе ВЦИК создал специальную комиссию, облеченную правом освобождения от имени ВЦИК всех, кого она найдет нужным. Эта комиссия пересмотрела несколько тысяч дел, причем лично беседовала с каждым заключенным, обнаружила множество вопиющих случаев неправильного применения законов, бюрократического подхода, совершенно бессмысленного осуждения за мелкие дела на длительные сроки. Были освобождены две трети из всех, дела которых рассмотрела комиссия. Затем такие же комиссии были созданы по всему Союзу и проведена широкая амнистия. Через год, в 1924 году, «комиссия Сольца» повторила свое обследование, на этот раз кроме тюрем проверялись и народные суды, где скопились тысячи нерассмотренных дел.

А. Сольц требовал, чтобы работники юстиции отвечали за привлечение к суду, за качество приговора. В 1933 году в «Известиях» появилась его статья «Об ответе за привлечение, за свой приговор».

Когда в 1937 году началась развязанная Сталиным кампания массовых репрессий, такой человек, как Сольц, не смог молчать. Может, один из немногих он пытался бороться. Он работал тогда помощником Генерального Прокурора по судебно-бытовому сектору. А. Сольц стал требовать доказательств вины людей, которых называли врагами народа, добивался доступа к следственным материалам, вступил в резкий конфликт с Ежовым, Вышинским. Однажды он пришел к Вышинскому и потребовал материалы по делу Трифонова, сказав при этом, что не верит в то, что Трифонов — враг народа. Вышинский сказал: «Если органы взяли, значит, враг». Сольц побагровел, закричал: «Врешь! Я знаю Трифонова тридцать лет как настоящего большевика, а тебя знаю как меньшевика!» — бросил свой портфель и ушел. Вышинского он и в самом деле знал издавна, еще по Питеру, по юридическому факультету.

Сольца начали отстранять от дел. Он не сдавался. В октябре 1937 года, в разгар репрессий, он внезапно выступил на конференции Свердловского партактива с критикой Вышинского как Генерального Прокурора и с требованием создать специальную комиссию для расследования всей деятельности Вышинского. Ему еще казалось, что прежние методы, введенные при жизни Ленина, обладают силой. Н. Н. Накоряков присутствовал при этом выступлении и вспоминает о нем в своей еще не опубликованной, но известной мне статье об А. Сольце: часть зала замерла от ужаса, но большинство стали кричать: «Долой! Вон с трибуны! Волк в овечьей шкуре!» Сольц продолжал говорить. Какие-то добровольцы, охваченные гневом, подбежали к старику и стащили его с трибуны.

Трудно сказать, почему Сталин не разделался с Сольцем попросту, то есть не арестовал его. Конечно, Сольц пользовался большим уважением в партии, авторитет его был велик, но ведь Сталин не церемонился с авторитетами. В феврале 1938 года Сольца окончательно отстранили от работы в прокуратуре. Он пытался добиться приема у Сталина. Но Сталин, с которым он вместе работал в питерском подполье в 1912—1913 годах, с которым ему приходилось в ту пору спать на одной койке, его не принял.

Сольц все еще не сдавался: он объявил голодовку. Тогда его запрятали в психиатрическую лечебницу. Два дюжих санитара приехали в дом на улице Серафимовича, схватили маленького человека с большой седой головой, связали его и снесли вниз, в карету. Потом его выписали, но он был сломлен. Я видел Сольца незадолго перед его смертью, во время войны. Он непрерывно писал на длинных листах бумаги какие-то бесконечные ряды цифр. Не знаю, что это было. Возможно, он писал старым подпольным шифром нечто важное. Никто не сохранил этих длинных листов с тысячами цифр. Сольц был слишком одинок и слишком болен; кроме того, шла война, жесточайшая война, заставлявшая думать о будущем, а все прошлое с его загадками и традициями казалось таким далеким и, в общем-то, несущественным. Сольц умер за девять дней до конца войны. Ни одна газета не поместила о нем некролога.

Все это произошло много лет спустя после того, как Сольц и Трифонов познакомились в сибирской ссылке.

В 1933 году Свердловский Истпарт обратился с письмом к А. А. Сольцу с несколькими вопросами о подпольной работе в Тюмени в 1909 году, Сольц написал:

«Какая к тому времени была организация в Тюмени? Отвечаю: я имел в виду, пользуясь довольно свободным режимом в Тюмени, поставить там типографию и обслуживать весь Урал. В самой Тюмени был только завод Машарова. Было небольшое количество соц.-дем., больше меньшевиков, чем большевиков. Был там тогда тов. Новоселов, за последнее время член ЦКК, был и Мишин, сейчас, кажется, пребывающий в меньшевиках. Был там Трифонов Валентин, участник восстания под кличкой «Корк» в Ростове, Мельничанский под кличкой «Максим», пожелавший бежать за границу на том основании, что в России делать нечего в духе Каутского, и задержанный мною, и Стецкий. Была еще группа интеллигентов...»

Квартира Сольца в Тюмени на втором этаже деревянного дома на Большой Разъездной сделалась «штаб-квартирой» тюменской парторганизации. Семьи у А. Сольца не было. Он всегда жил вместе с сестрою, Эсфирью Александровной, членом партии с 1903 года: она прошла с братом многие годы ссылок, была с ним и в Тюмени. Б. Шалаев жил на квартире Сольцев, он вспоминает: «Наше общее хозяйство вела Эсфирь, а мы с Ароном помогали ей и выполняли все черные работы по колке дров, топке печей и т. п. У обоих Сольцев имелся заработок уроками, Арон преподавал даже детям исправника. Вскоре и я имел уроки».

Нелегальная газета «Тюменский рабочий», редактором которой был А. Сольц, стала главной силой организации. Газета выступала с обличениями местных промышленников, например владельца паровой мельницы миллионера Текутьева, призывала к забастовкам, печатала в своей типографии листовки и прокламации, ей принадлежала важная роль в полемике с эсерами по поводу «эксов». В 1908 году, в сентябре, эсеры произвели очередную экспроприацию: ограбление сборщика денег по казенным винным лавкам. Настоящих виновников полиции схватить не удалось, но в ее руки попал рабочий Мартемьянов, член РСДРП. Ему грозила виселица. Защита его затруднялась тем, что он не мог доказать своего алиби: как раз в момент ограбления Мартемьянов разносил прокламации рабочим. Стремясь спасти товарища от казни, газета «Тюменский рабочий» выступила со специальной статьей «Об экспроприациях», написанной Б. Шалаевым, где прямо потребовала от эсеров прекратить отмалчиваться и признать участие в ограблении, чтобы спасти невинного человека. Эсеры возмущались, кричали о предательстве, грозили «перестрелять» всю редколлегию газеты, но в конце концов вынуждены были признать «экс» своим. Правда, это произошло не скоро и неожиданным образом.

Пока шло следствие по делу Мартемьянова, охранка сумела подготовить и при помощи нескольких провокаторов нанести удар по организации: в начале 1909 года провалилась типография, были арестованы А. Сольц, М. Мишин, Б. Шалаев, Мельничанский, Стецкий и Ершов-Максимов. В. Трифонов незадолго до этого провалился в Екатеринбурге и должен был скрыться с уральского горизонта. Он поехал в Ростов, на родину, был схвачен на железной дороге, и в то время, как его друзья томились в Тюменской тюрьме, оказался в Ростове. Он просидел там около года, после чего отправился в свою третью ссылку, в Березов.

Но мне хотелось бы продолжить рассказ о Тюмени, ибо тюменские товарищи Трифонова не покидали его долго, некоторые всю жизнь: через восемь лет, в семнадцатом, в Питере, судьба свела Трифонова, и Сольца, и Шалаева, и даже Мишина в одном доме, в одной квартире.

Почему провалилась организация в Тюмени в 1909 году? Кто были провокаторы? Довольно точно это выяснилось лишь после 1917 года. Провокация нависала отовсюду, она была в те годы ежедневным бытом и ночным кошмаром всех революционных партий. В 1908 году все газеты мира писали об Азефе. Ссыльные эсеры признавались, что не знают, как оправится их партия от этого удара. «Провокация дотянулась до нас через существовавшие революционные связи между партиями,— пишет в своих воспоминаниях Б. Шалаев,— а также через личные знакомства. Ясно чувствовалось, что в дальнейшем эта опасность еще больше усилится. Сольц ясно понимал и в разговорах со мной четко формулировал это. Он говорил, что из личного опыта убедился, что наиболее ценные сведения охранка может получить только через провокатора. Откуда же она может знать больше? Поэтому появление провокатора — не случайность, а неизбежность. Что же делать? Свернуть работу — значит погубить все дело. Продолжать? Рано или поздно станешь жертвой провокации. Остается одно: как можно шире развертывать работу, чтобы она «обогнала» провокацию, вовлекая в революцию все большие массы. Жертвы неизбежны, но их можно значительно сократить путем большего внимания к жизни партийцев. Ведь провокатор рано или поздно выдаст себя своим эгоизмом и отсутствием моральной устойчивости».

Эти четкие умозаключения кажутся сейчас несколько наивными. Да, действительно, провокаторы выдавали себя, но чаще всего это происходило поздно, а не рано. Шесть арестованных — Сольц, Шалаев и их товарищи,— сидевшие в общей камере, целыми днями обсуждали одно: кто провокатор? Для конспирации и для того, чтобы выработалось независимое и беспристрастное мнение, каждый делал выводы самостоятельно, затем все материалы передавались Мишину, тюменскому старожилу, лучше других знавшему не только тюменцев, но и всех приезжих, и тот уже приходил к окончательному заключению. Так было установлено, что провокатор — молодой парень, один из типографских рабочих, Семен Логинов. Вспомнили, как несколько месяцев назад он будто бы по ошибке принес огромный тюк с прокламациями, напечатанными для екатеринбургской организации (в то время екатеринбургская организация была разгромлена, и для того, чтобы создать у полиции впечатление. что она захватила совсем не тех людей, в Тюмени напечатали прокламации под маркой Екатеринбургского комитета), не в условленное место, а на квартиру Сольца. Это было грубейшее нарушение правил конспирации, но Сольц не успел даже как следует отругать Логинова: явилась полиция. Тогда, к счастью, все обошлось благополучно. Пристав был настолько уверен в победе, то есть в том, что обнаружит прокламации в комнате Сольца, что не взял обычного наряда полиции, а явился вдвоем с околоточным надзирателем: тут сыграла роль элементарная жадность, ему не хотелось делиться наградой с большим числом людей. Но именно потому, что полицейских пришло лишь двое, тюк удалось незаметно, из окна второго этажа — проделал это дворник, умиравший от страха,— выбросить на улицу и скрыть.

Второй раз полиция действовала более проворно. В типографии были захвачены Логинов и Стецкий, причем Логинову «удалось» бежать, и он, в паническом состоянии примчавшись к Сольцу, успел сообщить ему, что типография провалилась. Зачем он это сделал? Возможно, Логинова послала, инспирировав его побег, полиция, с тем чтобы сохранить предателя и одновременно спровоцировать Сольца на ответные действия,— в том случае паническое состояние Логинова естественно, он боялся, что будет раскрыт и с ним тут же рассчитаются. Сольц и Шалаев поняли, что бежать практически нельзя, полиция следит за каждым шагом, а кроме того, газета действовала настолько широко, открыто, что бегство редакторов рабочие могли расценить как трусость и измену. Они остались в городе. Через несколько дней их взяли. Но суду еще требовалось доказать, что рукописи, захваченные в типографии (Стецкий бросил их в печку, пытаясь сжечь, но не успел), действительно принадлежат им. После 1917 года в архивах охранки обнаружился документ, подтвердивший догадку насчет Логинова: его расписка в получении мзды от полиции в сумме двадцати пяти рублей.

На том же этапе тюрьмы, где сидели шестеро, в камере смертников томился рабочий Петр Мартемьянов: тот, кого обвинили в ограблении артельщика и приговорили к виселице. Приговор был послан в Петербург на утверждение. Сольц дважды, сидя в камере, подавал прокурору заявление о том, что Мартемьянов не мог совершить ограбления, так как именно в это время он по его, Сольца, заданию был занят разноской прокламаций. Прокурор считал, что заявления ложны и представляют лишь попытку спасти товарища от петли. Мартемьянов ждал казни. У дверей его камеры день и ночь стоял военный караул. Один из солдат этого караула оказался своим человеком, революционно настроенным — из Тобольского полка, и он помог Сольцу и остальным наладить связь с волей. Судьба Мартемьянова разрешилась неожиданно.

В Тюмени ждали суда, а В. Трифонов снова шел знакомой этапной дорогой из Тюмени в Тобольск. Оттуда предстоял ему длинный путь по Оби в городишко среди лесов и тундры, уже двести лет известный как место ссылки,— Березов. Из Тобольска пароходом больше тысячи верст на север.

Когда вели через Тобольск, отец издали видел знакомый Тобольский каторжный централ: высоко на крутом берегу Иртыша над лугами и лесом серой плотной стеной темнели «пáли», бревенчатый частокол, за «пáлями», невидимая, стояла еще одна каменная стена, и где-то там, внутри, среди каменных коридоров — брат. За три с лишним года Валентин побывал в двух ссылках, бежал, работал в Екатеринбурге и Тюмени, жил в Ростове, сидел в тюрьме в Саратове, сейчас шел в свою третью ссылку, из которой опять убежит, а брат все годы неотлучно — там, в кандалах.

Каторга — это не ссылка.

И младший, с тоской подумав о брате — сам этапник, под конвоем,— почувствовал себя почти вольным человеком.

Весь быт каторжных централов — Тобольского, Орловского, Александровского, Нерчинска и Горного Зерентуя — был устроен так, чтобы отбить у человека желание жить. До 1907 года тобольская каторга, как и прочие российские каторжные тюрьмы, находилась в руках «иванов»— главарей уголовников. После разгрома революции пятого года в тюрьмы хлынули тысячи политических, социал-демократов, эсеров, анархистов, максималистов, солдат и матросов, участвовавших в вооруженных восстаниях. Между «иванами» и «политиками» сразу возникла вражда, ибо политические не захотели подчиняться произволу «иванов», а те не желали терять своего главенства в каторжном мире. Началась битва, жестокая, с ночной поножовщиной, со многими жертвами с обеих сторон, хорошо описанная писателями-каторжанами.

Большевики из рабочих, солдаты и матросы, спаянные дисциплиной, латышские «лесные братья» со здоровенными кулаками оказались победителями. В Тобольском централе весною 1907 года четырнадцать грузин, мстя за своего товарища, убитого по наущению «иванов»— он возражал на кухне против того, чтобы «иваны» забирали лучшие куски,— напали внезапно на уголовников и зарезали вожаков. Несколько грузин погибло, бой был неравный, но царству «иванов» пришел конец. Один из мемуаристов тобольской каторги Гитер-Гранатштейн рассказывает о «голом бунте», который произошел в 1907 году,— пятьсот человек сняли с себя всю одежду, остались нагими, протестуя против бесчеловечного обращения и истязаний администрации.

В том же году был затеян побег. Много дней рыли подкоп. Через товарищей на воле раздобыли штатскую одежду, паспорта, деньги, несколько револьверов, приготовили квартиру на время пребывания в Тобольске — все это организовывал А. А. Сольц, находившийся в то время в городе. Выдал предатель, началась расправа. Начальник централа Богоявленский, злобный старый тюремщик, бросил зачинщиков в карцер, к нескольким применил розги.

Розги политическим — это было не просто наказание, страшное болью и нередко смертельным исходом, это была провокация, после которой следовали бунты и самоубийства. Тридцать лет назад Вера Засулич стреляла в Трепова за то, что тот посмел наказать розгами землевольца Боголюбова; двадцать лет назад на Каре разыгралась трагедия из-за применения розог к Надежде Сигиде — в знак протеста покончило с собой несколько политических каторжан. Вспыхнул бунт и в Тобольском централе. Возглавил бунт Дмитрий Тохчогло, большевик, недавний киевский студент, получивший каторгу взамен смертной казни за перестрелку с полицией и ранение пристава. (Впоследствии, в Александровском централе, Тохчогло станет близким товарищем Е. Трифонова.) Сохранились прощальные письма к родным, написанные накануне бунта.

Вот письмо Ивана Семенова в Тверскую губернию, на почтовую станцию Микулино-Городище, деревня Бетлево, Ульяне Корниловой: «Дорогая мама! Шлю тебе сердечный привет с пожеланием всего хорошего. Дорогая мама, может быть, когда ты получишь это письмо, меня не будет в живых. Я не буду тебе описывать подробно, почему это так, напишу вкратце. Троим из наших товарищей дали розги. Мы не можем оставить этот позор без внимания, а поэтому решили смыть этот позор своей кровью. Завтра мы поднимаем бунт, и, наверно, нас переколют штыками. Другого выхода у нас нет, как только умереть. Дорогая мама, прошу тебя, не плачь обо мне и не упрекай меня за то, что я причинил тебе много горя. Иначе я поступить не мог. Не буду описывать, почему не мог, так как ты этого не поймешь. Итак, прости, прощай! Целую тебя без счета раз! Твой любящий Иван».

На другой день бунтари стали «ломать тюрьму», кричать, буйствовать, а когда в камеру ворвались солдаты, заключенные вступили с ними в борьбу. Многие были тяжело побиты и ранены прикладами и штыками, один человек убит: Иван Семенов.

Почти в этот же день начальник централа Богоявленский получил письмо с местным штемпелем: «Нами получены сведения из Тобольской каторжной тюрьмы № 1, что Вы бесчеловечно обращаетесь с нашими товарищами политическими и уголовными заключенными, за что и объявляем Вам смертный приговор, который не замедлим исполнить. Инкогнито».

Через десять дней Богоявленский был убит на улице выстрелом из револьвера. Стрелявший скрылся. Полиция схватила по подозрению некоего Рогожина, местного ссыльного, но убедительных доказательств вины Рогожина не было, и на суде он был оправдан.

В каторжную тюрьму пришел новый хозяин, Могилев. Он прославился как знаменитый молчальник. Заключенных он не замечал, проходил мимо, как глухой, не отвечал на их просьбы, мольбы, оскорбления, проклятья. Он истязал молча. Обычным наказанием стало 30 суток карцера и сотня розог. Могилев ввел новшества: холодные и горячие карцеры. Температура охлаждалась или нагревалась до сорока градусов, горячие карцеры практиковались перед поркой, чтобы разгорячить кровь.

Заключенные протестовали, как могли, отказывались принимать пищу, выходить на прогулку, девять человек пытались покончить с собой. С детства запомнился мне рассказ Евгения Андреевича — не знаю, относится ли он к периоду Могилева или к периоду более позднего инквизитора, небезызвестного Дубяго,— о том, как голодали камерой уже неделю, все были без сил, экономили каждое движение, чтобы продлить борьбу. Начальство не шло на уступки. Один из заключенных не выдержал, говорит: «Товарищи, я больше не могу терпеть. Чтобы не сдаться и не подвести вас, разрешите мне покончить с собой». И вот, лежа на нарах, обессиленные, долго обсуждали вопрос: имеет ли он моральное право уйти от борьбы? Согласились, разрешили.

Русская каторга после пятого года — это история отчаяннейшей войны заключенных «политиков» за свое человеческое достоинство. Сражения этой войны развертывались иногда на таких незначительных плацдармах, из-за таких ничтожных поводов, которые сейчас покажутся пустяками. Но из-за них люди шли на смерть, убивали тюремщиков, убивали себя. Каторжане непрерывно против чего-то протестовали: против того, что начальство обращалось к ним на «ты», против требования тюремщиков приветствовать их словами «здравия желаю» и снимать шапки (некоторые в лютый мороз нарочно выходили на прогулку без шапок, за что получали карцер), против телесных наказаний, против насильственной стрижки волос, протестовали против «подаванцев», то есть подававших прошения с просьбой о помиловании и снижении сроков, и против тех, кто надеялся на царскую милость по случаю трехсотлетия Романовых.

Иногда война немного утихала, начальство где-то сдавалось, в чем-то уступало, и воцарялся смрадный, тягучий мир, но ненадолго. Каторга не могла стать миром по той причине, что она придумана была для *убивания духа*, а *дух* — сопротивлялся. И рано или поздно затишье взрывалось кроваво, страшно.

Е. Трифонов писал на каторге в Тобольске стихи. Потом писал и в Александровском централе, куда его перевели в 1913 году. Тоненькая книжка этих стихов «Буйный хмель»— необычный и, может быть, единственный в своем роде образец каторжной поэзии — вышла сразу после революции. Вот стихотворение «Утром».

Звонок подымет нас в ноябрьской мутной рани,
И свет чадящих ламп сметет обрывки грез,
И окрик бешеный, и град площадной брани...
Пора вставать.— Эй, подымайся, пес!
Встаем. Свернем постель и бродим, как в тумане.
Цвель по стенам, как пятна ржавых слез.
Потеки мыльные от мерзостной лохани,
За окнами — безлюдье, сумрак и мороз.

Потом в ряды построит нас свисток,
Молитву проревем нестройно, диким хором.
Стоим и хмуро ждем. Вот загремят запором,
И, грузен, туп и зол, вплывет тюремный бог.
И начинаем день, день скуки и мечтаний,
Жуя ломоть сырой и кислой дряни.

В других стихах он рисует картины тяжелого труда каторжной артели, возвращения домой с работы, ночной маеты («Полночный час, полночный час! Спит дух, злой дух, что д н е м зовется...»), он проклинает палачей, мечтает о расплате с ними, вспоминает прошлое («все изломы жизни, горькие ошибки, весь короткий, буйный, бесшабашный путь — ни минуты покоя, ни одной улыбки, ничего, чем мог бы юность помянуть»), иногда ему кажется, что жизнь навсегда искалечена, кончена, сил нет — а лет ему было тогда всего двадцать семь,— но иногда: «Унынью черному еще я знаю меру! Еще хранит душа моя всю страсть мою, и ненависть, и веру. Нет, вам не сразу сдамся я!»

Он радуется таежной весне, письму с воли, друзьям, которые все вынесли и дожили до свободы.

Вот они уходят:

Вы, упрямцы, умевшие все снести без мольбы
и проклятий,
Обнажавшие молча на плахе клейменые плечи,—
Вы уйдете отсюда, как гонцы и предтечи
Все отвергнувшей и на все покусившейся братии.
Вы уйдете отсюда и покинете банду беспутную,
Этот мир беспокойного и упрямого люда,
Мрак, и слякоть, и скуку, и глушь беспробудную,
Все покинете вы и уйдете отсюда...

Матросы и солдаты восьмой камеры решили покончить с Могилевым. Они знали, что идут на смерть. Уговорились вызвать Могилева по какому-то поводу в камеру, напасть на сопровождающих его надзирателей, и во время схватки один из солдат, человек очень сильный, должен был просто задушить Могилева. Но и этот план рухнул, всех выдал перетрусивший уголовник.

8 января 1909 года в камеру пришел старший надзиратель Григорьев, известный своей волчьей ненавистью к каторжанам — он любил говорить: «Я пил и буду пить кровь из заключенных»,— и потребовал выдать зачинщиков. Ему ответили ругательствами. Григорьев выхватил шашку и отрубил голову тому, кто стоял ближе. Тогда каторжанин Филиппов, бывший артиллерист, вырвал у Григорьева шашку и отсек ему голову. Надзиратели бросились на заключенных, началась сеча, в которой безоружные каторжане были, конечно, перебиты.

Два месяца зверствовал Могилев; тринадцать человек было повешено, многие замучены порками и карцерами. Восьмую камеру Могилев порол каждый день, давал всем подряд по 150 розог и после каждой десятки розог велел сыпать на рану соль.

В марте 1909 года молчальник Могилев, уже прославившийся по всей Сибири, был убит на улице эсером, бывшим балтийским матросом Н. Д. Шишмаревым.

Новый начальник централа заявил: «Я знаю, что меня тоже могут убить, но режим будет тот же».

Так жила тобольская каторга и вместе с нею один из сотен ее обитателей — Евгений Трифонов, отбывавший срок под именем Валентина.

У окна в простенке — темный лик иконы,
В мутном полумраке прячутся углы.
Чей-то бред невнятный, чей-то скрежет, стоны,
Да порой о нары звякнут кандалы.

Медлит ночь в безмолвье, тягостно и жутко,
Зорко тьма глухая стены стережет.
Слух мой ловит что-то напряженно-чутко.
В сердце скука злая, душная растет.

Бьется мысль бессильно, как в тенетах птица.
Липкая тревога ум обволокла.
Память воскрешает забытые лица,
Канувшие в вечность давние дела...

Загасил я гордость — и молчу бесстрастно.
И мирюсь постыдно, холодно терплю.

Только ненавидеть я умею страстно
И упрямо, жадно и напрасно
Эту жизнь бесплодную люблю.

Эсер Шишмарев, казнивший на улице Тобольска Могилева, сделал между тем важное признание: ограбление артельщика в Тюмени было произведено им. Ему нужны были средства для того, чтобы подготовить убийство Могилева.

Петр Мартемьянов был освобожден из Тюменской тюрьмы, военный караул с его камеры снят, а Сольц и его товарищи потеряли надежную связь с волей. Вообще солдаты Тобольского полка в революционных событиях тех лет сыграли заметную роль: они отказались стрелять в заключенных во время бунта в Тобольском централе, они наладили связь тюменских узников с волей, и они же, по-видимому, облегчили судьбу Шалаева и Сольца.

В конце 1909 года состоялся суд: Сольца и Шалаева оправдали за недостатком улик. Подлинные рукописи обоих — те самые, что не успел сжечь Стецкий,— являвшиеся главной опорой обвинения, таинственным образом исчезли из дела. Размышляя в течение почти полувека над загадкой исчезновения рукописей, Б. Шалаев пришел к выводу, что их выкрали писаря по просьбе тобольских солдат. Дело в том, что солдаты Тобольского полка не только сочувствовали революционерам, но и имели повод их отблагодарить: при помощи партии был устроен побег одного солдата, которому грозила каторга, и организовал этот побег Шалаев. Тогда солдаты сказали ему на всякий случай, что у них в тюменском суде есть «свои люди». Четверо остальных обвиняемых — Мишин, Стецкий, Мельничанский и Ершов-Максимов — были сосланы на поселение в Восточную Сибирь.

Мельничанский вскоре бежал в Америку, был секретарем профсоюза в Бруклине, а в 1917 году вернулся в Питер и жил одно время в той же квартире на 16-й линии, в которой жили Шалаев, Сольц и Трифонов. Джон Рид в своей книге «Десять дней, которые потрясли мир» упоминает Мельничанского как комиссара Военно-революционного комитета в Москве. После революции Г. Н. Мельничанский был на крупной профсоюзной работе.

Когда, бежав тою же осенью 1909 года из Березовской ссылки, В. Трифонов снова попал в Тюмень, почти никого из старых товарищей там уже не было: одни высланы на восток, Шалаев сразу после суда отправился в Нижний Тагил и потом к своему отцу, в лесничество, а Сольц уехал в Туринск. Через год эти двое встретятся совершенно случайно на Невском в Питере: Шалаев будет уже студентом Технологического института, а Сольц корректором одного частного книгоиздательства. В руке у Сольца портфель, там корректура последнего романа Сологуба. Но это — для заработка. Истинным делом Сольца в то время будет его нелегальная работа как члена Питерского комитета...

Итак, Трифонов приехал в город, опустошенный провокаторами. Он действовал осторожно — знал о недавнем печальном опыте Ганьки Мясникова[1], который, бежав из Иркутской губернии, по дороге решил заехать в Тюмень. Шпики увязались за ним. Он обошел нескольких товарищей, никого не заставая дома: всех в тот же вечер арестовали, так же как самого Ганьку. В тюрьме Мясникова свои же избили до полусмерти, и за дело.

В квартире на Большой Разъездной жила одна Эсфирь Сольц. Она рассказала отцу о положении дел в Тюмени и, наверно, посоветовала уехать. Город сквозил, как осенняя роща. Отец не уехал. Был недолгое время секретарем тюменской организации и, по свидетельству ротмистра Полякова, даже «значился кандидатом в члены комитета». В декабре 1909 года, ночью, его схватили. Кара на этот раз была суровая: «За принадлежность к революционной организации и участие в группе, образованной с целью совершения грабежей и разбоев, выслать под гласный надзор полиции в Туруханский край на 3 года».

Поехал В. Трифонов в свою четвертую ссылку, вернее, не поехал, а пошел: этапом до Красноярска и оттуда тоже этапом на север. Было это весной 1910 года. По одному делу шли в этапе четверо. Пахомов, Дороган, Трифонов и Борисов, тот самый, что стал провокатором. Но тогда об этом еще никто не догадывался, даже

---

[1] Гаврила Мясников — один из мотовилихинских рабочих, впоследствии один из лидеров рабочей оппозиции. В 1922 году исключен из партии за антипартийную деятельность.

сам Борисов. Завербовали его в 1914 году, когда он вернулся из Туруханки. Шли и знали — оттуда не убежишь. Кто и бегал из Туруханки, то большей частью гибли, не добирались до жизни.

В глухих чащах по берегам Енисея, других рек и речушек разбросаны таежные хутора, «станки́», один от одного на неделю, а то и на три недели пути, и в них поодиночке, тройками раскиданы поселенцы. Кругом на сотни верст — тайга без края, болота, зверье, смерть. Куда бежать? В 1907 году побежали на север, группой, убивали по дороге стражников, меняли лошадей, взяли Туруханск с ходу, открыли тюрьму, сожгли бумаги и, спасаясь от войск, выступивших из Красноярска, перли отчаянно все дальше и дальше на север, сквозь морозы ниже сорока, непроницаемый белый туман, через могилы, снега, мимо Дудинки к Ледовитому океану — куда? Главарь был Дронов. Идея, взлелеянная безумнейшим таежным одиночеством: объявить Туруханскую республику, перекинуться в Америку. Всех переловили, перестреляли казаки.

Два с лишним года прошло с тех пор. Власти завинтили запоры, ужесточили режим, с крестьян брали подписку, что те обязуются ловить беглых. За поимку три рубля. Дешевле, чем белку убить, но, однако, деньги.

В Туруханский край ссылали самых неукротимых, кого хотели обезвредить надолго. Был тут Свердлов, был один из вождей закавказских большевиков Сурен Спандарян, был замечательный Иосиф Дубровинский, по кличке Инок, близкий соратник Ленина, побывали тут Сталин, Я. Шумяцкий. Ссыльные получали пособие 15 рублей в месяц, деньги небольшие, прожить на них было трудно, а «лишенные прав» и того не имели. Находили кое-какой приработок, жили охотой, рыбой. Выдержать Туруханку с ее ледяным климатом, пу́ргами, непрерывной топкой печей, сырым и коротким летом, мошкарой, с ее белыми, изнуряющими душу ночами, с ее ощущением таежной пустыни и трагической отдаленности от всего остального мира могли люди физически очень крепкие. Спандарян заболел чахоткой и умер. Дубровинский погиб весной 1913 года, и до сих пор неясно, утонул он или покончил с собой. Отец знал Дубровинского, они жили рядом. Отец был первым, кто сообщил в Москву близким об обстоятельствах смерти Дубровинского: «Анна Адольфовна! Могу сообщить очень немного подробностей о смерти Иосифа Федоровича. В ночь на 20 мая — в Туруханском крае ночи в это время не бывает — Иосиф Федорович сел в лодку и выехал на реку; была волна. Иосиф Федорович с лодкой не справился, и ее перевернуло; пока с берега, заметив несчастье, выехали, Иосиф Федорович скрылся под водой; река в этом месте имеет 5 верст ширины, о поисках нечего было и думать; только 27 июня нашли тело Иосифа Федоровича. Вот и все известные мне подробности... Евгений Трифонов». (Отец все еще носил имя брата.) Самоубийства в Туруханке были довольно часты. Об этом пишет в своих воспоминаниях «Туруханка», вышедших в 1925 году, Я. Шумяцкий. Люди уставали ждать, надеяться.

Эпидемия самоубийств в те годы, с десятого по тринадцатый, прокатилась по многим каторжным тюрьмам и ссылкам. Время было глухим и не оставляло надежд. Чего было ждать от замордованного каторжанина в каком-нибудь Горном Зерентуе, когда в Париже уходят из жизни Лафарг и Лаура Маркс? Но если бы те, дошедшие до последней грани, могли знать, что надо выдержать год или два и начнется мировая бойня, а там, из этой бойни...

Несколько лет назад я получил письмо из Уфы от Р. Г. Захаровой. Фамилия ничего не говорила. Прочитав, понял: писала вдова политического ссыльного Филиппа Захарова, который был товарищем отца по Туруханской ссылке. Потом Р. Г. Захарова приехала в Москву, показала свои воспоминания о муже (он погиб в 1937 году), и там было кое-что о Туруханке, о Дубровинском и об отце. Захаров был близок с Дубровинским, жил с ним в одном доме, даже в одной комнате. В этом же станке Байшинском жил некоторое время В. Трифонов.

Вот то немногое, что я нашел в воспоминаниях Р. Г. Захаровой об отце:

«О лишениях, которые испытывал Филипп в Туруханке, он не распространялся. Это была общая участь всех ссыльных, особенно тех, кто не получал материальной поддержки. Заработать там было невозможно. Попробовал он побыть на метеостанции за Полярным кругом, совсем один, но не выдержал одиночества в полярную зиму и вернулся в деревню.

Кроме названных уже мною лиц (Захарова упоминает Дубровинского, Свердлова, Сталина, Л. Р. Менжинскую.— *Ю. Т.*) рассказывал Филипп и о других ссыльных. Но мне запомнился лишь Трифонов Валентин Андреевич. Быть может, потому, что с ним мне пришлось встречаться впоследствии в Москве, о чем речь будет дальше. Говорил он о нем с большим теплом, хотя и характеризовал его как человека сурового, малоразговорчивого, очень волевого. Уважение друг к другу было взаимным, в чем я имела возможность убедиться.

Помнится рассказ о курьезном ответе Трифонова туруханскому начальству. Вместе с Филиппом он совершил незаконное действие — съездил без разрешения в соседнюю деревню к товарищам. На обращенный к Трифонову вопрос, почему он совершил самовольную отлучку, он серьезно и мрачно ответил: «Потому что у меня были новые сапоги». Ответ так ошеломил начальство, что больше не стали задавать вопросов и наложили какое-то небольшое наказание».

Вот что, просеиваясь через годы, остается в памяти человеческой: анекдот.

Филипп Захаров мог бы, наверное, вспомнить больше, но его нет. Нет никого. Остались воспоминания о воспоминаниях. А отец пробыл там три года, и взрослел, и однажды едва до смерти не замерз, и набирался ума, и охотился на медведя, и читал, и надеялся, и готовился к жизни. Отец, так же как Евгений, оставшись сиротой, учился недолго — лишь в приходской школе. Он окончил, кажется, четыре класса, а Евгений — два. В графе «образование» оба писали: «низшее». По-настоящему они учились чему-то в тюрьмах и ссылках, особенно в таких, откуда нельзя было удрать. И однако, несмотря на «тюремное» образование, Евгений стал талантливым литератором, а отец глубоко знал экономику, историю, марксизм, военное дело.

Тут главное, что помогало, что двигало,— люди, случайно встретившиеся на путях и перепутьях. Но случайно ли? Такие люди, как Сольц, как Дубровинский, и должны были оказаться на этих путях: они выбирали их сами. Дубровинский хорошо знал Ленина, жил в Париже, в Лондоне, был отличным математиком, философом, переводил статьи по экономике с английского языка, который он выучил в Туруханке. (Сольц выучил английский в крепости.) Ссыльные в Туруханке получали почти все газеты и журналы, хотя средств на выписку ни у кого, конечно, не было. Делалось так: писали коллективное письмо в редакцию, а оттуда бесплатно высылали издания. Даже суворинское «Новое время» не отказывало.

После гибели Дубровинского осталась его довольно большая библиотека. Ссыльные решили в память о нем сделать библиотеку общей, передвижной. В связи с этой библиотекой Захарова рассказывает такой эпизод:

«По неписаному закону принято было, что каждый вновь прибывший в ссылку товарищ делал сообщение о положении дел в России. От кого же было ждать более интересного, глубокого освещения всего, происходящего в далекой, так давно оставленной России, как не от члена большевистского ЦК? Группа ссыльных, среди которых были Я. М. Свердлов и Филипп, работала в это время в селе Монастырском на постройке. Возводили дом, который, как они знали, должен был служить тюрьмой. К слову сказать, долго решали, имеют ли моральное право ссыльные работать на такой постройке, но решили, предотвратить использование любого дома под тюрьму они все равно не в силах, а заработать больше было негде, вот и стали строить.

Туда как раз и должен был прибыть Сталин. Дубровинского уже не было в живых.

Филипп, не склонный по натуре создавать себе кумиров, да к тому же слышавший от Дубровинского беспристрастную оценку всех видных тогдашних деятелей революции, без особого восторга ждал приезда Сталина, в противоположность Свердлову, который старался сделать все возможное в тех условиях, чтобы поторжественней встретить Сталина. Приготовили для него отдельную комнату, из весьма скудных средств припасли кое-какую снедь. Прибыл!.. Пришел в приготовленную для него комнату и... больше из нее не показывался! Доклада о положении в России он так и не сделал. Свердлов был очень смущен.

Сталина отправили в назначенную ему деревню Курейку, а вскоре стало известно, что он захватил и перевез в полное свое владение все книги Дубровинского... Горячий Филипп поехал объясняться. Сталин принял его так, как примерно царский генерал мог бы принять рядового солдата, осмелившегося предстать перед ним с какими-то требованиями. Возмущенный Филипп (возмущались все!) на всю жизнь сохранил осадок от этого разговора».

Для бедного Филиппа Захарова хуже было то, что и Сталин, наверное, сохранил осадок от этого разговора.

В марте 1913 года срок ссылки Трифонова кончился, но он на несколько недель задержался в Туруханке: не на что было выехать.

Через восемь лет — уже отгремела революция, прошла гражданская — Филипп Захаров появился в Москве, и Трифонов устроил его плановиком в Нефтесиндикат, который тогда возглавлял. Но жизнь Захарова сложилась несчастливо: после ссылки он отошел от партии, а после революции не решился вернуться, чтобы не сочли, что хочет примазаться к победителям. Так было не с ним одним. Нечто похожее произошло с Шалаевым. В 1922 году по чьему-то наговору Захаров был арестован и сослан. Отец знал его как честного человека, он хлопотал за него, написал заявление в ГПУ, старался, чем мог, облегчить его участь. И чем-то, кажется, облегчил. Но ненадолго. В воспоминаниях Захаровой все это описано подробно, ибо эпопея с Филиппом Захаровым тянулась долго, вплоть до тридцать седьмого года, когда поставили точку.

Одной из явочных партийных квартир в Петербурге была квартира 21 дома 35 по 16-й линии Васильевского острова. Это шестиэтажный дом скучной поздней постройки. Он стоит и сейчас. Вокруг него по-прежнему теснятся низенькие, невыразительные домишки, а он выглядит солидно и буржуазно. Мама говорила, что в детстве гордилась этим домом, особенно — парадным, где имелись какие-то необыкновенные выпуклые стекла темно-зеленого цвета. Прошлой осенью я был в Ленинграде, посмотрел на дом — я-то видел его впервые,— но выпуклых стекол не обнаружил. Все-таки они не выдержали такого количества событий: революции, гражданской войны, блокады. Квартира номер 21 находится там же, на шестом этаже.

Полвека назад хозяйкой квартиры была Татьяна Александровна Словатинская: член партии с 1905 года, моя бабушка со стороны матери. Она работала корректором в книгоиздательстве «Просвещение». Когда-то она училась музыке в Вильно (вместе с Эсфирью

Сольц), семнадцатилетней девушкой приехала в Петербург, поступила в консерваторию, жила, как жили курсистки, уроками, к шести утра летела на бесплатные лекции профессора Лесгафта, а вечером на галерку слушать Шаляпина, но через два года консерваторию бросила: другая музыка оказалась сильней. К подпольной работе привлек А. А. Сольц. Было это в 1898 году, когда бабушке было девятнадцать лет. Очень скоро, с 1900 года, Е. Д. Стасова приучила ее к «технике» конспиративной работы, жизнь ее определилась: она стала профессиональной революционеркой. В своих воспоминаниях, оставшихся в рукописи, Т. А. Словатинская писала: «Мне приходилось быть связистом, организовывать партийные собрания, передавать нелегальную литературу, печатать и распространять листовки, снабжать материалами подпольные типографии — все это, конечно, «техническая работа», но в условиях царского режима это была и очень ответственная работа, потому что от четкости ее выполнения зависела свобода, а иногда и жизнь многих наших товарищей».

В Ревеле в 1903 году Т. А. Словатинская познакомилась с М. И. Калининым, который работал тогда на заводе Вольта, а через три года на явочную квартиру Т. А. Словатинской в Петербурге (тогда еще на Забалканском проспекте, в доме 40) приехала молодая эстонская девушка Катя Лоорберг, участница забастовки на Балтийской мануфактуре; она скрывалась от полиции, ей достали билет на пароход и дали «явку» в Питер, на Забалканский. С этой девушкой у Словатинской сохранилась дружба на всю жизнь. В квартире на Забалканском Катя Лоорберг познакомилась с М. И. Калининым и стала вскоре его женой, Екатериной Ивановной Калининой. В начале 1906 года на этой же квартире на Забалканском проспекте происходило важное партийное собрание, на котором присутствовал Ленин.

Из воспоминаний Т. А. Словатинской:

«Мою квартиру выбрали потому, что она была очень удобна в конспиративном отношении. Она находилась на 4-м этаже, на 5-м была лечебница, а на 3-м зубной врач. К врачу и в лечебницу всегда ходило много народа, и поэтому приходившие товарищи не вызывали подозрений. Они расспрашивали у швейцара о лечебнице, а шли ко мне.

Должно было собраться человек пятнадцать, в том числе Е. Д. Стасова. Секретарь собрания тов. Эссен (партийная кличка «Зверь») сказала мне, что сейчас придет Ленин, он точен всегда. И действительно, точно в условленный срок, когда я побежала открыть, я увидела Ленина. Владимир Ильич прошел с черного хода, через большой двор, проследил, не идет ли кто за ним, а когда поздоровался, первыми его словами были: «За мной никого нет, чисто!» Этими короткими словами он показал свою дисциплинированность опытного подпольщика: важно было не притащить за собой «хвост», шпика. Ведь тогда, после кратковременных «свобод» девятьсот пятого года, многие товарищи стали нарушать правила конспирации.

На собрании обсуждался вопрос о предстоящих выборах в Первую Государственную думу. Ленин говорил, что революция не кончилась, и разоблачал вредность конституционных иллюзий, говорил, что дума — это подделка и полицейский обман.

К сожалению, мне, как хозяйке, надо было все время следить за домом и быть начеку, так что в тот раз как следует послушать Владимира Ильича не удалось».

Много раз и позже встречались Т. А. Словатинская с Лениным: в 1907 году в Куоккале, после революции в Таврическом дворце, в Смольном и потом в Москве, когда работала дежурным секретарем в Бюро секретариата ЦК.

В десятом или, может быть, в одиннадцатом году Т. А. Словатинская поселилась с сыном Павлом и дочерью Женей, моей будущей матерью, на Васильевском острове, на 16-й линии. Квартира была большая и так же, как прежняя, на Забалканском, стала явочной. В одной из комнат жил А. А. Сольц, приехавший после Тюменской ссылки, потом по рекомендации Сольца переехал туда же Б. Е. Шалаев с женой. Шалаев учился в Технологическом институте. Несколько дней на этой квартире прожил Сталин. Его тоже привел Сольц.

Т. А. Словатинская вспоминает:

«В 1912 году, бежав из ссылки, И. В. Сталин приехал в Петербург. В это время у меня на квартире жил А. А. Сольц, или как считал старший дворник, господин Кац. Он «снимал» маленькую комнату за кухней, предназначенную для прислуги. Однажды он сказал, что приведет товарища кавказца, с которым хочет меня познакомить. И тут выяснилось, что этот кавказец с партийной кличкой «Василий» уже несколько дней живет у Арона, не выходя из комнаты. Уж не знаю, как они там помещались вдвоем на узкой железной кровати. Видно, все те же неписаные законы конспирации не позволяли им даже мне открываться в первые несколько дней. В самом деле: квартира явочная, хозяйка живет по чужому паспорту, жилец тоже по чужому, а гость к нему приезжает — беглый ссыльный. При таких данных можно было опасаться каждого случайного взгляда: кухарки, других жильцов, детей, не говоря уже о дворниках.

Так я познакомилась со Сталиным. Он показался мне сперва слишком серьезным, замкнутым и стеснительным. Казалось, больше всего он боится чем-то затруднить и стеснить кого-то. С трудом я настояла, чтоб он спал в большей комнате и с бо́льшими удобствами. Уходя на работу, я каждый раз просила его обедать с детьми, оставляла соответствующие указания работнице. Но он запирался на целый день в комнате Арона, питался пивом и хлебом и много писал. В то время И. В. руководил кампанией по выборам в думу.

Примерно с неделю он жил с нами. Я, как связист ПК, выполняла и его поручения, главным образом по связи с людьми, передаче каких-либо партийных документов. Один раз по заданию ЦК у меня на квартире было проведено собрание представителей районов. Собрались товарищи с Выборгской стороны — двое, из-за Невской заставы, с Путиловского завода и др. Сталин вел собрание и предложил мне секретарствовать. На повестке дня того совещания был вопрос о подготовке к выборам в Госуд. думу. Разбирали кандидатуры. Выдвинули тт. Бадаева и Н. Д. Соколова.

Помню, как мы втроем, Василий, Арон и я, ездили на студенческий вечер. В тот период мы часто с какимлибо студенческим землячеством устраивали вечера-концерты, якобы с благотворительной целью, а на деле, чтоб собрать деньги для партии. На вечерах удобно было устраивать встречи с нужными товарищами и, если позволяла обстановка, обмениваться двумя-тремя словами, не прибегая к явочным квартирам.

В тот вечер все у нас обошлось благополучно, а вот позднее и Арон, и Сталин были арестованы. Сталина арестовали весной 1913 года на благотворительном вечере в Калашниковской бирже. Помню всю историю, как сейчас.

Сталин сидел за столиком в одной из комнат и беседовал с депутатом Малиновским, когда заметил, что за ним следят. Он вышел на минутку в артистическую комнату и попросил кого-то из товарищей вызвать меня из буфета. (Я дежурила там, так как сбор с буфета тоже шел в нашу кассу.) Мы разговаривали всего несколько минут. И. В. успел сказать мне, что появилась полиция, уйти невозможно, очевидно, он будет арестован. Он попросил меня сообщить в ПК, что перед концертом он был у Малиновского и думает теперь, что оттуда и следили.

Действительно, как только он вернулся на свое место, к столику подошли двое в штатском и попросили его выйти. Сделали они это тихо и деликатно. Публика не обратила внимания, вечер продолжался. О том, что Малиновский провокатор, никто еще не знал, однако этот случай показался подозрительным. (После революции Малиновского расстреляли по приговору партийного суда.) Впоследствии И. В. рассказывал, что, когда в день ареста он зашел по делу к Малиновскому домой, тот очень настойчиво звал его с собой на концерт. И. В. совсем не хотел идти, отговаривался тем, что у него нет настроения и вообще он совсем неподходяще одет, но Малиновский пристал, даже нацепил какой-то свой галстук. Сталина выслали в Курейку. По поручению ЦК я раза два отправляла ему посылки: какую-то, помню, тельняшку, какие-то 50 рублей дал мне Н. Н. Крестинский».

Я перечитываю эти строки со смешанным чувством изумления и горечи. Т. А. Словатинская писала воспоминания незадолго до смерти, в 1957 году. О Сталине уже было много сказано на XX съезде. И Словатинская могла беспрепятственно окинуть взором всю свою жизнь и жизнь своей семьи, разрушенной Сталиным: зять ее погиб, сын Павел был сослан, восемь лет отбыла в ссылке и дочь — та девочка Женя, которая когда-то встречала Арона и Василия в квартире на 16-й линии. Но и отзвука всей этой боли нельзя найти в воспоминаниях Т. А. Словатинской. Что ж это: непонимание истории, слепая вера или полувековая привычка к конспирации, заставлявшая конспирировать самую страшную боль? Это загадка, которая стоит многих загадок. Когда-нибудь ей найдут решение, и все, вероятно, окажется очень просто. Когда-нибудь! Но что делать сейчас? Я долго колебался: помещать или нет воспоминания бабушки о Сталине в «Отблеск костра». Они могут показаться некстати. Но, поразмыслив, решил, что поместить надо, потому что основная идея — написать правду, какой бы жестокой и странной она ни была. А правда ведь пригодится — когда-нибудь...

В начале 1914 года В. Трифонов приехал в Петербург. В своей автобиографии — два пожелтевших листка сохранились в его архиве — он пишет об этом времени кратко: «После ссылки приехал в Питер. Поддерживал связь с организацией через тт. Молотова, Калинина, Залуцкого и других. В конце 1916 года с Егором Пылаевым организовывал типографию Питерского комитета партии». Отец пришел на явочную квартиру, где жили его товарищи по Тюмени Сольц и Шалаев, где его знали по письмам. («Познакомился тут с замечательными ребятами: казаки, братья Трифоновы»,— писал Сольц Словатинской из Тюмени. С Евгением он познакомился заочно, по письмам.) Вскоре поселился в этой же квартире и прожил там до дней революции. В четырнадцатом году Сольца там уже не было: в начале года он бежал из Нарымской ссылки, приехал в Москву, и, когда началась мировая война, вернее, в самый ее канун, в июле, когда объявили всеобщую мобилизацию, Сольц по решению московской организации большевиков написал и выпустил для распространения среди солдат прокламацию «Долой войну!».

Эта листовка наделала большой шум. Проданный провокатором, Сольц был арестован 31 июля 1914 года и приговорен военным судом к двум годам крепости. В квартире на 16-й линии он появился лишь в конце шестнадцатого года.

Но Шалаев там жил. Как раз весною шестнадцатого года он окончил Технологический институт и вскоре стал работать помощником главного механика на Петроградском трубочном заводе. Историю с типографией он помнит: «Трифонов обратился ко мне с предложением организовать на Трубочном заводе производство деталей печатного станка для нелегальной типографии ПК. По условиям моей технической работы я всецело был поглощен эксплуатацией паровых котлов, в связи с чем к работе нашей главной ремонтной мастерской имел малое отношение и не мог там сам командовать. Поэтому пришлось договориться, чтобы ведением этого сугубо конспиративного дела занимался кто-либо из опытных и надежных рабочих. Надо сказать, что станок был почти совсем готов, когда надобность в нем окончательно миновала: пришла февральская революция».

О днях Февраля в Питере, о морозах, о голоде, о разгромах булочных, о том, как отчаявшиеся бабы били городовых скамейками, на которых сидели часами в хлебных очередях, о слухах, о заговорах, о тревожных вестях с фронта, о том, как потрясали столицу валы забастовок, как гребень валов становился все грознее, как бездарный русский царь пытался судорожно и бессмысленно себя спасти, как фрондировала и трепетала дума, как панически интриговали союзники, как люди революции, проникшие везде и повсюду, раскачивали эту лодку, уже черпавшую бортом воду, и как случилось то, что должно было случиться,— обо всем этом писали много, страстно, по-всякому. Писали вскоре после событий, по горячим следам, писали, отдышавшись, через год-другой, через пять лет, через десять, писали в Питере и Москве, в Берлине, Софии, Париже. Все эти воспоминания, записки очевидцев (горделивые и стройные — победителей, полные стенаний, упреков и злобы — побежденных) имели одну общую черту: оценку того, что было, с позиций сегодня. Чем более проходило время, тем рассудительнее становились оценки.

В. Трифонов с первых дней февральской революции стал секретарем большевистской фракции Петроградского Совета рабочих и солдатских депутатов. Эту обязанность он исполнял до июня, когда, по собственным его словам, «сдал секретарю М. М. Лашевичу». Значит, он был в гуще событий, в водовороте Таврического дворца, где находился Исполком Совета и рядом заседали думские деятели; значит, при нем арестовывали министров, волокли Щегловитова, был обнародован знаменитый «Приказ № 1», упразднивший власть офицеров, при нем вооруженный народ залил все помещения, все лестницы дворца «каким-то серым движущимся кошмаром, кошмаром говорящим, кричащим, штыками торчащим, порой извергающим из желтых труб «Марсельезу», по злобному выражению Шульгина. И он сам был частью этой толпы, которая Шульгину показалась кошмаром и стала потом действительным кошмаром его эмигрантских ночей. Главной задачей в эти дни, даже часы Февраля было: восстанавливать связи. Большинство опытных работников партии находились вне Питера, в эмиграции, в ссылках. Те же, кто успел приехать в первые дни, кто вышел из тюрем, из потаенных квартир, стремились как можно быстрее найти товарищей. Все шли к думе, к Таврическому дворцу: там встречались, узнавали новости, организовывались, слушали охрипших ораторов, кричали «ура».

Не знаю, что отец делал конкретно в эти дни. Знаю только, что он был там, в Таврическом, в эпицентре всероссийского землетрясения.

И снова я думаю о том, что лучший художник — время. Проза Тацита и Пушкина прекрасна не только сама по себе, но и потому, что над нею трудилось время. Оно окружило каждую фразу и каждую мысль такой далью, таким простором, какие не под силу создать никому из смертных.

Это касается великого искусства.

Но даль и простор иногда превращают в искусство то, что никогда не было искусством, потому я и думаю, что время обладает этой странной силой: даром художественности. Дневники, письма, деловые записки, судебные протоколы и военные реляции с ходом лет приобретают неожиданные свойства. В старых и немудреных словах, сказанных когда-то мимоходом, по делу, кристаллизуется поэзия. Со словами происходит то же, что с химическими элементами: распадаясь с течением времени, они возрождаются к новой жизни в другом качестве.

Ни один мемуарист не может избежать невольной и бессознательной саморедактуры. Когда же редактуру берет на себя в р е м я, тогда возникает феномен художественности. Время ничего не дописывает и ничего не вычеркивает, оно действует как-то иначе. То, что убито временем, то уж убито окончательно, а то, что осталось жить, то живет удивительной, меняющейся жизнью.

Так вот, на 16-й линии Васильевского острова...

Словатинская ничего не записывала в те годы. Не вел никаких записей и отец. Не вели дневников и другие большевики, бывавшие в этой квартире: Сольц, Егор Пылаев, Залуцкий, Калинин. И не только из привычной конспирации, но и потому, что искренне не считали свою жизнь чем-то замечательной и достойной увековечения. А когда началась революция, у них и вовсе не стало времени.

Но у Словатинской был сын Павел. В 1917 году ему исполнилось четырнадцать лет. Он учился в пятом классе Второго Василеостровского коммерческого училища, и вот он-то вел дневник. Он писал каждый день, очень сухо, по-деловому, ибо, к счастью, не обладал склонностью к литературе. Но — каждый день! Выросший в революционной семье, он все события видел по-своему, он повторял сведения, которые слышал от взрослых, и знал при этом, что можно доверять дневнику, а что нельзя: иногда недоговаривал и шифровал, повинуясь законам конспирации. О событиях февральской революции он писал подробно и длинно, это было то, что потрясло, что сразу нарушило весь ход жизни, но потом, когда после июля партия ушла в подполье,— жизнь и разговоры старших отразились на жизни детей — записи делались все скупее, оборванней.

Вот записи февральских дней 1917 года из дневника Павла:

«25 февраля.

Встал в 8.30. Пошел в школу, на углу Большого пр. встретил наших школьников, они все смотрели по направлению 14-й линии. Там шла толпа рабочих забастовщиков, кричали «Ура!». Была полиция, казаки, но не разгоняли толпу. Стояла рота солдат Финляндского полка, но офицер ее поспешно увел. Рабочие остановили трамвай, потом какой-то кондуктор в рыжей папахе крикнул: «Господа товарищи! Идем снимать с Трубочного завода! Урра!» Все пошли по 16-й линии. Мы пошли в школу. Там почти никого нет. Занятия были только у нашего класса. После 3-х уроков нас распустили. Я зашел домой, оставил книги, сказал, что вернусь к 5-ти часам, и пошел к Гене. Мы решили пройти на Петроградскую сторону, посмотреть трамваи, которые повалили забастовщики. Шел мелкий снег, было —6. Мы пошли по Среднему пр. На улице маленькие мальчики устроили драку, кричали «Бей казаков!». Везде у лавок хвосты. Трамваи не идут. Вместо трамваев некоторые ломовики развозят людей. Мы перешли через мост, через Марсово поле и скоро дошли до Невского.

На Невском масса народа, все идут по направлению к Знаменской пл. Мы с Геней пошли туда. На Аничковом мосту поперек моста стояли два ряда конных казаков, но только для виду, они всех пропускали. Вскоре мы увидели красные флаги. Мы догнали главную массу рабочих и пошли с ними. Пели «Марсельезу» и другие революционные песни. Изо всех окон смотрели люди, некоторые махали платками. Это очень возмутило рабочих. «Трусы!— кричали все.— Выходите на улицу! Это вам не представление!», «Выходите, трусы!», «Буржуи!». Грозили выбить стекла, но не было камней. Когда вышли на Знаменскую пл., то устроили митинг. Толпа была тысяч 30. У памятника Александру III вышли несколько ораторов, произносили речи. Раздавались крики: «Долой войну! Долой самодержавие! Долой правительство! Долой думу! Да здравствует Совет рабочих депутатов!»— и громче всего: «Амнистия!!!» Вокруг площади стояли казаки, солдаты, но они не разгоняли толпу. Когда им велели разгонять, они медленно проезжали сквозь народ, солдаты еле протискивались. Рабочие кричали: «Ура, казаки! Вы наши братья, присоединяйтесь к нам!» Вдруг на другом конце площади у Николаевского вокзала раздались выстрелы. Произошла паника, все бросились бежать, но со всех сторон раздались крики: «Товарищи, стойте! Холостые патроны!», «Назад, товарищи!» Все вернулись назад. Оказалось, что на другом конце площади, у Николаевского вокзала, конные городовые начали разгонять толпу. Казаки бросились на городовых и ранили помощника пристава...»

Это не совсем точно: казаки действительно оттеснили полицейских, пытавшихся разгонять митинг, причем был убит полицейский пристав Крылов.

«Мы с Геней протиснулись туда. Толпа волновалась, раздавались крики: «Бей городовых!» Окружили нескольких солдат, кричали, что они наши братья, что мы будем бить только городовых. Солдаты стояли смущенные, растерянные, улыбались. Кое-кто пробовал их обезоружить, но они не отдавали своих винтовок. Вдруг в толпе появился автомобиль, на нем несколько военных. Все бросились туда, хотели их перебить, но раздались крики: «Раненый солдат!»— и их пропустили. В толпе стали носить на палках потерянные шапки.

Отряд солдат хотел пройти сквозь толпу, их не хотели пускать, они сказали, что идут обедать, их пустили. Казаки то уезжали, то снова появлялись. Стали снова произносить речи. Один рабочий поднялся и размахивал саблей, которую он у кого-то отнял. Вдруг в толпу врезался отряд солдат. Все думали, что они хотят арестовать ораторов, но они только отняли саблю и ушли. Ораторы предлагали идти к арсеналу, чтобы вооружиться, говорили, что надо выбрать Временное правительство и Совет рабочих депутатов, идти к Предварилке, чтобы освободить заключенных. В конце концов решили идти к Казанскому собору, чтобы там назначить час выступления на завтра. В толпе мы встретили В. А. (В. А. Трифонова. Павел везде называет его инициалы.— **Ю. Т.**) *Как только все тронулись по Невскому, появились драгуны (инородцы) и стали разгонять. Они скакали во весь опор вдоль по Невскому и размахивали нагайками, но не хлестали. Несколько человек было сшиблено с ног. Им удалось рассеять толпу и отнять красные флаги. Так как было уже больше четырех часов, мы решили идти домой. В. А. остался там. Мы повернули на Знаменскую ул. За нами все бежали, кричали, что драгуны уже хлещут нагайками. Мы повернули на Мал. Итальянскую, потом на Литейный и вышли опять к Невскому. Навстречу нам бежали люди, мы услыхали выстрелы. Впоследствии я узнал, что у Гор. думы на крыше был поставлен пулемет, который стрелял по толпе, было убито несколько студентов. Мы повернули назад и по Симоновской дошли до Михайловской и опять вышли на Невский. Там уже никого не было, только вдали была видна толпа, и все шли туда. Мы пошли домой. Идя по Конногвард. бульвару, мы слыхали как бы частые пушечные выстрелы. Я пришел домой в 6 ч. Мы очень устали, я в этот день прошел больше 18 верст. Когда я пришел домой, В. А. был уже дома. Б. Е.*[1] *рассказывал, что у них на Трубочном заводе, когда рабочие забастовали и вышли на двор, какой-то прапорщик застрелил одного рабочего. Был Андр. Фед.*[2], *говорил, что у Государственной думы была демонстрация и расстрел. Вечером у Казанского собора была толпа, полиция стреляла, были убитые».*

---

[1] Б. Е. Шалаев.

[2] Под этим именем автор дневника знал Егора Пылаева.

«28 февраля.

...По всему Вас. острову идет стрельба. Городовые засели на чердаке и стреляют из пулеметов. Говорят, что и в нашем доме сидят городовые. По нашему дому открыли огонь с улицы. Все жильцы вышли на лестницу. Внизу раздался стук, ворвались унтер-офицер и несколько солдат Финляндского полка. Они искали городовых, которые засели в нашем доме, но никого не нашли. На Среднем пр. взяли участок и мировой суд и все бумаги сожгли. По воздуху летают обгорелые клочки бумаги. В нашем доме организуется домовой комитет, чтобы осмотреть весь дом, все чердаки, нет ли где городовых. Б. Е. Шалаев выбран председателем. Решили устроить дежурство у ворот, чтобы чужих не пускать. Я дежурил с двумя студентами с 4 до 6 ч. В это время пришли человек 50 вооруженных солдат и рабочих, объявили, что в нашем доме спрятано два пулемета, угрожали всех расстрелять и поджечь дом. Они произвели обыск по всему дому, отобрали у одного капитана шашку и револьвер, больше ничего не нашли. Потом забрали все домовые книги, разложили костер и сожгли. Издали видно было, как горит Суворовский полиц. участок. То и дело проезжают автомобили, им кричат «Ура!». В. А. вернулся поздно ночью. Он был в думе. При нем арестовали Хабалова, Штюрмера, Питирима и Протопопова. В. А. назначен комиссаром Совета рабочих депутатов на Васильевском острове».

«4 марта.

Встал в 9.30. Занес на 13-ю линию (Совет) газеты с Геней, дела не было. В 2 ч. все пошли на собрание соц.-дем. на Большом проспекте, 88. Там было человек 70, много говорили, решили организовать агитаторов, выслушали доклады Совета раб. деп. ПК и резолюцию «инициативной группы». Я записался в партию. После ждали до 6.30 газеты «Правда» № 1, но она еще не вышла. Дома читал Диккенса «Тайна Эдварда Друда».

Первый номер «Правды» после почти трехлетнего перерыва вышел на следующий день, 5 марта. Четырнадцатилетний автор дневника поглощен работой в районном Совете: он собирает деньги, развозит экземпляры газет, брошюры, помогает секретарю райкома.

Почти каждый день он бывает в Таврическом, выполняет поручения Стасовой, самые разные. 29 марта, например, есть запись о том, что он ездил к Чхеидзе, отвез ему соболезнование ЦК по поводу нечаянного самоубийства его сына: потом это соболезнование было опубликовано в «Правде». Дальше в тот же день:

«Поехал в редакцию «Правды», Мойка, 32, взял 10 комплектов газеты. Заехал домой, завтракал. Потом поехал в Таврический дворец, завез газеты. Оттуда поехал в «Прибой» с тов. Карлом Андреичем за литературой. Взяли 16 пачек брошюр, назад поехали на автомобиле с тов. П. П. В думе я продавал брошюры в Екатерин. зале, потом перешел в Секретариат ЦК. Вечером завез в «Правду» статью т. А. П. Молотова (В. М. Скрябин)...»

Вот так летят его дни. Прекрасное время! Занятия в школе идут через пень-колоду, ученики не являются, учителя тоже, на уроках все без конца разговаривают. Слухи, новости, рассказы о том, что случилось вчера, сегодня и вот только что на соседней улице. Учителя говорят о Французской революции. Вместо урока физики директор Викентий Викентьевич, взволнованный, рассказывает о Польском восстании, о народовом Жонде.

И — страстное, всеобщее, повальное увлечение демократией!

«Из Лентовской гимназии прислали повестку, просят прислать делегатов для основания ученической газеты. Было собрание всей школы, выбрали меня. В 6.15 поехал в Лентовскую гимназию, там были делегаты от 32-х учебных заведений».

Авторитет Павла внезапно вырос: еще бы, он свой человек в районном Совете, у него друзья матросы, с боевым кронштадтцем В. Панюшкиным он развозит брошюры и газеты, а его сосед по квартире В. А. Трифонов работает в Петроградском Совете и должен знать все последние новости.

Наверное, В. А. Трифонов знал много. Но всех последних новостей в то время не знал никто. С каждым днем Петроград наполнялся людьми, освобожденными из тюрем, прибывшими из дальних ссылок, с каторги. Приехал из Тюмени Мишин, рассказал потрясающие новости, которые, впрочем, не потрясли никого, кроме Шалаева, Сольца и Трифонова: по документам охранки, только что обнаруженным, стало ясно, что Петр Мартемьянов, тот самый, кого всеми силами старались спасти от виселицы, сделался потом штатным осведомителем. Ах, давно это было, неинтересно, не нужно, забыто, к черту! Сольц приехал из Москвы 2 апреля, привез с собой Е. А. Трифонова, который после выхода из Александровского централа жил поселенцем в Усть-Куте, на Лене.

Многолетний каторжанин, изжаждавшийся по делу, по людям, с разгона влетел в водоворот событий. Господи, представить себе недавних пленников, много раз терявших надежду, в Питере, в мятежной столице, где хозяйничала революция, где все трещало, все рушилось и где была весна и сверкало небывалое солнце семнадцатого года! Уже на следующий день, 3 апреля, Евгений Трифонов, вместе с братом, с новыми друзьями, был на вокзале и встречал Ленина. Был с ними и упорный летописец, он записал наутро:

«3 апреля, понедельник. Солнце.

Встал в 9.45. Поехали в думу. Там я попал на заседание Сов. солд. деп. Председателем был Чхеидзе, тов. председ. Керенский. Был доклад рабочей и продовольственной секций. На заседании был Плеханов (он недавно приехал из Англии). После перерыва был доклад военной секции. В середине я ушел, мы поехали домой обедать. Потом (в 7 ч.) мы поехали встречать Ленина и других эмигрантов, которые приехали из Швейцарии. Мы поехали сперва в ПК (дворец Кшесинской). Там открылся солдатский клуб «Правда». Был митинг. Через несколько времени мы все вышли, построились колонной и со знаменами пошли на Финляндский вокзал. Впереди ехал бронированный автомобиль. На Нижегородской мы остановились, а ПК и ЦК пошли к вокзалу. К нам присоединился какой-то полк и несколько заводов. Потом все пошли к вокзалу. Там стояли довольно долго. Подошел Василеостровский район с милицией и оркестром Московского полка. Стало очень темно. На броневике зажгли прожектор. Подошли все городские районы. Было очень красиво, масса знамен, освещенных прожектором. Было тысяч 30 народу. В 11.30 подошел поезд. Их встретили «Марсельезой». В середине толпы расчистили проход, и по нему проехал Ленин на бронированном автомобиле со знаменем ЦК, освещенный прожектором. Все кричали «Ура!». Внутрь пускали по билетам. Мы прошли. (Автор дневника имеет в виду партийные билеты; он недавно получил такой билет, поэтому гордо пишет: «Мы прошли».— **Ю. Т.**) *Ленин вышел на балкон и говорил речь. После говорил Зиновьев и другие. Прожекторы все время освещали толпу. Потом толпа разошлась. Все закусили и спустились в зал. Там Ленина приветствовали представители всех районов и делегаты из разных городов. Потом Ленин рассказал о положении дел в Зап. Европе и сказал, что русская революция должна перейти во всемирную социальную революцию. Под конец все спели «Интернационал» и разошлись. Мы пришли домой в 5 час. утра. Лег в 5. 15».*

На другой день Ленин выступал в Таврическом дворце на общем собрании социал-демократов, участников Всероссийского совещания Советов, со знаменитыми Апрельскими тезисами. Автору дневника посчастливилось быть и там. Он записал скупо, пожалуй, чересчур скупо:

«Я попал на хоры. Председателем выбрали Чхеидзе. Войтинский сказал о цели заседания и перечислил фракции, присутствующие здесь: б-ки, м-ки, Бунд, объединенцы и пр. За ним говорил Церетели о необходимости объединения. Потом выступил Ленин. Он произнес большую речь, высказался решительно против объединения, сказал, что все вожди социал-демократии всего мира предали дело социализма, и потому предлагал основать новую коммунистическую партию. Сказал, что вся власть должна перейти к Советам рабочих, солдатских, крестьянских и батрацких депутатов. Потом я должен был ехать в «Правду» и других ораторов не слышал».

Конечно, автор был слишком юн, чтобы по-настоящему оценить всю важность этого дня и выступления Ленина. История России и, может быть, мира в этот день качнулась круто.

Апрельские тезисы с ошеломляющей ясностью объявили всем, что своеобразие момента «состоит в *переходе* от первого этапа революции, давшего власть буржуазии в силу недостаточной сознательности и организованности пролетариата,— ко *второму* ее этапу, который должен дать власть в руки пролетариата и беднейших слоев крестьянства». Сейчас это кажется хрестоматийной истиной. Каждый школьник знает, что буржуазная революция должна была перейти в пролетарскую. Но тогда, в апреле, когда история лишь творилась, пророчество Ленина — даже не пророчество, а твердой рукой нарисованная картина того, что должно быть и что будет,— ошеломило не только врагов, но и друзей революции. Кадеты, буржуа всерьез перепугались, большевики же отчетливо поняли суть происходящего, и у них захватило дух от того, что открылось. Это не пустые фразы, которые легко сочинять спустя пятьдесят лет. Мать говорит, что В. Трифонов не раз с волнением вспоминал о том, как он впервые услышал Апрельские тезисы и как у него вдруг на многое открылись глаза, а он был человек очень уверенный в себе и редко признававший, что кто-либо на что-либо мог ему открыть глаза.

В одном из пунктов тезисов говорилось об устранении полиции, армии, чиновничества, то есть о замене постоянной армии всеобщим вооружением народа. Это было то дело, которому отец посвятил себя в ближайшие месяцы.

После февраля в Питере организовалась довольно сильная десятитысячная рабочая милиция, но большевики стремились к созданию новой вооруженной силы пролетариата — Красной гвардии. Шестой съезд партии наметил ленинский курс на вооруженное восстание против Временного правительства.

В день закрытия съезда группа опытных партийных работников, организаторов Красной гвардии в районах Питера, избрала так называемую «инициативную пятерку», которая, по существу, явилась первым общегородским центром Красной гвардии. В пятерку вошли: В. Павлов, В. Трифонов, Е. Трифонов, И. Жук и А. Кокорев. Через несколько дней к ним примкнул В. Юркин. История действий «инициативной пятерки» была почти неизвестна нашим историкам. Единственное упоминание о «пятерке» имелось во втором издании книги Е. Пинежского о Красной гвардии (1933), но и этот автор никакими подробностями не располагал, а лишь ссылался на разговор с В. Трифоновым, который во многом критиковал первое издание книги Пинежского, вышедшее в 1929 году.

Вообще надо сказать, период июля — августа 1917 года и деятельности Красной гвардии считался в нашей исторической науке наиболее глухим и неясным. Принято было считать, что в это время Красная гвардия, подавленная тяжелыми июльскими событиями, свернула свою работу, распылилась, ушла в подполье. Принято было также считать, что общегородской центр по руководству Красной гвардией возник лишь в сентябре, когда была создана Центральная комендатура Красной гвардии, куда, кстати, вошли все члены «инициативной пятерки». На самом деле такой центр существовал и действовал раньше.

Подтверждением этого оказались сохранившиеся в архиве В. Трифонова документы той эпохи — подлинные, написанные рукою отца протоколы заседаний «инициативной пятерки», проходивших в августе 1917 года. Сохранилось семь таких протоколов. Из них видно, что Красная гвардия в эти трудные месяцы вовсе не свернула своей работы, а, наоборот, продолжала наращивать силы, создавать новые отряды, обучать рабочих и — что особенно важно — продолжала неустанно вооружаться. Добыча оружия была главной заботой «инициативной пятерки». Действия «пятерки» явились практическим выполнением намеченного Лениным и принятого Шестым съездом партии плана вооруженного восстания. Неудивительно: все члены «инициативной пятерки», за исключением И. Жука, были большевики.

Кто были эти люди, возглавившие Красную гвардию? Все они проявили себя как организаторы красногвардейских отрядов в районах. В. Трифонов был одним из руководителей Красной гвардии Василеостровского района.

Владимир Павлов, рабочий автомобильного завода «Русский Рено», был членом партии большевиков с 1911 года. Он вел партийную работу сначала в Выборгском, потом в Пороховском районе и в «инициативной пятерке» представлял эти районы. В октябрьские дни он был членом центрального штаба Красной гвардии, потом ушел на фронт с одним из первых красногвардейских отрядов. В 1919 году В. Павлов — начальник штаба бригады на деникинском фронте, в 1920 году — командир бригады на польском и врангелевском фронтах. Затем он работал на Дальнем Востоке, был председателем Авиатреста, одним из организаторов нашей авиапромышленности. Погиб в 1925 году, случайно попав под поезд. В «Правде» от 2 сентября 1925 года, в некрологе, посвященном В. Павлову, набросан такой беглый портрет: «Этот большой, немного сутулый, рыжеватый человек с умным лбом и небольшими серыми, живыми, всегда немного насмешливыми глазами никогда не выдвигал себя вперед, не показывал себя «с лучшей стороны» — он делал то, что нужно было делать, и делал это хорошо и мужественно... Павлов был гораздо крупнее, чем казался. Это был сильный и умный человек, крепкий революционер, стойкий большевик».

Евгений Трифонов еще с весны включился в организацию Рабочей гвардии или, говоря точнее, Рабочей милиции на Путиловском заводе. Один факт, что человек, едва отдышавшийся после каторги и, по существу, новый в городе, неизвестный путиловцам, стал активнейшим организатором на громадном заводе, говорит о многом: сколько внутренней энергии скопилось в этих людях, вернувшихся из заточения. И, конечно, опыт участника Ростовского восстания был тут кстати. Через много лет, в 1932 году, Е. Трифонов вспомнил об этих днях в небольшой статье «Как вооружался пролетариат», напечатанной в № 11—12 журнала «Каторга и ссылка». Написаны эти воспоминания размашисто, небрежно и колюче, как Е. Трифонов писал и свои повести о гражданской войне под псевдонимом Евгений Бражнев. Вот отрывок:

«Пока Керенские и Рябушинские, эсеры, меньшевики, кадеты строчили свои декларации и конституции, суетились и жужжали в своих «комитетах спасения» и «предпарламентах», в это время пролетариат потихоньку вооружался. Контрреволюция бездарно проморгала это дело — и поплатилась шкурой за свое ротозейство...

В мае 1917 года в Петергофском райкоме большевиков явочным порядком (еще задолго до партийных решений и директив по этому вопросу) трое невзрачных парней поставили столик в прихожей, прибили над ним табличку «Здесь запись в Рабочую гвардию» и уселись за столик с карандашами в руках. И когда мы записывали в Красную гвардию первых редких охотников, господа Керенские и Рябушинские тогда еще не подозревали, вероятно, что спустя немного дней красногвардейские колонны будут штурмовать Зимний дворец... В июльские дни мне пришлось быть начальником милиции Путиловского завода. Я получил от начальства приказ: «Приготовиться к возможным волнениям на улице». На рассвете 4 июля, когда Путиловский клокотал точно котел с перегретым паром, заводская милиция в составе 2 тысяч человек в боевом порядке с примкнутыми штыками подошла и построилась перед столовой, где заседал зав. комитет, решавший вопрос: выступать или воздержаться? Начальник милиции вошел в комнату и доложил заводскому комитету: милиция прибыла и находится в распоряжении комитета. И когда 30-тысячная масса путиловцев двигалась через Нарвскую заставу к Таврическому, впереди колыхалась щетина милицейских штыков...»

4 июля путиловские милиционеры под командованием Е. Трифонова вместе с рабочими завода демонстрировали по городу. В них стреляли из домов на Невском, на Литейном, они тоже стреляли. В ночь с 3-го на 4-е произошло столкновение между милиционерами Е. Трифонова и милиционерами 1-го Спасского комиссариата (из буржуазного центрального городского района), в результате чего часть спасских была арестована. Временное правительство грозило начальнику путиловской милиции репрессиями, и Е. Трифонов на некоторое время скрылся из Питера. Он уехал на родину, в Ростов, принимал там участие в партийной конференции. Вернулся в Питер он в начале августа. В «инициативной пятерке» Е. Трифонов представлял Нравско-Петергофский район.

Колоритной фигурой в «инициативной пятерке» был Иустин Жук, по кличке «Анархист». Жук был одним из руководителей черкасской группы «анархистов-коммунистов». Во время ареста в 1907 году пытался бомбой взорвать себя и жандармов. Киевский военно-окружной суд приговорил его к смертной казни, замененной затем пожизненной каторгой, и Жук девять лет провел в Шлиссельбургской крепости. Его, так же как Е. Трифонова, освободила из неволи революция. Вот что написано в книге «Памятник борцам пролетарской революции»

(Истпарт, 1925 год) в некрологе, посвященном И. Жуку:

«Он принадлежал к числу тех немногих анархистов-синдикалистов, которые шли рука об руку с коммунистами. Жук не был членом нашей партии формально, но он был горячим работником коммунизма, отдал себя в распоряжение партии, признал ее суровую дисциплину и погиб на посту, на который его поставила партия...

Для шлиссельбургских рабочих Жук был всё — их политический вождь, руководитель их хозяйства, их продовольственный комиссар, организатор их отрядов. Человек богатырского сложения, великан, Жук в то же время отличался необыкновенной добротой и детской мягкостью характера. В глазах его светились ум и воля... Он был, несомненно, одним из крупнейших рабочих организаторов. Всей душой он рвался на работу по восстановлению разрушенного войной хозяйства, и работа спорилась в его руках. В родном Шлиссельбурге он делал чудеса. Но пролетарская революция призвала его под ружье. И он пошел комиссаром Карельского участка. Здесь он погиб с оружием в руках — пал в бою в октябре 1919 года».

Из «хозяйственных чудес» И. Жука известен, например, такой факт: на пороховых заводах он налаживал производство сахара из опилок. Об этом есть упоминание в письме Ленина Г. Е. Зиновьеву: «Говорят, Жук (убитый) делал сахар из опилок? Правда это? Если правда, надо обязательно *найти его помощников,* дабы продолжить дело. В а ж н о с т ь г и г а н т с к а я»[1].

Об А. Кокореве почти ничего не удалось узнать. Известно только, что он представлял в «пятерке» Петроградский район. После опубликования «Отблеска костра» в «Знамени» некоторые дополнительные сведения я неожиданно получил от М. А. Бобкова, члена КПСС с 1917 года, бывшего красногвардейца завода Лоренц в Петрограде. М. А. Бобков сообщил, что А. Кокорев работал на заводе Лоренц, после февраля был избран начальником заводской милиции, участвовал в штурме Зимнего, дрался на фронтах гражданской войны, был тяжело ранен. В 1919 году, разбитый параличом, он появился один раз на каком-то заводе в Москве, дальнейшая его судьба неизвестна.

---

[1] Л е н и н В. И. Полн. собр. соч., т. 51, с. 74.

Протоколы «пятерки» написаны на больших листах бумаги, очень скупо, резко, ничего лишнего, имена и названия сокращены, иногда зашифрованы. С этих страниц дышит грозовой ветер семнадцатого года. Вот первый протокол о совещании 2 августа 1917 года, на котором представители разрозненных боевых организаций районов Петрограда постановили создать «инициативную пятерку».

«Совещание о Красной гвардии

2 августа 1917 года.

Присутствовали представители двенадцати районов Петрограда — всего 18 человек.

В. Т. (В. Трифонов. — *Ю. Т.*) кратко сообщает о положении дел с Красной гвардией, о разоружении рабочих организаций (имеется в виду предпринятое Временным правительством на ряде заводов разоружение рабочей милиции), информирует о политическом состоянии в стране, о впечатлениях от поездки в провинцию. Говорит о предстоящих в ближайшее время боях за власть, кто будет у власти — буржуазия или пролетариат. Армия деморализована, она сыграет роль, если ее сцементировать рабочими вооруженными дружинами. Надо немедленно приступить к широкой организации вооруженных сил пролетариата и созданию общегородского центра...»

Представитель Выборгского района предлагает сообщить примерные цифры вооруженных рабочих (организованных) по районам. Сообщаются цифры по всем 12 районам. Итог внушительный — 14 200 человек Красной гвардии и Рабочей милиции. Далее слово берет представитель Шлиссельбургского района И. Жук:

« — В большинстве районов милиция из рабочих давно превратилась в обывательскую. Рабочие из нее ушли, и она заполнилась всякой сволочью, буржуазной молодежью и занимается водворением порядка, охраной существующего строя и собственности. Эти задачи настолько привлекательны, что иные чудаки из рабочих ставят эти задачи даже перед Красной гвардией. Это неверно. Красная гвардия должна строиться для нарушения существующего порядка, для экспроприации собственности, для казни. У нас сейчас уже огромная сила — 14 тысяч вооруженных рабочих. Нам нечего миндальничать и нечего ждать, надо начать бить по головам. Если мы по-прежнему будем словоблудить и блюсти порядки, то рабочие будут создавать боевые организации помимо нас».

«В. Т.— Ясно, что не охрана вообще порядка и жизни наша задача. Вооруженные рабочие могут ставить перед собой только одну задачу — свержение государственного порядка, основанного на собственности, не останавливаясь перед вооруженным насилием. Но это не значит, что рабочие, организованные в Красную гвардию, могут сами походя заниматься насилием и устраивать домашние революции; они только вооруженный отряд пролетариата и вместе со всем пролетариатом примут участие в борьбе за власть. Охранять буржуазный порядок мы не должны, но нарушать его удовольствия ради тоже не следует. На нас лежат и охранные задачи: мы можем и должны охранять пролетарский порядок и жизнь пролетариата. У Анархиста чувствуется перегиб, который может быть опасен, так как он может скомпрометировать идею Красной гвардии в рабочих массах...»

В конце совещания В. Трифонов предлагает создать организационную пятерку. Дальнейшие протоколы относятся к совещаниям этой вновь избранной «пятерки», которые проходили 3, 5, 8, 12, 16 и 20 августа 1917 года.

На этих совещаниях обсуждались важнейшие вопросы строительства Красной гвардии: подбор людей в районах, выработка устава Красной гвардии, добыча оружия. И все это решалось быстро, по-революционному — как того требовало время. 5 августа В. Павлову и В. Трифонову было поручено разработать устав Рабочей гвардии и основы районных и центральной комендатур. (В целях маскировки, чтобы не возбуждать подозрительность Временного правительства, предлагалось пока именовать гвардию не Красной, а Рабочей гвардией.) Из протокола 16 августа известно, что проект устава готов и его можно обсуждать.

Но самые красочные страницы деятельности «пятерки» — операции по добыче оружия. Об этих операциях, чрезвычайно смелых и удачных, сказано в протоколах кратко, но выразительно:

«Совещание «пятерки» 8 августа.

Кок. (Кокорев.— *Ю. Т.*) передает полученное им сообщение, что на Мойке имеется склад револьверов, винтовок и патронов офицерского союза, и предлагает захватить это оружие.

Поручается В. Т. и В. П. ознакомиться с вопросом на месте и попытаться оружие получить...»

«Совещание «пятерки» 12 августа.

В. Т. сообщает, что два пулемета, револьверы, винтовки и патроны на Мойке взяты и переведены на Васильевский остров. Сошло благополучно. Ограничились зуботычинами. Владельцы оружия, по-видимому, контрреволюционная организация. Шума поднимать не будут. Всего взято 2 пулемета «максима», 6 ручных пулеметов Гочкиса, 420 винтовок, 870 револьверов и большое количество патронов. Участвовали гвардейцы Васильевского острова, машины дал Петроградский район. Участникам пришлось раздать револьверов с патронами 18 штук...»

Еще более удачно прошла операция на вокзале, о которой известно из протокола 16 августа. На вокзале гвардейцам пришлось вступить в перестрелку с охраной, зато было взято 3600 винтовок, которые тут же распределили по районам.

Два этих факта во многом объясняют то обстоятельство, что к концу августа отряды рабочих Питера имели немало оружия, а это сыграло решающую роль в отпоре Корнилову и в последующих событиях. Добычей оружия красногвардейцы занимались непрерывно вплоть до Октябрьского восстания. Пинежский во втором издании своей книги сообщает, что в начале октября Центральной комендатуре Красной гвардии удалось получить на Сестрорецком оружейном заводе 5 тысяч винтовок. Винтовки были доставлены в Петроград на грузовиках и распределены по районам Красной гвардии соответственно значению каждого района и его нужде в оружии. Всей этой достаточно сложной, конспиративной операцией руководили тт. В. Трифонов и В. Павлов.

Вместе с протоколами «пятерки» в архиве В. Трифонова сохранился и проект устава, о котором я говорил выше. Это несколько страниц рукописного текста, написанного рукой отца. На общегородской конференции Красной гвардии 22 октября 1917 года этот проект устава был принят с некоторыми изменениями. Интересными оказались и другие документы архива, относящиеся к истории Красной гвардии: например, обширный финансовый отчет Красной гвардии, списки красногвардейцев по районам, разного рода мандаты, удостоверения и т. д. Все эти документы находятся сейчас в Центральном музее Советской Армии.

После разгрома корниловщины, в сентябре 1917 года, руководство Красной гвардии преобразовалось в легальную организацию — Центральную комендатуру Рабочей гвардии, в которую вошли члены бывшей «инициативной пятерки». Созданию Центральной комендатуры помогла поддержка Питерского комитета партии и Междурайонного совещания районных Советов. Затем 22 октября на той самой общегородской конференции красногвардейцев, на которой утверждался устав, был создан новый орган: Главный штаб Красной гвардии.

Доклад по уставу делал В. Трифонов. Кстати, этот доклад вызвал оживленные споры по такому, казалось бы, малосущественному вопросу, как название руководящего органа Красной гвардии. Комендатура или штаб? В. Трифонов в проекте устава предложил «штаб», так как слово «комендатура» звучало слабо и не выражало подлинного значения Красной гвардии. Противники же штаба говорили, что негоже революционерам заимствовать у царизма названия. После горячей дискуссии победил все-таки «Главный штаб».

Сейчас эти споры кажутся наивными, но в те дни они были понятны и не вызывали улыбок: ненависть ко всему старому — с его правопорядком, установлениями, названиями — была слишком велика.

Работа конференции проходила в накаленной атмосфере. Решающая схватка между Военно-революционным комитетом и Временным правительством близилась, и все это понимали. На экстренном заседании Главного штаба Красной гвардии 23 октября было избрано для текущей работы бюро из пяти человек: К. Юренева, В. Трифонова, В. Павлова, С. Потапова, В. Юркина. Председателем Главного штаба был избран К. Юренев.

К. Юренев был, пожалуй, единственным из руководителей Красной гвардии, не принадлежавший по своему происхождению к рабочим. Это был журналист, опытный конспиратор и партиец с большим стажем. Впоследствии он стал дипломатом, был послом в Италии, в Персии, в Японии и в 1937 году погиб, как многие другие.

Представляют интерес и недостаточно еще выяснены нашими историками взаимоотношения и взаимодействия Военно-революционного комитета и Главного штаба Красной гвардии в решающие дни Октября. Военно-революционный комитет возник 12 октября на закрытом заседании Петроградского Совета. Предложение о создании такого комитета, штаба революции, внесли большевики. Организационно комитет оформился спустя четыре дня, на пленуме Петроградского Совета. Тут все решалось днями, часами.

Н. И. Подвойский в своих воспоминаниях «Красная гвардия в октябрьские дни» пишет: «Основной задачей Военно-революционного комитета становилось — взять фактическое управление гарнизонов в свои руки».

Как известно, с этой задачей Военно-революционный комитет отлично справился. Главную роль в успехе Октябрьского восстания сыграло то обстоятельств, что гарнизон Питера в большинстве своем оказался на стороне восставших. Большевистская агитация среди солдат сделала свое дело. Военно-революционный комитет, естественно, направлял и объединял все силы революции: солдат, матросов и красногвардейцев. Однако Красная гвардия сохраняла при этом определенную независимость и организационную цельность, выработанные в течение нескольких месяцев боевой деятельности. Красная гвардия сохраняла свой штаб, она имела в Военно-революционном комитете своих представителей. По сообщению Пинежского, «официальными представителями Центральной комендатуры в нем (в Военно-революционном комитете.— *Ю. Т.)* были тт. Юренев и В. Трифонов. Фактически же с комитетом имели постоянные сношения и тт. С. Потапов, В. Павлов, а позже и т. Юркин».

Каким образом происходили эти «постоянные сношения» и как действовали, помогая друг другу, революционные солдаты и вооруженные рабочие в дни Октября, хорошо изображено в талантливых, к сожалению, незаконченных воспоминаниях К. Еремеева, одного из членов Военно-революционного комитета.

Из дневника Павла:

«24 октября (6 ноября н. ст.), вторник.

Встал в 8.20. В училище 5 уроков, рус., немец., минералог., фр., рисов. Учил историю. Электричество не го-

рит, вода не идет. Пошел в РК: «Рабочий путь» сегодня ночью был опечатан. Приехал домой в 5. Мама звонила, что обедать не придет. (Из воспоминаний Т. А. Словатинской известно, что именно в эти часы она по поручению секретариата ЦК разыскивала Н. К. Крупскую.— **Ю. Т.**). *В. А. пришел, пообедал и уехал в Смольный. В 5. 35 зажглось электричество. Теперь будет гореть от 6-ти до 12-ти. В 6. 30 пришла мама. Она видела на Дворцовой площади много войск (юнкеров и казаков), охраняют Зимний дворец. Временное правительство распорядилось развести мосты на Неве, чтобы рабочие не перешли в город. Маме пришлось ехать на Биржевой мост. В нашем доме собрание жильцов, решили дежурить всю ночь. Погасло в 12 ч. Приехал В. А., он был в Смольном. Там заседание Совета. Смольный охраняют 800 солдат и 30 пулеметов. Правит. войска (юнкера и ударники) развели Николаевский и Дворцовый мосты, Литейный мост в руках красногвардейцев. по Вас. острову ходят патрули Красной гвардии. После того как были закрыты «Рабочий путь» и «Солдат», в типографию явился Литовский полк, распечатал типографию и раздал газетчикам газеты. В 1 ч. ночи В. А. поехал в Петропавловскую крепость за оружием для Вас. остр. района. Я лег в 1 ч. В. А. приехал в 6 ч. утра и в 8 опять уехал».*

«25 октября (7 ноября н. ст.), среда.

В училище не пошел, сегодня будет там акт и уроков не будет. Пошел в РК. Меня послали в издательство «Прибой» — Николаевская, 12,— за литературой. Трамваи идут. Николаевский мост охраняют матросы-кронштадтцы. На Неве стоят миноносцы. Дворцовый мост утром был разведен, а когда я ехал назад, его уже свели. У штаба охрана из юнкеров. Привез брошюры, был в РК до 1 часу, пошел домой. В. П. Ногин зашел попрощаться, он уезжает в Москву. В 6 пришел В. А. Власть перешла в руки Совета. Многие министры арестованы, Керенекий бежал. Б. Е. Шалаев видел, как на Невском проспекте разоружали юнкеров, охранявших Врем. прав. Они не оказывали никакого сопротивления. В. А. уехал в Смольный. Я разбирал брошюры. В 9. 40 мы услыхали пушечные выстрелы. С перерывом стрельба продолжалась до 12-ти часов. В 12.30 (электричество потухло) пришли мама и В. А. из Смольного. Они сказали, что обстреливается Зимний дворец...»

После свержения Временного правительства красногвардейцы продолжали нести на своих плечах главную тяжесть революционной борьбы: дрались с Красновым, подавляли мятежи юнкеров, боролись со спекуляцией, с грабежами винных подвалов, с саботажем. В ночь на 29 октября юнкера сделали попытку восстания, захватили Михайловский манеж с броневиками и легковыми машинами, телефонную станцию, а самокатчики попытались освободить Временное правительство из Петропавловской крепости.

Красная гвардия разгромила юнкеров в тот же день. Михайловское артиллерийское училище взял отряд шлиссельбуржцев под командованием И. Жука и выборжцев под начальством К. Орлова. Одно за другим прекратили сопротивление и были разоружены остальные военные училища. В эти же дни красногвардейцы героически сражались с войсками Керенского под Пулковом и Царским селом.

Участник этих событий Малаховский писал в своих воспоминаниях[1]: «С одной стороны, красногвардейцы показывали необычайный героизм, самопожертвование, готовность умереть, холодать и голодать, своим энтузиазмом заражали и поддерживали солдат гарнизона, настойчиво требовали снарядов, патронов на передовые позиции, беспрекословно выполняли все приказания, без малейшего дезертирства шли на позиции, и ни в какой мере нельзя сказать, чтобы питерский пролетариат дрогнул хотя бы на минуту. С другой стороны, эта лучшая по духу армия не могла бы продержаться долгое время, так как не имела правильной централизованной организации, а главное, снаряжение этих прекрасных бойцов было рассчитано на то, что прямо от станков они идут в бой, без продовольствия и огневых припасов...»

Малаховский вспоминал и о ненужном «удальстве» красногвардейских и матросских отрядов, которое вело к большим потерям. «Когда перешли в наступление, часто во время перебежек они не пригибались совсем,

---

[1] Сборник «Ленинградские рабочие в борьбе за власть Советов», 1917, статья «Красная гвардия Выборгского района».

отчего немало полегло лишних жертв. Когда же мы, обучавшие их солдаты, указывали на недопустимость этого, то получали в ответ, что сгибаться при перебежках и стрелять лежа — позор для революционеров, показывает их трусость».

В боях с Красновым быстро успели закалиться и приобрести военные навыки красногвардейские части. Из них формировались экспедиционные отряды, которые в декабре 1917 года и в январе 1918 года ушли в разные районы страны для подавления контрреволюционных мятежей и установления Советской власти.

Из книги Е. Пинежского известно, что первая попытка отправить большой красногвардейский отряд из Питера была сделана еще раньше, вскоре после Октябрьского восстания. Главным штабом, говорится в книге, была произведена широкая мобилизация Красной гвардии на поддержку Москвы. В Смольном собралось около 4500 красногвардейцев, готовых к отправке. Но приехавший из Москвы В. П. Ногин отменил эту экспедицию. Красногвардейцы были возмущены, устроили митинг, кричали: «Мы предаем Москву!» — и чуть не избили члена Главного штаба В. Трифонова.

Из воспоминаний Ф. Ф. Раскольникова и из некоторых других источников видно, что экспедиционный отряд на помощь Москве был все-таки послан — 2 ноября 1917 года. Но то был не красногвардейский отряд, а отряд революционных моряков, 428-й Ладейнопольский полк и бронепоезд путиловских рабочих. Основную силу отряда составляли моряки. Командовали всей экспедицией (очень лихо захватившей по дороге в Москву белогвардейский бронепоезд) Ф. Ф. Раскольников и К. С. Еремеев. Эпизод, рассказанный Пинежским, мог произойти несколькими днями позже.

Документы из архива В. А. Трифонова помогли восстановить многие факты, оставшиеся для историков Красной гвардии неясными. Недавно вышла большая книга ленинградского ученого В. И. Старцева «Очерки по истории Петроградской Красной гвардии и рабочей милиции», где документы из архива В. А. Трифонова использованы многократно. А я помню, как в 1956 году, уже после Двадцатого съезда партии, я пришел к одному почетному историку и показал ему протоколы «инициативной пятерки». Я полагал, что делаю благое дело: даю в руки специалиста драгоценный, никем еще не изученный материал. Почтенный историк, пошевелив бумаги, с сомнением покачал головой: «А подлинные ли это документы?» Он должен был знать, что они подлинные, ибо они из архива одного из руководителей Красной гвардии. Но почтенного историка на самом-то деле волновало другое: «А подлинно ли то, что произошло на Двадцатом съезде? А подлинно ли то, что В. А. Трифонов посмертно реабилитирован?» Я ушел от него с тяжелым чувством: вдруг понял, как медленно, с каким трудом будет разрушаться заматерелая неправда и как много людей будут ее защищать, защищая себя.

В. И. Старцев в своей книге на основании финансового отчета В. А. Трифонова доказывает, что первый красногвардейский отряд, именовавшийся 1-м Петроградским боевым батальоном, был отправлен из Петрограда 13—14 декабря. («11 декабря член Главного штаба В. Н. Павлов получил от заведующего финансовым отделом В. А. Трифонова 8 тыс. рублей для организации отряда».) Отряд ушел в Могилев. Возглавил отряд Владимир Павлов, о котором ни один из почтенных историков в течение тридцати лет не написал ни строчки. В составе отряда было около пятисот красногвардейцев.

Затем В. Н. Павлов вернулся в Питер и стал формировать новый отряд. 1 января 1918 года этот второй отряд уходил на фронт, и его провожал Ленин, выступая перед красногвардейцами в Михайловском манеже. Когда Ленин возвращался из Манежа, на него было совершено покушение, к счастью неудавшееся: вождя спас от пули Фриц Платтен, швейцарский коммунист. В. А. Трифонов присутствовал на проводах отряда Павлова как член Главного штаба Красной гвардии.

В его архиве сохранился интересный документ: «Порядок отправления Первого отряда Социалистической гвардии», где вся процедура продумана с большой тщательностью и очень торжественно.

«1) Отправление Первого отряда Социалистической гвардии назначено на 1 января 1918 года с Царскосельского вокзала. 2) Перед отправлением отряду будет произведен смотр в Михайловском манеже и проводы. 3) Сбор частей отряда из районов в Михайловском манеже назначается ровно в 3 часа дня, куда к этому времени прибывают народные комиссары, члены Главного штаба Красной гвардии и представители организаций, участвующих в проводах. 4) Все части из районов к

Михайловскому манежу идут в стройном порядке, с оркестрами музыки частей и плакатами...»

Революция еще не имела войска и не имела военачальников. Отряды вооруженных рабочих возглавлялись рабочими. Большевики дали новое название этой вновь родившейся силе: «Социалистическая гвардия». Слово «армия» произносить не хотелось, но очень скоро его пришлось произнести.

На несколько дней раньше отряда Владимира Павлова, в конце 1917 года, покинул Питер другой красногвардейский отряд: под командованием Евгения Трифонова он отправился на юг, на борьбу с Калединым.

Красногвардейские части Р. Сиверса и В. Антонова-Овсеенко, вместе с которыми действовал и отряд Евгения Трифонова, в феврале 1918 года взяли Ростов. Некоторое время Е. Трифонов был комендантом Ростова. В романе Алексея Толстого «Хождение по мукам» описано столкновение начальника петроградской Красной гвардии Трифонова с бандитом-анархистом Брайницким. (Возник этот эпизод так: Толстой и Е. Трифонов случайно познакомились в купе «Стрелы» по дороге в Ленинград. Всю ночь вспоминали гражданскую войну, Е. Трифонов много рассказывал, Толстой записывал. Этот же эпизод есть и в книге самого Е. Трифонова (Бражнева) «В дыму костров».)

Дальнейшая судьба Е. Трифонова складывалась бурно. В «Правде» от 13 апреля 1918 года появился приказ Народного комиссариата по военным делам: «Казак Новочеркасской станицы Донской области Евгений Андреевич Трифонов назначается Военным Правительственным комиссаром Южно-Русских областей. Ему вменяется в обязанность объединить деятельность Военных комиссариатов этих областей Южного района и согласовать ее с предначертаниями Российского Федеративного Правительства...» После занятия Ростова немцами Е. Трифонов командовал частями на Царицынском фронте, был комиссаром в штабе «Южной завесы», начальником 9-й кавалерийской дивизии, военным комиссаром Донской области. Когда один из комбригов Первой Конной армии Маслаков поднял мятеж и повел бригаду на Дон, Е. Трифонову пришлось пехотными частями ликвидировать конников «Маслака».

Затем Евгений Трифонов работал в Дальневосточной республике, воевал с басмачами в Узбекистане —

это были его последние военные дела, в 1925—1927 годы,— а в мирное время учился в военной академии, был директором Историко-революционного театра, писал пьесы и повести, работал в Центральном Осоавиахиме. Он умер в декабре 1937 года от разрыва сердца в своем доме, в Кратове, в поселке старых большевиков. Кадровый военный, краснознаменец, он просился в Испанию, но его не брали. Да и какая могла быть Испания! Брат был арестован и объявлен врагом народа, и его самого, уже исключенного из партии, ждала, очевидно, та же участь.

Но все это — далеко, через двадцать лет. А пока что он выехал из Питера холодным декабрьским днем во главе отряда красногвардейцев, жаждущих давить и крушить контрреволюционную гидру, где бы она ни появлялась.

Отец отправился на фронт на три месяца позже. В декабре он работал в Главном штабе Красной гвардии, ведая финансовым отделом. Отдел этот был создан в первых числах декабря. Вопрос об уплате жалованья красногвардейцам был одним из важнейших и к тому же непросто разрешимых вопросов, которые встали перед Главным штабом.

Красногвардейцы не получали особого жалованья: за ними сохранялась зарплата по месту работы. Заводчики и фабриканты выплачивали эти суммы без энтузиазма, всячески тормозили выплату, а порой отказывались платить вовсе. В ноябре и декабре то и дело вспыхивали конфликты между рабочими и заводской администрацией. Заводчиков вызывали в Главный штаб, требовали объяснений и чаще всего слышали в ответ слова о тяжелых обстоятельствах, отсутствии средств и т. д. «Банкротов» тут же сажали под арест в подвалы Смольного. Но саботаж промышленников продолжался. Главному штабу не оставалось ничего иного, как поставить перед Совнаркомом вопрос о выделении известной суммы на оплату красногвардейцев. Совнарком ассигновал два с четвертью миллиона рублей.

«Финансовая отчетность Главного штаба,— писал Пинежский,— велась т. В. Трифоновым исключительно образцово, что очевидно из отчета, составленного им в феврале 1919 г. Отчет, представляющий большой толстый том, страниц в 500 с лишним, составлен на редкость добросовестно. Казалось бы, что в ту бурную революционную эпоху народные деньги расходовались без особой обоснованности и, так сказать, на ходу,— на самом деле все мельчайшие расходы были документально обоснованы». И тут же в примечании Пинежский сокрушался по следующему поводу: «Финансовый отчет Главного штаба Красной гвардии дает ценнейший материал для истории. Можно сожалеть, что т. В. Трифонов почти целых 15 лет держит его у себя, на правах некоей «собственности». Было бы со всех точек зрения лучше, если бы т. Трифонов все же передал отчет какому-либо архиву».

Это писалось в 1932 году. В самом деле, почему отец не отдал все свои документы, в том числе финансовый отчет, в какой-нибудь музей или архив? Мне это обстоятельство тоже одно время представлялось странным. Но, поразмыслив, я понял, мне кажется, причины и понял, что отец поступил правильно.

Уже в конце двадцатых и начале тридцатых годов культ личности Сталина начал давать себя знать в исторической науке, как и в других областях. Отец опоздал с книгой воспоминаний, а теперь ему пришлось бы писать о «роли товарища Сталина в создании Красной гвардии». И не хотелось давать отцу свои материалы для того, чтобы такого рода сочинения писали другие.

Работу в Главном штабе Красной гвардии В. Трифонов совмещал и с некоторыми другими важными работами, которые ему поручала партия. Он был введен, например, в состав созданной в ноябре (21 ноября 1917 года) по предложению Дзержинского Комиссии для борьбы с контрреволюцией. По существу, это был первый состав ВЧК. В него вошли Скрыпник, Флеровский, Благонравов, Галкин и Трифонов.

Официально Всероссийская чрезвычайная комиссия по борьбе с контрреволюцией и саботажем возникла 7 декабря. Накануне, 6 декабря, на заседании СНК Дзержинскому было поручено срочно, к следующему дню, подготовить доклад по этому вопросу. Дело было важнейшее, не терпело отлагательств. Впрочем, все дела тогда решались стремительно. Есть записка Ленина Дзержинскому, написанная седьмого же декабря, перед заседанием СНК:

«К сегодняшнему Вашему докладу о мерах борьбы с саботажниками и контрреволюционерами.

Нельзя ли двинуть подобный декрет:

О борьбе с контрреволюционерами и саботажниками.

Буржуазия, помещики и все богатые классы напрягают отчаянные усилия для подрыва революции, которая должна обеспечить интересы рабочих, трудящихся и эксплуатируемых масс.

Буржуазия идет на злейшие преступления, подкупая отбросы общества и опустившиеся элементы, спаивая их для целей погромов. Сторонники буржуазии, особенно из высших служащих, из банковских чиновников и т. п., саботируют работу, организуют стачки, чтобы подорвать правительство в его мерах, направленных к осуществлению социалистических преобразований. Доходит дело даже до саботажа продовольственной работы, грозящего голодом миллионам людей.

Необходимы экстренные меры борьбы с контрреволюционерами и саботажниками»[1].

Далее Ленин предложил семь пунктов экстренных мер. Доклад Дзержинского был основан на этих предложениях Ленина. Здесь же, на заседании СНК, утвердили первый состав Чрезвычайной комиссии (еще не полный): Ксенофонтов, Жедилов, Аверин, Петерсон, Петерс, Евсеев, Трифонов В., Дзержинский, Серго, Василевский.

В постановлении СНК говорилось: «Комиссии обратить в первую голову внимание на печать, саботаж и т. д. правых с.-р., саботажников и стачечников. Меры — конфискация, выдворение, лишение карточек, опубликование списков врагов народа и т. д.».

До сентября 1918 года ВЧК не расстреляла ни одного политического врага Советской власти. В. Трифонов работал в ВЧК недолго, лишь в дни ее становления. В январе 1918 года ленинским декретом была создана Всероссийская коллегия по формированию Рабочей и Крестьянской Красной Армии, и В. Трифонова, как имевшего опыт военной организации рабочих, ввели в эту коллегию. Она состояла из пяти человек: из трех представителей Наркомвоена (Крыленко, Мехоношин, Подвойский) и двух представителей Красной гвардии (Юренев, Трифонов).

Короткая, полная самоотверженности и героизма

---

[1] Ленин В. И. Сочинения, т. 26, с. 336.

история Красной гвардии завершилась в начале 1918 года. Говоря словами Пинежского: «Красная гвардия, честно и до конца выполнив свой долг, ушла со сцены. Ей на смену пришла славная, верная заветам Рабочей Красной гвардии Красная Рабоче-Крестьянская Армия».

А отец жил все там же, на Васильевском острове. Но квартира пустела, так же как пустел город. Шалаев с семьей уехал на Урал, Сольц был в Москве, брат воевал на юге. Макс Мельничанский приехал в январе из Москвы на съезд профсоюзов, рассказывал, как во время московских событий (в октябре — ноябре) его арестовали юнкера и чуть не расстреляли. Народ из Питера уезжал: рабочие уходили с отрядами, обыватели спешили кто куда: на юг, на восток, подальше из беспокойного, голодного города. Почти каждая запись в дневнике Павла в эту зиму начинается так: «воды нет, электричество не горит», «трамваи не ходят», «хлебный паек уменьшен с 1/2 ф. до 3/8 ф.».

10 марта 1918 года питерский период в жизни отца кончился: Всероссийская коллегия переехала в Москву. Все Советское правительство переехало тогда в Москву. В апреле В. Трифонов, как представитель Наркомвоена, должен был отправиться на Урал для организации Уральской армии, но затем Наркомвоен неожиданно изменил свое решение. Ночью 23 апреля было решено отправить В. Трифонова на юг, где наступали немцы.

Когда начинаются войны, конца их не видит никто. Весной 1918 года мало кто мог предположить, что борьба с контрреволюцией затянется почти на четыре года. «Левые» грезили мировой революцией. Впрочем, мировой революцией грезили в те дни все, но «левые» ждали ее, как манну небесную, как решение всех проблем. Ленин сказал на Седьмом съезде партии: «Бросьте иллюзии, за которые вас жизнь наказала и еще больше накажет. Перед нами вырисовывается эпоха тягчайших поражений, она налицо, с ней надо уметь считаться...» Так мог сказать человек гениальной зоркости, каким был Ленин. Обыкновенные люди живут, подчиняясь законам бессознательного оптимизма, необходимого для жизни так же, как кислород, как вода, как одежда, спасающая от холода.

Весной 1918 года громадное большинство жителей России считало, что все революции, какие могут быть в одной стране, уже совершились и бесконечная война, разруха, голод, страдания близки к концу. Многим казалось, например, что стоит остановить немцев, сбросить в море немногочисленных интервентов и разгромить кое-где контрреволюционные банды, и гражданская война закончится.

Из Москвы на юг с ужасающей медленностью тянулся поезд: шесть классных вагонов, четыре теплушки и две платформы с машинами. На каждой станции стояли подолгу, телеграфировали в Москву, чтобы нажать на начальников станций, телеграфировали на юг, чтобы узнать, не занят ли путь немцами. В поезде кроме чрезвычайного представителя Наркомвоена В. Трифонова ехали комиссары, командиры красногвардейских отрядов (ехал, например, первый комиссар Петропавловской крепости Тер-Арутюнянц, которого товарищи звали просто «Тер»), агитаторы, военные специалисты, примкнувшие к революции, и латышские стрелки — среди них Литке, Лукс, Пецгольц, прошедшие с отцом почти всю гражданскую войну. Поезд направлялся в Ростов. Но на станции Грязи выяснилось, что путь на Ростов с севера отрезан немцами, единственная возможность попасть в донскую столицу — далекий, кружной путь через Царицын, Тихорецкую, с юга.

30 апреля поезд прибыл в Царицын. В этот же день Трифонов принимал участие в заседании Царицынского штаба обороны, председателем которого был Минин. На заседании делал доклад Крачковский, начальник отряда «III Интернационал», о положении на Чирском фронте, где советские войска дрались с кадетами. Из штаба удалось связаться по телефону со станцией Тихорецкой и узнать, что путь до нее свободен. Вечером, вернувшись из штаба на вокзал, Трифонов нашел на путях вновь подошедший поезд: комиссар Никольский с отрядом в 60 человек направлялся в Кубанскую область за продовольствием.

Взбаламученный и коварный Юг, где все бродило, все было неясно и непрочно, имел только один устойчивый запах: он пахнул хлебом. На станциях перед Царицыном впервые появился белый хлеб. Люди из поезда, который пробился сюда из голодной столицы, смотрели на лепешки и караваи грубо испеченного деревенского хлеба с горечью и надеждой: он был для них не едой, а спасением. Он должен был спасти революцию. Но для этого надо было защитить Юг.

Трифонов и Никольский решили соединить оба поезда и ехать до Ростова вместе. На другой день, 1 мая, в Царицыне произошла праздничная демонстрация, или, как тогда говорили, манифестация. На площади собралось около десяти тысяч человек, выступал Минин, выступали и агитаторы из поезда Трифонова. Поздно вечером выехали на Тихорецкую.

Все эти подробности — не вымысел и не туманные отзвуки рассказов, слышанных когда-то от отца. Это сведения из дневника Павла, которого В. Трифонов взял с собой в качестве адъютанта. Недавний петроградский школьник со старательностью Нестора продолжал вести запись всех происходящих событий — и больших, и малых. Конечно, во многие важные соображения и дела В. Трифонов не посвящал чересчур юного адъютанта, а если во что и посвящал, то Павел, как опытный, несмотря на молодость, конспиратор, не стал бы доверять эти важные соображения своему дневнику. Но ценность дневника заключалась в том, что записи делались с замечательной регулярностью в течение четырех лет: с начала семнадцатого года и до двадцать первого года. Почти все это время, особенно в период гражданской войны, начиная с поездки на Юг и потом на Восточном фронте, на Юго-Восточном фронте и Кавказском П. Лурье сопровождал отца в качестве адъютанта[1].

И теперь, когда я пытаюсь восстановить майскую поездку на Юг и понять, в чем ее суть, я нахожу в дневнике Павла подробный, расписанный по дням и даже часам маршрут В. Трифонова по Северному Кавказу и Донской области, вижу имена людей, с которыми В. Трифонов встречался и вел переговоры, и среди них громкие имена Автономова, Сорокина и других, но о чем велись эти переговоры и чем они кончались, понять из дневника трудно. Иногда попросту невозможно. Дневник Павла военных лет напоминает судо-

[1] П. А. Лурье, член партии с 1917 года, живет сейчас в Москве. По профессии он инженер, участник Великой Отечественной войны, персональный пенсионер.

вой журнал, где тщательно отмечено передвижение корабля, но ничего не сказано о мыслях, переживаниях команды и пассажиров. Но и на том спасибо громадное. О сути дела можно догадаться по другим источникам, например по телеграммам и разговорам по прямому проводу, которые сохранились в архивах.

Май 1918 года на Юге — что может быть сложней, многослойней, запутанней, невероятней во всей истории гражданской войны! Пожалуй, только Баку в тот же период, или чуть раньше, может сравниться с Доном и Кубанью по запутанности ситуации. На всех дорогах Юга гремела стрельба. Казалось, воевали все против всех. С запада наседали немцы, и никто не знал, где они остановятся. Первые немецкие десанты высадились в середине мая на Тамани. Высадились хозяйственно, по-немецки, с сельскими машинами, гребли, косили, хапали, прессовали, увозили в голодный фатерланд все подряд: зерно, мясо, шерсть, солому, полову. На Дону и по всему Северному Кавказу советские войска вели непрерывные бои с кадетами и бандами восставших казаков, «восстанцев». Шайки головорезов под черными анархистскими знаменами мотались по степям и железным дорогам, и логика их поступков была дика и темна: то они остервенело дрались с немцами, то поворачивали оружие против Советов, то просто грабили кого попало, убивали и умирали в пьяном угаре неизвестно за что. Среди горских племен, где воспламенился национализм, тоже стали возникать разные банды, шайки и союзы, которые подкармливала Антанта. Антанта преследовала свои цели. Немцы — свои. Турки тоже были не прочь погреть руки у кавказского костра: они вошли в Закавказье и зарились на Осетию и Дагестан. Белая гвардия стремилась задушить большевиков какими угодно средствами и чьими угодно руками, хотя бы руками казаков, которые в конечном счете стремились совсем не к тому, к чему стремилась белая гвардия.

И кроме того, во всей этой кровавой сутолоке, во всех лагерях были еще честолюбцы, наполеонишки, которые преследовали свои личные цели. Это было время авантюристов, калифов на час. Это было время, когда возникали и лопались целые призрачные государства. Это была первая послеоктябрьская весна, бушевавшая как молодое вино, и никто не мог знать, какой будет вкус у этого вина через месяц или через год.

Отец был послан на Юг с мандатом чрезвычайного представителя Наркомвоена. В замысел Наркомвоена входило поднять донское казачество на борьбу против немцев, однако осуществить этот замысел не удалось.

2 мая поезд В. Трифонова двигался по Владикавказской железной дороге к Тихорецкой. На пути встретился поезд Центроштаба Донецкого бассейна, направлявшийся в Царицын: первые признаки того вала, который откатывался с запада под ударами немцев. Последние верст сто перед Тихорецкой ползли совсем медленно, этот отрезок пути считался опасным из-за бродивших вокруг шаек корниловцев. (Белогвардейцев на Кубани все еще называли «корниловцами», хотя генерал Корнилов был убит в апреле в боях под Екатеринодаром и его заменил Деникин.) Утром приехали в Тихорецкую.

Вести из Ростова были тревожные: немцы захватили весь Крым, стояли в четырех верстах от Таганрога, под Таганрогом шел бой. Значит, не остановились на Украине, рвутся дальше, на территории Российской Федерации. Значит, война тяжкая, надолго.

В Новочеркасске вспыхнуло контрреволюционное восстание Голубова, но было быстро подавлено. В. Трифонов решил ехать в Ростов, взяв с собой лишь девять человек, а весь поезд оставить в Тихорецкой.

4 мая на рассвете, пробившись сквозь встречный поток эшелонов, отступавших с севера, добрались наконец до Ростова. Там шла спешная эвакуация, вокзал был забит, молоденький и совершенно одуревший комендант станции, недавний питерский студент, орал и отбивался от окружавших его, размахивавших наганами представителей разных отрядов, каждый из которых требовал отправить его эшелон в первую очередь. В городе то и дело начиналась стрельба, и никто не мог понять, кто стреляет: то ли подошедшие немцы, то ли белогвардейцы из отряда Дроздовского или местные контрреволюционеры. Неясно представляли это и в штабе. Командующий Первой Украинской революционной армией Харченко был занят эвакуацией, стремясь навести хоть какой-то порядок, в этом помогал ему Орджоникидзе, находившийся в Ростове как Чрезвычайный комиссар юга России. Отец был знаком с Серго по

Питеру, здесь их пути сошлись вновь, а в дальнейшем они много и дружно работали вместе на Кавказском фронте.

К середине дня 4 мая удалось эвакуировать основную массу отрядов.

Павел записал в дневнике, что в три часа дня, когда он вместе с В. Трифоновым пошел в Палас-отель, где помещался Ростовский Совет, там уже никого не было, все уехали на вокзал. У входа стояли швейцары и лакеи, ухмылялись: «Все удрали!»

Вечером опустевший вокзал захватила кучка офицеров из отряда Дроздовского, но уже через несколько часов, ночью, их вышибли части Второй Украинской армии, прорвавшиеся к Ростову с севера, из Новочеркасска. Командовал Второй Украинской революционной армией Бондаренко; Трифонов встретился с ним утром 5 мая. (Этот Бондаренко зимой 1919 года был в штабе 9-й Донской кавдивизии, которую Евгений Трифонов формировал тогда в Саратове.) Ростовский вокзал вновь запрудили войска. Теперь тут распоряжался комиссар по эвакуации города Новочеркасска, прибывший сюда с частями Второй армии. Эвакуация продолжалась несколько дней в чудовищном беспорядке. Город горел, на вокзале свирепствовали мародеры. Вся эта катастрофическая суматоха была вызвана не только стремительным продвижением немцев, но и тем, что советские части на Дону и Кубани не имели единого командования. Об этом говорится в одной из телеграмм В. Трифонова в Москву, в Наркомвоен.

Из Ростова В. Трифонов выехал 5 мая в одном вагоне с командармом Харченко, молодым здоровенным парнем. Оба украинских командарма, Бондаренко и Харченко, слушались Трифонова безотказно: действовал мандат Наркомвоена. Мандат был большой, с печатями и написан могучим слогом. И Трифонов то и дело его вытаскивал. В том же вагоне ехал Савин-Мокроусов, впоследствии известный крымский партизан; он был ранен, то стонал, то шутил, то начинал вдруг упрашивать Трифонова передать в Москве привет Чичерину: «Он меня знает, мы были в эмиграции в Лондоне, обязательно передайте ему привет от Савина-Мокроусова!» Это было так важно в ту ночь, когда никто не мог сказать, доедет ли Трифонов не только до Москвы, но даже до Тихорецкой. В Батайске поезд застрял. На станции, вокруг станции сидели, дремали, лежали вповалку смертельно усталые солдаты Тираспольского полка — те, что с боями прошли через всю Украину с румынского фронта. Командир тираспольцев Княгницкий ждал какой-то эшелон, который должен подойти утром. Трифонов поехал дальше на паровозе.

На том же паровозе оказалась «знаменитая» Маруся Никифорова, начальник отряда анархистов, молодая пьянчужка и психопатка. Еще недавно воспитанница Смольного института, а ныне прославленная атаманша любила разъезжать по Ростову в белой черкеске с газырями и белой лохматой папахе,— ехала тихая, трезвая, в солдатской шинельке. Отряд ее расстреляли немцы, вместе с нею ехали лишь несколько солдат. Однако через неделю, добравшись до Царицына, Маруся приняла участие в бешеном анархистском бунте, который поднял Петренко.

Но тогда, на паровозе, этого не знали. Была холодная ночь, с ветром, все жались к котлу, чтобы погреться. Кованая немецкая волна гнала без разбора, мяла под себя Дон, Россию, революцию, всех. В Тихорецкой стоял так называемый начальник войск Северного Кавказа Сорокин. В то время еще никто не знал, что он проявит себя как изменник и будет расстрелян не далее, как через год. Тогда он кричал, командовал, распоряжался и грозил расстрелом, как другие. И на него тоже кричали, не желали ему подчиняться и грозили расстрелом. Трагедией момента было то, что слишком много людей распоряжалось.

Между тем Новочеркасск взяли восставшие казаки, а 8 мая немцы взяли Ростов. Совнарком еще 17 апреля специальным декретом предписал разоружать все войска, переходящие из Украины на территорию Российской Советской Республики. По предложению Трифонова была создана комиссия по разоружению в составе Харченко, Тер-Арутюнянца, Аронштама и представителя от Сорокина. Однако, несмотря на выполнение этого условия советской стороной, немцы продолжали наступать в глубь Советской России.

Сложность обстановки становится ясной из нескольких телеграмм Трифонова в Наркомвоен. Копии этих телеграмм находятся в фондах Центрального музея Советской Армии.

«9 мая 1918 г.
Военная вне всякой очереди.
Москва. Ново-Лесной переулок Наркомвоен. Троцкому, Подвойскому.

Считаю нецелесообразным вмешательство из прекрасного далека в местные дела не зная обстоятельства при которых приходится работать... Своими распоряжениями вы вносите дезорганизацию в наладившуюся было работу. Положение здесь чрезвычайно сложное и запутанное. Отступающие из Украины войска до 40 тыс. совершенно дезорганизованы и деморализованы. Нужен большой такт и политическая опытность чтобы не вызвать катастрофы. Распоряжающихся органов здесь четыре или больше: 3 командующих армиями Антонова-Овсеенко. Главнокомандующий Кубанью Автономов, Главком Донской Ковалев. Вследствие оторванности от России существует стремление к большей самостоятельности. Нужно постепенно и планомерно вводить и людей и события в русло. Дело у меня налаживается... Вносить дезорганизацию не следует тем более, что по отношению ко мне это будет уже не первый раз...

Член Наркомвоен *В. Трифонов*».

Серго выехал из Ростова 8 мая и направился в Царицын. По дороге он вступил в бой с отрядом анархиста Петренко, который похитил ценности, вывезенные в свое время из екатеринодарского банка: несколько десятков миллионов рублей золотом. С частью этого золота потом пришлось повозиться отцу, поэтому расскажу о нем поподробнее. Эпизод с петренковской авантюрой описан в книге З. Орджоникидзе «Путь большевика». Серго организовал погоню за похитителями. Банду анархистов и левых эсеров удалось догнать на бронепоезде где-то около Сарепты, бóльшая часть золота была спасена.

Не так давно я получил письмо из Днепропетровска от Л. С. Годзиевской, свидетельницы всей этой головокружительной и похожей на киносюжет истории. Она ехала в поезде, в котором везли ценности. Ее муж,

Д. А. Дунин, был комиссаром финансов Донской республики. Привожу письмо Л. С. Годзиевской,— вернее, два ее письма, дополняющие одно другое,— как документ времени, рисующий довольно характерную картинку того периода гражданской войны, мая 1918 года.

«От Д. А. Дунина я узнала, что в Екатеринодар из Ростова прибыли ценности, изъятые у буржуазии из сейфов, плюс золотой фонд Ростовской республики на сумму 400 миллионов рублей в золотом исчислении. Ценности были в двух вагонах, товарных. Этот груз был направлен в Екатеринодар, так как к Ростову подходили немцы. А в день прибытия все эти ценности по постановлению Совдепа Екатеринодара были отправлены срочно в Царицын. Сопровождать этот груз было поручено комиссару финансов Д. А. Дунину. Ему были вручены соответствующие мандаты, и он же был назначен комендантом поезда с двумя помощниками. На сборы дали 2—3 часа. В сумерках я прибыла на вокзал — там уже стоял мощный паровоз, два классных вагона, два с ценностями, опломбированных, 20 красноармейцев, два пулемета. В один из товарных вагонов погрузили ценности Государственного банка.

До Тихорецка мы домчались быстро, и Дунин отправился к начальнику войск Северного Кавказа Сорокину, без разрешения которого никто не имел права двигаться по железной дороге. Через час были получены в штабе Сорокина разрешение и пропуск следовать до Царицына, куда мы должны были прибыть в течение 24 часов.

На станции Торговая, за Батайском, нас окружил так называемый «1-й левоэсеровский революционный полк», три эшелона бандитов численностью в 785 человек. Запломбированные вагоны вызвали у бандитов подозрение. Вооруженные буквально до зубов, они вырывают из рук дежурного по станции жезл и свой первый эшелон пропускают вперед. Так мы очутились у них «в плену»— позади нас еще два эшелона. Выхода не было. Надо было двигаться вперед, так как из Ростова были сведения, что вот-вот город будет занят немцами. Мы поняли, что попали в беду.

К вечеру на станции Гнило-Аксайская бандиты устроили нам крушение: пустили навстречу нашему паровозу несколько пустых вагонов, и наш состав на полном ходу врезался в эти вагоны. Паровоз встал на дыбы, сошел с рельсов, мы все попадали с диванов, наступила тишина, и через 5—10 минут к нам в вагон ворвались вооруженные до зубов и сразу же набросились на Дунина, потребовав от него документы, как от коменданта поезда. Не дожидаясь ответа, с отборной руганью тут же стали его избивать, избили до полусмерти, арестовали и его помощников. И тут же их увели с гиканьем и криками: «В штаб Духонина!» Это был мягкий вагон, в котором находился начальник штаба — я не уверена в том, что это был Петренко,— среднего роста еще молодой человек в офицерской шинели, рядом с ним сестра милосердия, его любовница. В руках у него находились все документы и мандаты, отобранные у Дунина, все они подвергались резкой критике. Петренко не верил ни единому слову, он глумился надо всем и всеми. Нас обвинили в том, что мы белогвардейцы, что ценности мы где-то награбили и что все мы подлежим расстрелу. В таком ужасе нас держали около трех суток, продолжая очень медленно двигаться вперед. Мы все находились в одном вагоне под стражей. Нас ограбили до нитки. Пить не давали, умываться не давали, кормили сыром (иногда) и держали под угрозой расстрела.

На одной из станций, уже на подступах к Сарепте, бандиты устроили митинг и постановили, что, поскольку деньги народные, они должны принадлежать народу, надо делить, и баста. И начали делить. Открыт был вагон, где были золотые монеты. Кто их раздавал, нам не было видно из окна вагона, но мы видели, как бандиты их прятали: они снимали с себя сапоги, запихивали деньги в портянки, завязывали в тряпье и подвешивали под колени, прятали в ножны. Вагон же с ценностями из Ростова не трогали.

Картина была потрясающая. Нас выгоняли всех в поле, но мы отказывались идти, так как решили, что бандиты из пулеметов всех расстреляют. Среди нас была жена одного комиссара, ожидавшая ребенка. Вот в этот самый отчаянный момент подоспела помощь со стороны Серго Орджоникидзе. Он и тов. Дунаевский, комиссар из Ростова (впоследствии расстрелянный Сорокиным в Пятигорске), вместе с воинскими частями, оставившими Ростов, нас всех спасли. Три эшелона бандитов были окружены, разоружены (оружие всех видов и родов лежало горой до самых крыш вагонов), обысканы.

Значительная часть золота была тут же изъята, и только небольшая часть пропала со сбежавшими в поле. Нас, женщин, отвели в вагон Серго... Тут же был организован военно-полевой суд в составе пяти человек: Серго Орджоникидзе, тт. Дунаевского, Дунина и еще двух (фамилий не помню), и у вагона, где я находилась, на моих глазах семь бандитов были расстреляны, в том числе и начальник штаба левоэсеровского полка. Я его очень хорошо запомнила, в серой офицерской шинели,— надо отдать ему справедливость, умирал он мужественно. С разрешения комвзвода он подошел вплотную к красноармейцам, раскрыл, вернее, распахнул свою шинель, кричал все время: «Братцы, стреляйте только в грудь!» Так он шел спиной к полю и рухнул под пулями последним.

Таким образом спас нас всех, в том числе и меня, от верной смерти Серго. Нас привезли в Царицын. И в ту же ночь Царицын стала осаждать и бомбить знаменитая Маруся Никифорова. Оставаться было опасно, никто не мог сказать, в чем дело, полная информация отсутствовала, и меня Дунин буквально последним пароходом отправил в Саратов, а сам возвратился в Царицын для участия в Государственной комиссии по сдаче ценностей. Вот так схематически обстояло дело с хищением ценностей в сумме 400 миллионов рублей».

Л. С. Годзиевская пишет не совсем точно: два эшелона бандитов, возглавляемые, по-видимому, самим Петренко, сумели прорваться к Царицыну. Трое суток шел настоящий бой на улицах города, и лишь 12 мая мятеж был ликвидирован и золото возвращено Государственному банку.

Орджоникидзе и Трифонов, как два Чрезвычайных комиссара, разделили сферы действий: Орджоникидзе поехал из Ростова в Царицын, а Трифонов — на юг, в Екатеринодар и Новороссийск.

В Екатеринодаре Трифонов намеревался переговорить с Автономовым, главкомом Кубанской республики, но того не было в городе. Вечером 10 мая Трифонов вместе с секретарем Ростовского Совета Равиковичем выехал в Новороссийск и прибыл туда ночью. Несмотря на ночные часы, в городе шла гульба, по улицам шатались ватаги моряков, горланили песни.

Весь ушедший из Севастополя Черноморский флот стоял в Новороссийском порту. Севастополь был взят немцами, и они радиотелеграммой потребовали, чтобы корабли вернулись в Севастополь,— иначе угрожали продолжать наступление на Кавказ. В штабе Трифонов встретил наркома почт и телеграфа Н. П. Глебова-Авилова и местного партийного работника Островскую, они обрисовали положение, достаточно напряженное: флот находился в западне. Немецкие подводные лодки подходили к самому входу в Новороссийскую бухту, немецкие аэропланы летали над бухтой. В случае наступления немцев по берегу не было ни достаточных сил для сопротивления, ни укреплений у города. Внушало тревогу и политическое положение. Командовавший флотом адмирал Саблин определенно реставрировал на кораблях старые порядки, начиная с того, что поднял старый андреевский флаг. Под покровительством Саблина оживало реакционное офицерство.

Работа большевиков с матросами затруднялась бедой, общей для всей периферии: оторванностью от Центра, отсутствием регулярной информации и политического руководства. На флоте не было комиссара — эту должность упразднил проходивший в марте Второй общечерноморский съезд. И местных большевиков тревожило то, что команды все подпадали под влияние офицерства, среди которого были сильны эсеры, меньшевики, скрытые контрреволюционеры, склонявшие матросов к тому, чтобы вернуть корабли в Севастополь. Новороссийск был плохо приспособлен для военного флота. Но и уходить было некуда: все порты Черного моря уже захватили враги.

Большевики предвидели трагический исход: топить флот. Через несколько дней, 18 июня, это было сделано под руководством посланного Лениным Ф. Раскольникова, и эсминец «Керчь» послал прощальное радио: «Всем, всем. Погиб, уничтожив те корабли Черноморского флота, которые предпочли гибель позорной сдаче Германии». Но в тот день, когда Трифонов приехал в Новороссийск, был в штабе и разговаривал на броненосце с командующим флотом Саблиным, этот исход еще не казался единственно возможным.

Невозможным было только одно: отдавать флот Германии. Трифонов понял, что командование флотом стоит на пороге жизненно важных решений и оставлять Саблина без комиссара нельзя. В телеграмме, посланной уже из Царицына, 17 мая, Трифонов предложил назначить двух политических комиссаров в Черноморский флот и назвал две фамилии, в том числе Глебова-Авилова. Это совпало с решением Центра: еще 14 мая Глебов-Авилов был назначен главным комиссаром Черноморского флота и в тот день, когда Трифонов давал эту телеграмму, уже приступил к исполнению обязанностей.

12 мая из Новороссийска Трифонов отправил в Наркомвоен телеграмму:

> «Москва. Ново-Лесной переулок Наркомвоен Троцкому, копия Александровский вокзал поезд Военного Совета Бонч-Бруевичу.
>
> Сегодня прибыл в Новороссийск. Пробуду день или два и через Екатеринодар Тихорецкую если позволят обстоятельства выеду в Москву. Наши войска занимают позиции у Батайска...
>
> Принимаются меры военного характера. Помимо того принимаю меры для ликвидации гражданской войны мирными путями. Гарантирую повстанцам безопасность и свободный проезд до любого пограничного пункта.
>
> Телеграфируйте свое мнение по этому вопросу Екатеринодар Чрезвычайный штаб обороны мне.
>
> Член Наркомвоен *В. Трифонов*».

Из телеграммы от 9 мая явствует, что у Трифонова складывались неблестящие отношения с Наркомвоеном, и в частности с Троцким. Вступить с Троцким в конфликт было дело нехитрое: его терпеть не могли военные, фронтовые работники. Впрочем, и у отца характер был не из легких. Он был слишком независим, обо всем составлял собственное мнение и отстаивал его с большим упорством.

Мне известно из одного письма к Е. Трифонову, написанного в конце мая 1918 года, о том, что неважные отношения сложились у отца и с Антоновым-Овсеенко, и с Юреневым, хотя с обоими он тесно работал еще в Питере, в красногвардейский период. В этом письме много интересного, но приводить его мне не хочется, потому что и Антонов-Овсеенко, и Юренев, и Трифонов, при всех их разногласиях, теперь как бы сравнялись судьбой: их всех уничтожил Сталин.

Они могли спорить, могли не любить друг друга, могли ошибаться и заблуждаться, что свойственно людям, но они делали одно дело: революцию. И были преданы этому делу. И погибли за него.

14 мая Трифонов приехал в Екатеринодар и встретился наконец с главкомом войск Северного Кавказа Автономовым, который только что вернулся из Армавира. Между ЦИК Кубанской республики и Автономовым в это время уже назревал конфликт, который вскоре едва не дошел до вооруженного столкновения. Еще более явно обнаружилась в эти дни вражда между Сорокиным и местным Советом в Тихорецкой. Оба военных деятеля проявляли открытый бонапартизм, не желали подчиняться ни Москве, ни местным партийным организациям. В роли командующих они оказались беспомощны, зато под флагом борьбы с контрреволюцией расстреливали людей направо и налево, пытаясь как будто бы наладить дисциплину, а на самом деле еще более сгущали сумбур.

Трифонов старался укротить чересчур самостоятельных военкомов. В Тихорецкой он решительно встал на сторону местного Совета в его споре с Сорокиным и предотвратил едва не начавшееся кровопролитие. Из Тихорецкой же 15 мая Трифонов отправил шифрованную телеграмму в Екатеринодар, на имя военкома Кубанской республики Иванова, где среди непонятных цифровых строк имеется такая фраза: «Никаких расстрелов не производить, никаких приказов не издавать».

17 мая, приехав из Тихорецкой в Царицын, Трифонов направил в Москву, в Наркомвоен, такую телеграмму:

> «Сообщаю Царицына. Объездил всю Кубанскую и Черноморскую области. Положение очень сложное, запутанное и серьезное.
>
> Автономов командующий войсками никуда не годится в оперативном отношении. Операциями никто не занимается и меньше всего ими занимается командующий. Я уль-

тимативно поставил перед Кубанскими организациями требование сменить командующего. Временно командующим выдвинул Калнина на-ка отряда действующего на побережье. Нужно чтобы вы подтвердили мое требование. Считаю необходимым мой приезд в Москву ряд вопросов необходимо выяснить. Думаю дождаться Снесарева. Сообщите когда он выехал где находится в настоящее время. В Царицыне нужно создать окружной и оперативный центр объединив организации Снесарева и Центроюга эвакуированного из Донецкого бассейна. Необходимо назначить двух политических комиссаров к командующему флотом Саблину. Выдвигаю Авилова-Глебова живущего в Новороссийске и бывшего морского офицера Симичева...

Член Наркомвоен
В. Трифонов».

Сохранилась телеграмма Орджоникидзе Ленину, посланная из Царицына 22 мая. «С Автономовым покончено. Командование он сдает Калнину. Автономов выедет в Москву. Моя просьба его не отталкивать и дать работу в Москве, сам он, как человек, безусловно не заслуживает того, чтобы отбросить от себя...»[1]

Серго ошибся. С Автономовым еще не было покончено. На другой день, 23 мая, были отправлены следующие телеграммы:

«Военная вне всякой очереди, Москва. Наркомвоен Троцкому.

Чрезвычайный Кубанско-Черноморский штаб обороны отстранил в согласии со мной Автономова. Автономов не подчинился и объявил штаб шпионами. Положение грозит осложниться. Необходимо, чтобы вы подтвердили отстранение Автономова приказом для опубликования.

Член Наркомвоен
В. Трифонов».

---

[1] Орджоникидзе С. Путь большевика, с. 211.

«Военная вне всякой очереди,
Екатеринодар, Штаб обороны Тихорецкая. Автономову...

...Именем Совета Народных Комиссаров Российской Федеративной Социалистической республики в интересах защиты российской социалистической революции от нашествия контрреволюционных банд отечественного и иностранного происхождения предписывается Автономову немедленно подчиниться Постановлению Штаба обороны. Сложить звание главнокомандующего и ждать распоряжения Народного комиссара Троцкого. Всякое противодействие и междуусобица будет расцениваться как измена и предательство революции.

Чрезвычайные комиссары
Орджоникидзе, Трифонов».

В Музее обороны Царицына-Волгограда сохранилась телеграмма Орджоникидзе в Москву от того же числа — 23 мая 1918 года:

«Москва. Кремль. Ленину и Сталину.

Положение осложняется, ни в коем случае Автономова не поддерживайте. Немедленно распорядитесь об его отстранении. Положение здесь неважное. Нужны решительные меры, а местные товарищи слишком дряблы: всякое желание помочь рассматривается как вмешательство в местные дела. На станции стоят 6 маршрутных поездов хлеба, в Москву и Питер и не отправляются. Минин выехал в Москву. До приезда Трифонова, который выехал сегодня, никаких мер не принимайте. Еще раз повторяю, что нужны самые решительные меры: вокруг Царицына бушует контрреволюция.

Орджоникидзе».

Автономов был вынужден подчиниться, сдал командование, и его конфликт с ЦИК разбирался на Третьем съезде Советов Кубани и Черноморья. Затем Автономов по предложению Орджоникидзе отправился в Москву, где снова получил назначение на военную работу на Северный Кавказ — разумеется, уже не в качестве главкома. Он честно воевал с белыми и в феврале 1919 года в горах, во время отступления, умер от тифа.

Отец пробыл в Царицыне всего несколько дней, виделся там с братом, в конце мая Евгений Трифонов находился на Царицынском фронте.

В. Трифонова отзывали в Москву, чтобы направить на Урал, где неожиданно возникла новая опасность: мятеж чехословаков. И снова — медленный, громоздкий поезд со множеством прицепившихся попутчиков: сербская миссия, тихорецкая делегация, какие-то французские врачи и сестры и царицынский комиссар финансов Соколов, который вез в Москву ценности — те самые, которые были эвакуированы из Ростова, которые похитил бандит Петренко и которые снова удалось отбить с помощью Серго.

В воскресенье 26 мая, вечером, преодолев все опасности, много раз отбиваясь от вооруженных банд, поезд подошел к Москве. Издали было видно большое зарево: в Сокольниках горели заводы и склады снарядов. Поезд остановился в пяти верстах от города. Отец пошел в город пешком...

Путь на Урал был долгий: сначала надо было доехать до Петрограда, оттуда через Вологду и Вятку в Екатеринбург. Туда из Питера уже отправился отряд эстонцев в 1000 человек и несколько других отрядов. В одном поезде с отцом выехали на Урал Смилга, Павлов со своим отрядом (тот самый Владимир Павлов, который был в «инициативной пятерке») и отряд рабочих в триста человек, присоединившийся в Петрограде. В этом же поезде втайне от всех было отправлено золото Ростовского банка, которое Трифонову было поручено спрятать в надежном месте на Урале. Время было тревожное, правительство решило вывезти эти ценности из Москвы. В письме к брату Евгению, о котором я упоминал, написанном 31 мая, вскоре после прибытия в Москву с юга, и где с горечью говорится о новом столкновении с Наркомвоеном («Когда я приехал в Москву, уже все вопросы были решены. Когда я потребовал перерешения, то, конечно, и Троцкий и вся прочая братия встала на дыбы...»), есть, между прочим, упоминание о ростовском золоте: «Неожиданно меня Свердлов попросил поехать на Урал с ценностями».

Перед Череповцом, ночью, какие-то вооруженные толпы напали на поезд, хотели отбить вагоны с продовольствием. Произошла перестрелка, бандиты разбежались. На станции было оставлено сто человек петроградского отряда. После Перми встречали на дороге составы с «красными финнами», беженцами из Финляндии, где белогвардейцы с помощью германского десанта в апреле и мае разгромили Советы и теперь творили расправу над революционерами. На станции Шаля встретили поезд товарища Токоя, председателя финляндского Совета народных уполномоченных. Все это были довольно мрачные встречи и невеселые разговоры. Из газет, которые достали в Перми, стало известно, что немцы на юге взяли Батайск, а чехословаки продолжают наступать.

8 июня поезд прибыл в Екатеринбург. С этого времени в течение почти целого года жизнь В. Трифонова была связана с тяжелейшей борьбой на Восточном фронте — одной из самых драматических страниц истории гражданской войны. Если называть официальные должности, то отец был: начальником формирования Уральской армии, начальником Камской флотилии, членом Реввоенсовета Третьей армии, оставаясь все время членом Коллегии Наркомвоена. А что происходило на Урале и в Сибири?

Чехословацкий мятеж вспыхнул в конце мая. В русских лагерях в 1917 году находилось до двухсот тысяч военнопленных чехов и словаков, из числа которых сформировался корпус для переброски во Францию, на Западный германский фронт. Это была затея Антанты. Командование корпуса обратилось к Советскому правительству с просьбой разрешить частям корпуса проследовать до Владивостока, чтобы оттуда морским путем переправиться в Европу. Это был долгий, но единственно возможный путь во Францию, и Советское правительство дало согласие.

Эшелоны чехословацких войск постепенно растянулись по всему пути от Пензы до Владивостока. К концу мая в корпусе насчитывалось до 50 тысяч человек. Мятеж был заранее продуман и тщательно подготовлен, ибо выступления произошли одновременно во многих городах. Подобно электрическому току, бегущему по проводу, волна мятежа прокатилась по всей Транссибирской дороге: один за другим или почти одновременно пали Челябинск, Пенза, Сызрань, Томск, Курган, Новониколаевск. Об истинных вдохновителях не приходилось гадать. О них прямо говорилось в статье «Французские миллионы», напечатанной в июне 1918 года в центральном органе Чехословацкой коммунистической партии «Прукопник свободы», выходившем в Москве. Ленин цитировал эту статью в своей знаменитой речи 29 июля на объединенном заседании ВЦИК, где он раскрыл перед миром заговор Антанты: «От 7 марта до дня выступления вожди Национального чешского совета получили от французского и английского правительства около 15 миллионов, и за эти деньги была продана чехословацкая армия французским и английским империалистам».

В июне, когда В. Трифонов приехал в Екатеринбург, чехословаки, взяв Челябинск, уже двигались по направлению к уральской столице, белогвардейцы заняли Нижний Тагил и Невьянск, а на Южном Урале в Оренбургских степях орудовал атаман Дутов. Всему этому валу контрреволюции противостояли разрозненные, полупартизанские и малочисленные силы Восточного фронта, которыми командовал Муравьев, бывший царский капитан и левый эсер. 6 июля левые эсеры подняли мятеж в Москве. Бомбой был убит германский посол Мирбах. Мятеж подавили быстро, но ЦК левых эсеров успел отдать распоряжение Муравьеву снять войска с фронта и направить в Москву. Войска не поддержали изменника. Муравьев был застрелен в Симбирске 11 июля, в самом начале своей авантюры. Новым командующим фронтом стал Вацетис.

Большевики спешно организовывали военную силу, способную остановить наступление чехов и белых. 20 июля 1918 года — день, когда родилась Третья армия, впоследствии прославившая себя многими боевыми делами. Военная судьба отца на Востоке тесно связана с этой армией, он стал членом ее Реввоенсовета — правда, не сразу, а спустя несколько месяцев, в трудное время, когда армия отступала. Командующим Третьей армией был назначен Р. И. Берзин, в Военный совет кроме Р. И. Берзина вошли М. М. Лашевич и И. Т. Смилга, начальником полиотдела армии стал Ф. И. Голощекин — старый большевик, участник Пражской конференции.

В. Трифонов занимался в это время созданием Камской флотилии и организацией на заводе в Мотовилихе производства бронепоездов. В Перми было задержано огромное количество всякого военного имущества, эвакуированного с германского фронта: оружие, снаряды, кавалерийское снаряжение, обмундирование, продовольствие. Все это какая-то специальная снабженческая организация (каких было много, и самых таинственных и непонятных в ту пору) направляла куда-то на Восток, в Сибирь. Не белым ли? Среди этого имущества были обнаружены заграничные морские орудия, разнообразные, вплоть до шестидюймовых пушек «Кане». Трифонов затребовал из Петрограда группу матросов-артиллеристов, вскоре прибыло десять человек. Некоторые из них принесли большую пользу Камской флотилии. Тяжелые пушки «Кане» ставились на баржи, а более легкие орудия устанавливались на специальные понтоны японского происхождения, которые двигались при помощи бензино-керосиновых моторов.

Не менее важным и таким же новым делом было оборудование бронепоездов на Мотовилихе. Всего было построено четыре бронепоезда, они хорошо показали себя в боях.

В течение нескольких недель в июле и августе отец исподволь занимался поисками места для схоронения ценностей. На Мотовилихинском заводе были заказаны двенадцать железных ящиков, но два оказались лишними, все поместилось в десяти. (Я помню с детства один из этих ящиков, оказавшийся лишним: он стоял под большим отцовским письменным столом в его кабинете и всегда был заперт, отец хранил там оружие.) Так как белые наступали, 11 августа чехи взяли Казань, и положение становилось все более критическим, было решено как можно скорее спрятать ценности. Кстати, красноармейцы уже начали подозревать, что в тяжелых ящиках, которые так часто перевозят с места на место, хранится что-то серьезное. Особенно догадливы были немцы из интернационального отряда, которым чаще других поручалась охрана ящиков. «Гольд! Гольд!»— говорили они посмеиваясь. Скверно одетые, полуголодные, измученные непрерывными боями люди без конца таскали за собой огромное богатство, принадлежавшее республике. В конце августа его спрятали в одном из домов в городе Лысьве. Ночью приехали с телегой четверо: Трифонов, Голощекин, предсовдеп Перми Новоселов и Белобородов (месяц назад расстрелявший Николая Романова в Екатеринбурге) — и лично зарыли ящики в подвале дома. Наутро в этот дом въехала и разместилась там ничего не подозревавшая воинская часть. К концу года Лысьва была занята колчаковцами, а после гражданской войны за ценностями приехал от Наркомфина Н. Н. Крестинский и все благополучно нашел.

Отряд интернационалистов, о котором я упоминал выше, играл заметную роль на Восточном фронте. Вернее, таких отрядов было несколько, и один из первых организовал Бела Кун, будущий вождь венгерской революции. Бела Кун был комиссаром бригады Третьей армии. Сольц рассказывал, как вскоре после февральской революции, когда редактировал газету «Социал-демократ», в Москве к нему в редакцию, в гостиницу «Дрезден», пришел солдат в австрийской шинели, пленный, и сказал, что он венгерский социал-демократ и хочет сотрудничать с русскими революционерами, может проводить работу среди австрийских пленных. Это был Бела Кун. На Восточный фронт, в Пермь, он приехал 6 августа из Москвы вместе с Лашевичем и Залуцким.

П. Лурье вспоминает о том, как Кун, человек южный, страдал от суровых уральских холодов и ходил в двух кожаных куртках. Когда его спрашивали, почему он так странно одевается, он говорил шутливо: «Я весь простужен! Два зима на фронте, польтора года в Сибири, один зима здесь!»

Однако все эти не привыкшие к уральским морозам люди, мадьяры, чехи и немцы, заброшенные в глубочайшую российскую глушь вселенским вихрем, показывали в боях самоотверженность и преданность революции.

Первые интернационалисты, с которыми В. Трифонов встретился, были три австрийских солдата, присоединившиеся в мае 1918 года в Царицыне к дружковскому отряду — это был отряд донецких рабочих из Дружковки, человек пятьдесят. Они выехали с В. Трифоновым из Царицына в Москву, отправились вместе с ним на Восточный фронт и сопровождали его больше восьми месяцев. Командовал дружковским отрядом

И. Чибисенко. Между прочим, из трех австрийских солдат никто не был настоящим австрийцем: Прокопчук был русин, Юзеф Шруб чех, а Франц Мужина итальянец. Они, как и большинство интернационалистов, уехали на родину в ноябре 1918 года, когда пришла весть о революции в Австро-Венгрии.

Был в Третьей армии такой чех — Франц Каплан, командир речной флотилии интернационалистов. Флотилия — это сказано, правда, довольно громко, она состояла из одного парохода и трех понтонов с пушками и пулеметами — всю осень отважно воевала с белогвардейцами, теряя в боях один понтон за другим. В ноябре Каплан с помощью мотовилихинских рабочих оборудовал бронированный пароход с шестидюймовыми пушками. Франц Каплан был человек веселый, шутник, фантазер. После революции в Германии он, например, фантазировал: как можно устроить революцию в Чехии? «Это очень просто. Самые революционные рабочие живут в Кладно, недалеко от Праги. Надо только иметь много денег, подкупить всех пражских шоферов, и пусть они сразу выедут в Кладно. Там рабочие сядут в машины — вот и готова подвижная армия революции!»

В декабре 1918 года, в трудные дни колчаковского наступления на Пермь, Франц Каплан был комиссаром по охране пермского моста. В ночь на 11 декабря на него совершили нападение, он был ранен и вскоре поехал на родину. Впрочем, через год Франц неожиданно появился перед В. Трифоновым в Саратове, в штабе Юго-Восточного фронта,— оказалось, до родины он так и не добрался, воевал на Украине.

Все в том же отцовском сундуке, где лежали карты, сохранилось несколько полевых книжек — небольших тетрадей с обложками из твердого, глянцевитого картона, на которых типографским способом написано: «Полевая книжка»— и напечатана марка издательства «Воин», выпускавшего эти книжки по заказу, вероятно, еще царской армии. В полевых книжках сохранились копии многих приказов, предписаний, телеграмм и донесений, написанных В. Трифоновым на фронте. Много среди этих бумаг просто деловых, будничных и малоинтересных записей военного быта.

Впрочем, по-своему интересна, конечно, любая запись, датированная 1918 годом. В каждой сохраняется неповторимое: язык, запах, дыхание, напряжение того времени, и даже удивительно, как все это угадывается в самых простых строчках какой-нибудь просьбы о присылке «двух пудов бензина» или приказа о «предъявителе сего т. Брутте, который командируется в Питер за папиросами и табаком».

Вот, например, предписание, посланное В. Трифоновым начальнику Петроградского продовольственного отряда 21 июня 1918 года.

> «Отряду предписывается остаться в Перми для обучения военному строю и обращению с оружием. Условия денежного и иного довольствия, заключенные с Петроградской коммуной, остаются в силе; военный комиссариат берет на себя только руководство обучением и оперативное руководство. Дружинники отряда, согласные на эти условия, остаются в Перми, остальные должны немедленно вернуться в Питер. Наркомвоен *В. Трифонов*».

Обычно он подписывался просто «В. Трифонов» или «член коллегии Наркомвоен В. Трифонов», но иногда для краткости и, по-видимому, большей внушительности —«Наркомвоен В. Трифонов». В случае с Петроградским продовольственным отрядом понадобился, как видно, последний род подписи. Этот рабочий отряд, прибывший в Пермь в июне, вел себя весьма вольно и независимо, и потребовались усилия, чтобы привести его к порядку. В другой депеше, относящейся к сентябрю 1918 года и направленной В. Трифоновым в Пермскую ЧК, говорится о том, что мобилизованная для окопных работ «праздношатающаяся публика» должна быть передана в распоряжение Военного комиссариата не позже 12 часов 12 сентября для отправки на работу.

Много документов посвящено подготовке бронепоездов на Мотовилихе и бронированных понтонов. Ввиду наступления чехов этой работе придавалось большое значение, она делалась крайне спешно. Опытных, преданных делу инженеров и механиков, которые могли бы правильно организовать производство, было мало, надежных людей, можно сказать, не было вовсе, ибо заводские специалисты в лучшем случае были настроены нейтрально, а некоторые не скрывали своей враждебности к новой власти. Впрочем, большинство из них просто разбежалось. В. Трифонов стал энергично разыскивать — и разыскал — механиков и техников среди интернационалистов.

Вот несколько телеграмм и предписаний, говорящих о лихорадочной подготовке бронепоездов и понтонов и о важной роли, которую сыграли тут интернационалисты:

> «22 июня 1918 г.
> Областной военком Анучину, Голощекину. Штаб фронта Берзину.
>
> По указаниям полученным из Екатеринбурга платформы обшиваются двойной броней по 3/8 дюйма каждая. Двойная обшивка задержит работы на несколько месяцев. Задержка абсолютно недопустимая тем более, что та броня, которой обшивают платформы, теперь 1/2 дюйма не пробивается винтовочной пулей из расстояния 25 шагов. Было пять испытаний разных плавок, и все дали одни и те же результаты. Я дал заводоуправлению указания, чтобы заготовка производилась с расчетом, что платформы покрываются одним рядом брони 1/2 дюйма. Необходимо ваше подтверждение. Четыре первые платформы будут готовы ко вторнику 25, первый паровоз к будущему вторнику. Вероятно, первые платформы пошлем с простым паровозом.
>
> Наркомвоен *Трифонов*».

> «27 июня.
> Берзину, Голощекину.
>
> Нам крайне необходим томский интернационалист тов. Лоренц. Необходим он для организации бронированных поездов. Чем скорее вы его пришлете, тем скорее будут готовы поезда. Я вам телеграфировал об этом несколько раз, но все безрезультатно.
>
> *В. Трифонов*».

Уже в начале июля был готов первый бронепоезд: это ясно из предписания от 5 июля Петрову, который назначался комиссаром 1-го Пермского бронированного поезда и был обязан следить за тем, чтобы «поезд беспрепятственно продвигался до Екатеринбурга, где он должен быть передан в распоряжение командующего фронтом тов. Берзина». Между тем работа по подготовке других поездов, бронеплатформ и понтонов продолжалась, и интернационалисты были тут по-прежнему главными действующими лицами. В записке от 8 июля начальнику отряда интернационалистов Бартмусу Трифонов называет пятерых, по-видимому австрийцев: Эльхмана, Гофмана, Гааза, Шимона и Саараз Георга, которых предписывалось направить для работ в качестве механиков на понтонах.

Интересна телеграмма, посланная 24 сентября 1918 года в Управснаб Третьей армии:

> «Тов. Ишмаеву.
>
> Прошу, товарищ, сделать все возможное для отряда интернационалистов Камской флотилии. Они чуть ли не в единственном числе держат теперь фронт на Каме. Отряд очень боевой и верный. Они просят теплого обмундирования, сапог и 4 револьвера. Они все время находятся в воде, и сапоги им нужны. Сделайте, товарищ, что можно.
>
> *В. Трифонов*».

Есть и такое печальное сообщение:

> «Речная флотилия интернационалистов потеряла в сражении все свое имущество: их пароход и два понтона потоплены неприятелем. Им необходимо выдать все обмундирование на 120 человек.
>
> *В. Трифонов*».

Среди интернационалистов был известен пламенный агитатор Рейнер, командир батареи, состоявшей из мадьяр и немцев. Он попал в плен к белым и был убит после зверских пыток. Одним из батальонов командовал Ференц Мюнних, нынешний член правительства Венгерской Народной Республики.

Вот небольшой эпизод, характеризующий и интернационалистов, и военный быт, и нравы того времени.

Под Лысьвой один наш отряд самовольно отступил с фронта. Приказано было его разоружить. По ошибке заодно разоружили и отведенную в г. Лысьву на отдых роту интернационалистов. Когда разобрались, оружие им вернули — все, кроме четырех пулеметов, ибо по тогдашним понятиям это была слишком большая роскошь. Командир роты пришел в вагон В. Трифонова, бывшего тогда в Лысьве, и доказал, что эти «четыре пулемьета, четыре «мáксима», взяты им в боях, законные трофеи. «Мы готовы отказаться от отдыха и немедленно выступить, только отдайте эти четыре пулемьета, четыре «мáксима». Он все время повторял, чуть ли не со слезами: «Четыре пулемьета, четыре «мáксима»!»

В числе самых мужественных и стойких бойцов Уральского фронта были латышские стрелки. Группа латышских стрелков из 6-го и 4-го лат. полков начала работать с В. Трифоновым с весны 1918 года, со времени Всероссийской коллегии по формированию Красной Армии. Это были молодые парни, смелые, надежные, исполнительные. Люди, которые работали с В. Трифоновым, «прицеплялись» к нему всей душой и старались отовсюду, куда бы их ни забрасывала военная судьба, разыскать его и вернуться под его начало. Вот так же разыскал В. Трифонова и пришел к нему в Саратове громадный веселый чех Ференц Каплан.

А я помню, как некоторые из латышских стрелков, такие как Иван Иванович Лукс, Эрнест Иванович Литке и другие, появлялись в нашей квартире на улице Серафимовича еще в тридцатые годы. Отец чем-то помогал им, то одному, то другому, устраивал на работу...

И как странно теперь, через почти тридцать лет после того, как я последний раз видел Литке,— совсем не помню его лица, помню только, что был он очень долговяз, рыж, в гимнастерке с широким армейским поясом, в сапогах, помню разговоры о нем, полушутливые, добродушные,— читать про него в «Полевой книжке». В октябре 1918 года Литке был командиром полка Особого назначения, и В. Трифонов часто отдавал ему разного рода письменные распоряжения и приказания, иногда довольно грозные. В одной записке, например, за какое-то нарушение дисциплины он грозил предать весь командный состав полка суду полевого трибунала.

Давно нет в живых отца, сгинул куда-то Литке, и

едва не погибли старые полевые книжки, в которых отпечаталась эта далекая, взбудораженная, кому-то уже непонятная сейчас жизнь. Зачем же я ворошу ее страницы? Они волнуют меня. И не только потому, что они об отце и о людях, которых я знал, но и потому, что они о времени, когда все начиналось. Когда начинались мы.

В середине октября 1918 года В. Трифонова вызвали для доклада в Москву. В одном вагоне с ним ехал Бела Кун. Говорили о мировом пожаре: он должен был вспыхнуть вот-вот. Европа уже дымилась. В Болгарии разразилось солдатское восстание. Турция и Болгария вышли из войны. Кайзер в панике шел на уступки социал-демократам, в Венгрии пахло порохом, и Бела Кун говорил, что родина зовет его.

И правда, он скоро уехал: в ноябре в Австрии произошла революция.

В Москве В. Трифонов тяжело заболел испанкой. Болел долго, был при смерти. Не видел, как Москва праздновала первую годовщину революции, как были иллюминованы здания, стреляли ракеты, разъезжали автомобили с оркестрами, как над Театральной площадью два аэроплана разбрасывали прокламации, а на Советской площади вместо памятника Скобелеву открыли обелиск в честь Октябрьской революции. Все это видел Павел и описал очень подробно. По городу Павел разъезжал верхом на лошади. Вечером он ходил в театры. Во всех театрах по случаю праздника шли революционные пьесы: в театре Зимина шла опера «Фиделио», из эпохи Французской революции. В домах было холодно, не топили. Отец никак не мог побороть болезнь, началось воспаление легких. Он бредил, был очень плох. Его перевезли в закрытом автомобиле в квартиру Сольца на Немецкую улицу. Он был плох не только от болезни, но и от мыслей: там, откуда он приехал, было тяжело, он рвался туда, он не имел права оставаться в иллюминованной столице, да еще умирать здесь. И надо же заболеть в такой миг истории, когда наконец началось.

9 ноября грянуло в Испании. Вильгельм отрекся. В Берлине и других городах выбраны Советы рабочих и солдатских депутатов.

Из дневника Павла:

«11 ноября.

Москва. В 6 ч. пошел в Большой театр, где состоится концерт только для советских деятелей и членов партии. Я получил билет в ложу газ. «Правда». На улицах манифестации по поводу германской революции. Перед концертом т. Ленин сообщил последние телеграммы. В Берлине войска восстали, власть перешла к Совету. Шейдемановцы составляют общесоциалистическое правительство, поровну правых и независимых с.-д. В Баварии власть перешла к Советам. В Ковне германский солдатский Совет принял верховное командование Восточного фронта. По всей Украине восстания германо-австрийских войск, организуются Советы.

Ленин сказал краткую речь, потом говорили Свердлов и Каменев. Начался концерт. Оркестр играл 6-ю симфонию Чайковского, потом было пение, балет, декламация (выступали Качалов, Москвин и др.), 4-й акт оперы «Садко», 2-я сцена оперы «Фиделио». Видел т. Островскую. Пришел домой в 2 ч. ночи. Приехал В. Павлов и Л. Пылаева из Перми, ночевали в эшелоне. Павлов поступает в Академию Ген. штаба».

Через десять дней приехал с Южного фронта Евгений Трифонов — его тоже вызвали в Академию Генштаба. Братья не успели толком поговорить: в конце ноября отец, выздоровев, выехал на Урал, где белые начали наступать.

В ту пору В. Трифонов был довольно молод — в восемнадцатом году ему исполнилось тридцать,— но его звали «дед» даже те, кто были значительно старше. Он был среднего роста, сильный, коренастый; физическую силу развил постоянными, с юности, со времен ссылок, упражнениями с гирями. По характеру он был человек молчаливый, сдержанный, даже несколько мрачноватый, не любил, что называется, «выдвигаться».

Замкнутость, как черту характера отца, увидела Лариса Рейснер, побывавшая с флотилией на Волге в 1919 году и написавшая книгу «Фронт»:

«Осколок разбитого чертом кривого зеркала застрял и в товарище Трифонове. Из ссылки и тюрьмы он вынес тяжелую сдержанность долголетнего пленника, несколько болезненный страх перед слишком громкими словами, мыслями и характерами. В сильном и умном человеке, великолепном большевике и солдате революции немного скучно желание обмануть себя и других — изобразить свое крупное «я» самым сереньким, самым будничным человечьим пятном. Но бурный 1919 год через все логические дырки прорастает веселой зеленой травой; неудержимый ветер времени рвет серые очки с чернявого трифоновского лица, что ему не мешает и сегодня все так же упорно защищать свой давно развалившийся душевный острог и любимейшее подполье чувств».

Сказано красиво, ярко, даже несколько пышно, как писала Рейснер, но что-то в этом отрывке верно угадано. Это «что-то»: неумение и нежелание таких людей, как отец (а он являл собою довольно типичный образ русского революционера), делать так называемую политическую карьеру, добиваться личной популярности. Свойство таких людей — оставаться в тени.

Отец был прирожденный организатор. Везде, где бы он ни работал, он тащил громоздкий воз — воз о р г а н и з а ц и и, будь то организация Красной гвардии, или Камской флотилии, или производства бронепоездов на Мотовилихе, или же просто упорная будничная бесконечная работа по созданию армии на Юге, на Востоке и на Кавказе.

Когда Лариса Рейснер встретила В. Трифонова на Волге, самые тяжелые дни Восточного фронта уже миновали. Позади были отступление, лютые морозы конца декабря, потеря Перми — то, что называлось потом «пермской катастрофой». В Перми, в день эвакуации, Трифонова нашел в штабе старый приятель, пермский старожил Борис Шалаев, спрашивал: как быть? Жена боялась с двумя малыми детьми бежать из города, да еще при таком морозе. «Нашел его в доме Мешкова, куда перебрался штаб,— вспоминает Шалаев.— Еле удалось до него дозвониться. При моем появлении он торопливо подошел ко мне и сразу сказал: положение резко изменилось к худшему, подробностей он передать не может. Об эвакуации теперь не может быть и речи. Он и сам не знает еще, уцелеет ли в создавшейся обстановке. «Ты, как инженер, можешь уцелеть и при белых, а в случае чего найдешь ход к партизанам,— сказал он.— Ну, убьют, значит, не увидимся, а жив буду — значит, увидимся!» И мы расстались, а всего через каких-нибудь восемь часов уже загремели первые выстрелы белых на противоположной окраине города».

Не думаю, чтобы этот мимолетный, в суматохе, разговор со старым и внезапно появившимся товарищем по ссылке особенно запомнился отцу. Но других воспоминаний у меня нет. А в дневнике Павла и вовсе две строчки: «Эвакуация Перми. Скоро уезжаем. Кунгур взят белыми. Сильный мороз — 30°».

Позади были горечь ухода, гибель друзей и то, что было потом — мучительная перестройка Третьей армии, приезд комиссии ЦК в лице Дзержинского и Сталина с целью расследования причин «катастрофы». В ноябре 1918 года, в самый тяжкий для Восточного фронта период, В. Трифонов был назначен членом Реввоенсовета Третьей армии. Вместе с командующим и другими руководящими работниками армии он принял основной критический удар комиссии ЦК.

О трудностях, с которыми столкнулись большевики Восточного фронта, можно судить по докладу В. Трифонова в Военно-революционный совет. С этим докладом В. Трифонов приехал в Москву, он написан в октябре — ноябре 1918 года, то есть еще до потери Перми, до приезда комиссии ЦК. Он подводит итоги пятимесячной работы. Доклад обширен, приводить его целиком не имеет смысла, но интересны первые страницы, где рисуется картина того, как создавалась Третья армия и в каких условиях это делалось.

«3 июня,— пишет В. Трифонов,— я прибыл на чехословацкий фронт. В распоряжении Уральских военных организаций в это время находилось всего несколько совершенно недисциплинированных красноармейских рот.

Моя поездка на Урал в апреле была отменена потому, что на Урале военная организация стоит очень высоко — так мне сказали в Военном комиссариате. Чехословацкий мятеж показал, насколько все это было пустыми разговорами. Урал мог выставить ничтожные десятки вооруженных лиц, войска же на Урале не было. Я об этом телеграфировал Народному комиссариату сейчас же по приезде, 8 июня, прося прислать 2 батареи и батальон пехоты. Указывал на спешность и необходимость присылки и неизбежность неудач в случае отказа. Ни артиллерии, ни пехоты не было прислано, по крайней мере в течение ближайшего месяца... За все

5 месяцев моего пребывания на Урале нам было прислано около 6 тысяч штыков, цифра эта совершенно ничтожная по сравнению с силами, действующими против нас. Нам пришлось напрячь все силы, поднять весь Урал для того, чтобы хотя бы отступать в такой постепенности и в таком порядке, в каком отступали мы...»

В отчете комиссии ЦК поражения Третьей армии объяснялись недостатками в командовании, слабостью тыла, непрочными резервами, то есть всем тем, что само собой разумеется, когда речь идет об отступлении.

«Морально-боевое состояние армии было плачевное благодаря усталости частей от бессменных 6-месячных боев. Резервов не было никаких... довольствование армии было случайное и необеспеченное (в самую трудную минуту стремительного натиска на 29-ю дивизию, части этой дивизии пять суток отбивались буквально без хлеба и прочих продуктов продовольствия...)». 11 декабря Трифонов, член Реввоенсовета Третьей армии, заявляет Смилге (Востфронт) по прямому проводу: «Весьма вероятно, что мы в ближайшие дни вынуждены будем оставить Пермь. Достаточно двух-трех крепких полков. Попытайтесь вытянуть из Вятки или из ближайшего пункта». Ответ Смилги (Востфронт):

«Подкреплений не будет. Главком отказал помогать».

Венцом отчета комиссии было весьма характерное для Сталина бюрократическое предложение: создать еще одну специальную контрольно-ревизионную комиссию, которая могла бы «дополнить работу центра по подтягиванию работников». При этом все же надо сказать, что приезд комиссии ЦК принес безусловную пользу войскам Восточного фронта: были мобилизованы коммунисты и рабочие Урала, созданы новые части, например Вятский батальон ВЧК, лыжный отряд в тысячу человек, улучшилось снабжение. Вообще успех комиссии был подготовлен работой, которую проделали большевики Третьей армии, уральские коммунисты. Лашевич был снят с командования как не справившийся с управлением армией в сложной обстановке.

Третья армия вовсе не была в таком плачевном состоянии, как об этом можно было подумать, прочитав отчет. Она доказала это очень скоро весною 1919 года, когда, устояв против превосходящих сил Колчака, сама перешла в победоносное наступление и 1 июля освободила Пермь, захватив огромные трофеи, а 14 июля был освобожден Екатеринбург. Историки прошлых лет, угодничая перед Сталиным, изображали победы Третьей армии как результат приезда чудодейственной комиссии, которая, дескать, «навела порядок» в армии. Сталина изображали чуть ли не «спасителем» Восточного фронта. На самом же деле ясно, что никакие комиссии не могли бы спасти фронт, если бы не было здоровой, боеспособной армии. Такая армия была. В труднейших условиях, ценою временного и постепенного отступления, она сумела сохранить свои силы и боеспособность и уже в январе 1919 года на ряде участков перешла в наступление.

В рядах Третьей армии прославились такие замечательные командиры, как В. К. Блюхер, братья Н. и И. Каширины, бывшие офицеры казачьих войск, честно воевавшие за дело революции, как И. С. Павлищев, военспец старой армии, героически погибший в бою с колчаковцами, как Н. Д. Томи и другие.

Историк С. Ф. Найда в своей книге «О некоторых вопросах истории гражданской войны в СССР», вышедшей в 1958 году, писал: «Говоря о причинах падения Перми, наши историки очень часто давали неверную оценку Третьей армии. Авторы, как правило, ограничивались общими замечаниями вроде того, что руководство армии было плохое, что войска этой армии дрогнули, отступили и т. д. О боевой истории Третьей армии, о ее личном составе, о беспримерных подвигах ее бойцов и командиров во всех предыдущих боях обычно не говорилось или почти не говорилось. Не выяснялась и роль Третьей армии в октябрьско-ноябрьских боях 1918 года, а также в январских боях 1919 года».

В. Трифонов пробыл на Восточном фронте, оставаясь членом Реввоенсовета Третьей армии, до конца мая 1919 года. К этому времени положение на Восточном фронте значительно улучшилось. В апреле, после известного Пленума ЦК, на котором решались вопросы укрепления армии и ее политорганов и где В. И. Ленин особо говорил о необходимости усилить Третью армию, тяжело пострадавшую в зимних боях под Пермью, на Восток, для борьбы с Колчаком, стали прибывать все новые отряды мобилизованных рабочих, поезда с оружием, боеприпасами.

Страна и партия напрягали все силы, чтобы укрепить фронт борьбы с Колчаком, ибо на Востоке решалась судьба революции.

В марте и апреле, когда наступал Колчак, Восточный фронт превратился в главный фронт республики. Ленин лично следил за каждой частью, отправлявшейся на Восток. Известна его телеграмма В. Л. Панюшкину от 12 апреля 1919 года: «Ваше промедление с погрузкой и отправкой становится непонятным. Поймите, что малейшее промедление преступно. Никакое недоснабжение не оправдывает. Выезжайте и вывозите вашу воинскую часть во что бы то ни стало немедленно. Предсовнаркома Ленин».

С Панюшкиным связан эпизод, весьма характерный для тех дней, когда партизанская лихость и революционный азарт сталкивались с дисциплиной, с необходимостью подчиняться начальству, пускай не столь ярко и пышно революционному, но понимающему толк в военных науках.

Отряд Панюшкина, того самого боевого и отчаянного матроса, которого В. Трифонов и Павел помнили еще по Питеру, прибыл в Вятку в конце апреля. Отряд был преобразован в бригаду Особого назначения. Почти сейчас же штаб бригады вступил в конфликт с Реввоенсоветом Третьей армии, не желая подчиняться контролю. Короткая история «приведения в чувство» бригады изложена в телеграмме Реввоенсовета Третьей армии, направленной по трем адресам: предреввоенсовета республики Троцкому, главкому Вацетису, комвосту Каменеву.

«Для приведения полков бригады Особого назначения (быв. отряд Панюшкина) в порядок была назначена особая инспекция под общим руководством Мрачковского. До приезда Панюшкина инспекции удалось сломить сопротивление командного состава Особой бригады, протестовавшего против ввода в полки нового комсостава, имеющего специальное военное образование, и введения дисциплины. Но приехал Панюшкин, и наладившаяся было работа немедленно расстроилась. Панюшкин распорядился по бригаде не выполнять приказы Военсовета армии, т. к. бригада, по словам Панюшкина, подчиняется только Совету обороны и Реввоенсовету республики. Аналогичное заявление было послано Панюшкиным в Военсовет армии. Такое заявление Ответственного Политического Руководителя (как именовался Панюшкин в документе, выданном Склянским), имеющего специальные полномочия от Реввоенсовета республики и специальные телефонограммы от т. Ленина, не могло не произвести впечатления на комсостав бригады. Командующий состав отказался от принятия командиров, данных армий, и от исполнения указаний инспекции армии. Для ограждения бригады от влияния Панюшкина Военсовет приказал Панюшкину к 24 часам 29 апреля выехать из района расположения армии. 30 апреля, однако, было установлено, что Панюшкин не выехал из Вятки, а попрежнему находится в штабе бригады. Тогда же было узнано, что в штабе бригады находится также и бывший комиссар бригады Смирнов, приговоренный к условному расстрелу и получивший распоряжение выехать на фронт в качестве красноармейца. Военсовет приказал Панюшкину и Смирнову явиться в помещение Совета. Панюшкин немедленно явился, Смирнов же явиться отказался. Двухкратная посылка в штаб бригады коменданта штаба армии за Смирновым не привела ни к чему, причем находящиеся в штабе бригады чины штаба не только не способствовали выполнению приказа Совета, а, наоборот, чинили коменданту штаба препятствия и вели себя вызывающе.

Военный совет решил арестовать всех находящихся в штабе бригады. Для того чтобы обеспечить безболезненное выполнение приказа об аресте, было решено караульным батальонам отделить штаб бригады от расквартирования ее частей. Арест был произведен ночью, и арестованные, а также Панюшкин, были отправлены в караульное помещение. Среди арестованных бывшего комиссара Смирнова не оказалось. Он сбежал. Части бригады, узнав об аресте штаба, волновались. Днем 30-го они начали сосредоточиваться на Советской площади с целью предъявления Военсовету армии ультимативного требования об освобождении штаба. Однако усилиями представителей Совета удалось части отправить по казармам. К вечеру Панюшкин и все арестованные дали обещание исполнять беспрекословно все приказания Военсовета, и арестованные были освобождены. На специально созванном собрании комсостава бригады Панюшкин указал на пагубность поведения его самого и комсостава и призывал к беспрекословному повиновению. Бригада успокоилась. Меры к розыску Смирнова принимаются. Предположено завтра начать переброску бригады. Реввоенсовет 3-й армии Меженинов, Трифонов»[1].

Остается добавить, что холодный реввоенсоветовский душ оказался полезным для Панюшкина: впоследствии он мужественно, дисциплинированно и честно воевал на фронтах гражданской войны.

Эпизод с Панюшкиным, сам по себе не очень значительный, показался мне интересным, так как он рисует сложные обстоятельства, в которых приходилось действовать комиссарам фронтов. Кроме того, на имя Панюшкина я натолкнулся еще раз совсем недавно: в журнале «Знамя» № 9 за 1964 год, где были помещены «Колымские записи» Г. Шелеста. В рассказе «Новички»— из жизни колымских ссыльных сороковых годов — говорится о бригадире Василии Лукиче Панюшкине, «спокойном и проницательном старике». Г. Шелест пишет о нем с большим уважением. В. Л. Панюшкин входил в состав подпольного лагерного «политбюро».

Так неожиданно я увидел конец этой бурной судьбы. Впрочем, нет — не конец, не конец! После смерти Сталина В. Л. Панюшкин был реабилитирован, вернулся в Москву, получил персональную пенсию. Он умер несколько лет назад.

Однако вернемся на Восточный фронт, в год 1919-й. В апреле этого года войска Востфронта разделились на две группы — Северную и Южную. Северной, куда входили Вторая и Третья армии, командовал один из талантливых военачальников, бывший полковник царской армии В. И. Шорин, преданно служивший Советской власти. У В. Трифонова возникли дружеские отношения с Шориным. Через несколько месяцев они вновь встретились на Юге, работали вместе в Реввоенсовете Юго-Восточного фронта.

Южной группой Восточного фронта командовал М. Ф. Фрунзе.

---

[1] Архив Центрального музея Советской Армии. Фонд В. Трифонова, 16.437. 4/23.313.

28 апреля войска Южной группы перешли в контрнаступление и разгромили колчаковцев под Бугурусланом и Белебеем, а в середине мая стала успешно наступать Вторая армия Северной группы.

21 мая В. Трифонов уехал с Урала в Москву получать новое назначение. Его переводили на Южный фронт, где наступал Деникин. Большой опыт работы в армии, год войны на Урале дали В. Трифонову громадный, живой, трагический и в то же время исполненный силы и веры жизненный материал для статьи «Фронт и тыл», которая печаталась в «Правде» в нескольких номерах в июне 1919 года.

Начало статьи было написано в том пафосном, громовом стиле, который выражал дух времени и одинаково годился для литературы, воззваний и митингов на площадях, запруженных толпой.

«Российская Социалистическая Республика находится в состоянии войны со всем буржуазным миром. Плотным кольцом окружили ее границы международные хищники и ждут не дождутся момента, когда можно будет броситься и растерзать молодую Советскую Республику.

Ждут, но не дождутся. Республика ощетинилась сотнями красноармейских штыков, грудью встала ее Красная Армия...»

Но это — только начало, первые три абзаца. А дальше на многих страницах поднимались конкретные вопросы формирования армий, организации тыла, создания запасных полков, отношения к военспецам и добровольцам и т. д. Одной из самых серьезных в статье В. Трифонова была мысль о том, что необходимо развертывать армии на фронте.

«В тылу,— писал он,— не было достаточной пролетарской основы для развертывания новых формирований. Жизнь давно уже выбросила лучшие боевые пролетарские элементы туда, на фронты, в гущу непосредственной сечи, и в тылу остался жиденький слой пролетариев, необходимый для жизни гражданских учреждений... Пока происходило формирование в тылу громоздких дивизий, фронт истекал кровью. Ряды бойцов редели. Выбивались лучшие полки, состоявшие сплошь из коммунистов. Фронт говорил, кричал, просил пополнений. Получался стереотипный ответ: пополнений нет, мобилизованные идут на укомплектование формирующихся дивизий, подождите конца формирования. Фронт ждал. Формировались дивизии бесконечно долго. Месяцами стояли части без дела, ожидая конца формирования. От безделья разлагались и походя занимались контрреволюцией. На фронт попадали не боевые единицы, а в лучшем случае совершенно разложившиеся части, в худшем же — явно контрреволюционные».

В статье прямо говорилось, что виною этому бюрократические, рутинные методы работы тыловых комиссариатов, которые возглавлялись людьми, «может быть, и очень опытными в военном деле, но мало знакомыми с условиями современной революционной гражданской войны». Нет, статья не была направлена против военспецов. Она была направлена против неправильного их использования — в тылу, в разбухшем до невероятных размеров тылу с бесчисленными канцеляриями, комиссиями, отделами и подотделами, которые поглощали работу тысяч военных специалистов. «На фронте же, вследствие недостатка специалистов, царит партизанщина».

В другом месте кратко говорилось об исторических причинах, которые привели к этому чрезмерному увлечению военно-бюрократическим «порядком», установленным по старым образцам.

«В начале революции были попытки создать армию усилиями только коммунистов по совершенно своеобразным методам и способам строительства. Попытка оказалась неудачной. Создавалась не армия, а вольница, очень революционная, верная Советской власти вольница, но совершенно недисциплинированная и неспособная к сколько-нибудь регулярным действиям. Первые столкновения с регулярными войсками на западе обнаружили это с достаточной убедительностью. Товарищи, вероятно, помнят трагические дни наступления немцев на Питер. Дни отрезвления и реакции. Они повернули нас на 180° от полной самобытности и оригинальности к старым, испытанным, рутинным способам строительства. Коммунисты и революционеры убедились, что военная организация, военное строительство, военная жизнь обладают какими-то началами, им совершенно чуждыми, но обязательными для всякого, кто берется за строительство армии. Армию можно заставить преследовать коммунистические цели, но нельзя ее строить по-особенному, по-коммунистически. Коммунизм — символ содружества, любви, братства и всепрощения. На этих принципах армию, которая неизбежно несет с собою смерть и разрушение, конечно, не построишь. Истина самоочевидная, аксиома. Аксиома для тех, кто строил уже армии. Для нас, коммунистов, в октябре требовались еще доказательства. Теперь мы, военные коммунисты, в этом бесповоротно убеждены. Ценою многих жизней и потоками крови достались эти убеждения. Теперь мы знаем азбуку военного дела».

Далее В. Трифонов развивал эту мысль, говоря о добровольцах. «Почти два года работы по созданию вооруженных сил Советской Республики (имелась в виду и работа по организации Красной гвардии, начатая летом 1917 года.— *Ю. Т.*) позволяет мне сделать следующий вывод.

Части, укомплектованные только добровольцами, в условиях регулярной войны в большинстве случаев никуда не годятся. У них нет выдержки, нет способности к систематической, планомерной, сколько-нибудь длительной работе. Бой ведут порывами. Встретив слабое сопротивление, партизаны-добровольцы могут быстро продвинуться вперед, но дружный отпор врага приводит их в замешательство, и они еще быстрей катятся назад, сбивая все на своем пути, захватывая составы и дебоширя.

Факт добровольческого вступления в Красную Армию и несомненная преданность Советской власти порождают чрезмерное уважение к своим собственным особам и обостренное болезненное самолюбие. К окружающим и особенно к военным специалистам добровольцы относятся свысока, не столько подозревая их в контрреволюционности, сколько не веря в их военные таланты и способности. Единственным критерием, определяющим пригодность к командованию и военному руководству, у них служит добровольчество. Военной обработке добровольцы совершенно не поддаются и к дисциплине относятся как к возвращению «старого режима». Сказанного совершенно достаточно для того, чтобы не только признать добровольческие части непригодными к регулярной войне, но и определить их, как элемент, разлагающий регулярную армию

Повторяю, что это относится к частям, укомплектованным исключительно добровольцами. Картина существенно меняется, когда добровольцы берутся в качестве кадра, на основе которого развертывается воинская часть.

Столкнувшись с элементами, безразличными к Советской власти, приняв их в свою среду, добровольцы очень скоро приходят к выводу, что собственными силами им с мобилизованными не справиться. Искренняя преданность Советской власти заставляет их искать выхода, который позволил бы создать из мобилизованных воинскую часть, способную и желающую защищать интересы рабочих и крестьян. А так как выход напрашивается сам собой, ибо только один выход был, есть и будет для всех армий — военная подготовка и дисциплина,— то среди добровольцев начинается тяга к военным специалистам, тяга к дисциплине. Я знаю полки, развернутые на основе крепкого добровольчества: они взяли у себя совершенно добровольно, без всякого принуждения, жесткую дисциплину, дисциплину николаевских времен. Их дисциплинарный устав предусматривал даже телесные наказания, которые с успехом и довольно широко применялись. Этот казусный случай, извративший, конечно, наше понятие о дисциплине рабоче-крестьянской Красной Армии, находит свое оправдание в обстановке, в которой пришлось оперировать этим полкам. Отрезанные от Советской России, они в течение долгого времени пробивались, окруженные со всех сторон врагами. Нужны были драконовские и героические меры, чтобы части сохранились, не дать им окончательно разложиться. Меры были предприняты самими добровольцами, по своему собственному почину, и полки были спасены».

В. Трифонов имел, вероятно, в виду партизанские полки В. К. Блюхера и Н. Д. Каширина, которые совершили беспримерный полуторатысячекилометровый переход по степям Казахстана и горам Урала, находясь в окружении контрреволюционных войск, и в сентябре 1918 года соединились на Урале с регулярными частями Красной Армии.

Примеры того, как «добровольцы брались в качестве кадра, на основе которого развертывалась воинская часть», является история 40-й Богучарской дивизии. Бывший комиссар этой дивизии И. Я. Врачев живет сейчас в Москве. Он знал отца по Кавказскому фронту. Он рассказал мне интереснейшую историю создания Богучарской дивизии: она была сформирована в 1919 году на Южном фронте, в «гуще непосредственной сечи», и численность ее быстро достигла 13 тысяч человек. Основными кадрами нескольких полков дивизии и в первую очередь 353-го Богучарского полка являлись добровольцы, солдаты и крестьяне Богучарского и других южных уездов Воронежской губернии. На смену выбывавшим из строя бойцам поступали новые — их братья, сыновья и отцы. 40-я Богучарская дивизия пользовалась славой одной из лучших дивизий Южного фронта.

Заканчивалась статья В. Трифонова настойчивым повторением мысли о том, что фронту необходимы маршевые пополнения, а не части, целиком сформированные в тылу. Это было назревшее требование фронта. Еще в мае в связи с положением на Юге ЦК дал директиву, где ясно высказывались те же мысли: «ЦК считает важнейшей задачей ближайших двух недель производство мобилизации не менее 20 000 рабочих не для формирования новых частей, а для влития их в лучшие кадры Южного фронта. От успеха этой мобилизации зависит судьба революции». (Из «Истории гражданской войны», т. 2, с. 386).

Статья «Фронт и тыл» печаталась четырьмя подвалами в газете «Правда» в номерах от 5, 8, 15 и 19 июня 1919 года.

Только десять дней пробыл отец в Москве. 2 июня он выехал на Юг, где, не в пример Востоку, положение к лету 1919 года резко ухудшилось. Переформировав и укрепив Добрармию, Деникин начал наступление, в середине июня приблизился к Царицыну, взял Сарепту. На Дону бушевало контрреволюционное Вешенское, или, как его называли также, Морозовское восстание. Оно вспыхнуло в марте, быстро охватило почти весь Дон. Подавить его в короткие сроки не удалось. Возникла угроза того, что восставшие соединятся с наступающими войсками Деникина. Насколько серьезной была эта угроза, видно из телеграмм и писем Ленина Южфронту в мае 1919 года.

7 июня В. Трифонов приехал в Козлов, где нахо-

дился штаб Южного фронта. Дороги Юга были забиты, на всех станциях гомонили, орали, дрались, осаждали эшелоны, громоздили узлы, мешки, домашнюю рухлядь тысячные толпы крестьян: это были переселенцы на Дон из Воронежской, Тамбовской, Пензенской губерний. Декрет о переселении на Дон рабочих и крестьян из северных губерний был издан 24 мая, много семей успело переселиться, но еще больше было задержано на дороге из-за наступления Деникина и казачьего восстания. И теперь эти толпы, остановившиеся на полпути, растерянные, измученные и сбитые с толку, не понимали, куда им пробиваться: то ли дальше на юг, то ли назад, к покинутым домам.

Через неделю после прибытия на Южный фронт В. Трифонов получил назначение — комиссаром в Особый Донской экспедиционный корпус, который формировался в районе Бутурлиновки из потрепанных и разбитых красноказачьих частей, отступивших с Юга. В 1-ю дивизию корпуса входили также отряды добровольцев-богучарцев. Командиром корпуса был назначен Ф. Миронов. 19 июня В. Трифонов вместе с Ф. Мироновым выехали в Бутурлиновку.

Миронов — одна из ярких, колоритнейших, во многом противоречивых фигур нашей истории. Он был судим, приговорен к расстрелу, принят в партию большевиков, работал в Донском исполкоме, доблестно командовал 2-й Конной армией, награждался орденом Красного Знамени и Почетным революционным оружием, в конце гражданской войны был снова арестован по злостным наветам и убит в тюрьме в апреле 1921 года при обстоятельствах, до сих пор как следует не выясненных. Долгие годы на его имени тяготело клеймо изменника и предателя. Так назван он в книге С. М. Буденного «Пройденный путь», изданной в 1958 году.

Миронов был реабилитирован 15 ноября 1960 года. Первое доброе слово сказал о Миронове в «Неделе» в мае 1961 года, вопреки несправедливой традиции многих лет, журналист В. Гольцев, причем конец очерка В. Гольцева, где сказано, что Миронов пал жертвой необоснованных репрессий, должен был создать у читателей совершенно определенное впечатление, что Миронов погиб в 1937 году, как многие наши военачальники. Миронов, однако, пал жертвой необоснованной репрессии гораздо раньше: в 1921 году.

Меня заинтересовало это имя, так как несколько раз я сталкивался с ним, разбирая отцовский архив. Филипп Кузьмич Миронов, казак станицы Усть-Медведицкой, был человек, безусловно, незаурядный. В годы революции ему было уже под пятьдесят. Он воевал в японскую войну, дослужился до войскового старшины (подполковника) в германскую и вскоре после Октября привел свой 32-й Донской казачий полк с фронта на Дон. В 1918 году Миронов воевал на стороне Советской власти против Краснова, командуя 23-й дивизией, в январе 1919 года возглавил Особую группу войск Южного фронта, но затем получил назначение на Запад, в Белорусско-Литовскую армию. Когда вспыхнуло восстание на Дону, весною 1919 года, о Миронове вспомнили, ему поручили формировать Донской казачий корпус. Однако Троцкий не доверял Миронову полностью, вернее, колебался в своем доверии — то доверял, то нет, и этим объяснялась странная волокита с формированием корпуса.

Зимой 1918 года Евгений Трифонов, который тогда был комиссаром «Южной завесы», воевал с Мироновым бок о бок. В своем романе «Каленая тропа» (это, по существу, не роман, а политически-бурно, несколько вычурно набросанные воспоминания о гражданской войне) Е. Трифонов так характеризует Миронова:

«Сухим костром полыхают боевые действия Миронова на нашем военном фланге — вспыхивают и прогорают. Там, под Еланью, ведет свои странные операции Миронов, командир Красной казачьей дивизии. Он — бывший донской войсковой старшина, и кочевой романтизм бродит в его угарной крови. Непостижима степная стратегия красного атамана... Непостижима и кажется безумной.

Безумными кажутся и войска Миронова, его конные таборы. То рассеиваются, как дым, ряды мироновцев — бойцы, закинув пику за плечо и гнусавя заунывную песню, разъезжаются по своим хуторам и станицам, оставляя одинокого начдива со штабом на открытых позициях. То вновь толпы конных наползают по всем балкам к мироновскому дивизионному значку.

Целыми полками перебегают казаки Миронова обратно к неприятелю, к старым своим господам полковникам. И целыми же полками, с обозами и техникой, снова бегут с белого атаманского Дона в советскую мироновскую дивизию. Впрочем, поразительно равнодушен красный начдив Миронов и к тем, и к другим: холодно встречает пополнения, текущие к нему с кадетской стороны, и с пренебрежением принимает весть о бегстве своих полков на кадетскую сторону. Он не хочет знать ни дезертиров, ни перебежчиков, реального мира не замечает товарищ Миронов, поглощенный какой-то неистовой идеей».

Эта поэтическая картинка относится к заре действий Миронова как начальника дивизии. Впоследствии 23-я мироновская дивизия успешно громила кадетов, гнала Краснова к Новочеркасску. Но в то время, когда Е. Трифонов писал свою книгу (она вышла в 1932 году), Миронов считался врагом, предателем, расстрелянным в 1921 году. Однако Е. Трифонов избегает таких формулировок. Наверно, просто не верит им. Он рисует Миронова таким, каким видел его, каким представлялся ему Миронов зимой 1918 года. «Кочевой романтизм», «непостижимая степная стратегия», «поглощенный какой-то неистовой идеей», что угодно, но — не измена, не враг.

Среди бумаг отца я нашел занятный документ: листовку, написанную Мироновым и обращенную к красноармейцам. Называется листовка «Товарищ-красноармеец!», напечатана на оберточной бумаге какой-то конфетной фабрики в Бутурлиновке. Стиль этого сочинения раскрывает человека: не очень грамотного, самоучку, любителя помитинговать, покрасоваться, блеснуть перед народом стихами Некрасова, да и собственными тоже, «умными» фразами, и при этом человека искреннего, горячего, преданного революции. Не могу не привести нескольких обширных цитат из этой листовки. Дело идет о дисциплине, о необходимости ее строжайшим образом укреплять, о борьбе с дезертирством, с невыполнением приказов, мародерством, антисемитской агитацией и т. п.

«...Товарищ-красноармеец! Враг-белогвардеец надвинулся со всех сторон, враг напрягает все силы, враг, пользуясь вышеприведенными нашими недостатками, теснит нас!

И если теперь же не принять решительных мер против этой разнузданности и ра́спущенности в рядах Красной Армии —«земле и воле» грозит тягчайшее испытание.

Таково мое мнение, так думаю я!

Скажи, красноармеец, как думаешь ты?

Нужно ли с этим бороться, и если нужно, то скажи как?

Если немедленно не станем с этим бороться, если не возьмем себя и друг друга в руки, то снова осуществятся слова князя Воехотского:

Здесь мужику, что вышел за ворота,
Кровавый труд, кровавая борьба:
За крошку хлеба капля пота,
Вот в двух словах его судьба.

Его удел безграмотство, беспутство,
Убожество и чувством и умом,
Его узда — налоги, труд, рекрутство,
Его утехи — водка с дурманом.

...Я знаю, что значит эксплуатация чужого труда, потому что прошел эту жизненную школу, отдавая молодые силы на службу буржуазии за «насущный кусок хлеба». Я получал 1 руб. в месяц, получал 3 руб. в месяц, получал 8 руб., но за это должен был отдавать от 10 до 12 час. в сутки. Я получал 20 руб. в месяц, но за это от меня требовали работы от 15 до 17 часов в сутки.

Вот почему я не хочу согласиться с князем Воехотским, с судьбой, которую он хочет снова навязать моим детям.

Я знаю, товарищи, что значит кабала, что значит быть в молчании, не имея права голоса даже в то время, как на тебя надевают хомут и когда тебе исполняется 22 года. Вот почему я имею право снова поставить тебе, товарищ-красноармеец, следующие вопросы:

1) Прав ли князь Воехотский, что твоя судьба заключается в двух словах: «кровавый труд, кровавая борьба... за крошку хлеба»?

2) Прав ли князь Воехотский, что твой удел «безграмотство, беспутство, убожество и чувством и умом»?

3) Прав ли этот князь, что на тебя нужна снова узда в виде налогов, труда, рекрутства (солдатчины)?

4) Прав ли этот князь, что ты больше «водки с дурманом» никакой утехи не знаешь, не можешь понять и пережить?

Я не верю князю Воехотскому! Народ, совершивший величайшую революцию, народ, сбросивший со своих плеч гнет царя, генерала, помещика, капиталиста, попа и кулака, способен и на дальнейшие подвиги героизма и революционной борьбы.

Но!!!

Вот если ты, гражданин-красноармеец, это «но» перескочишь — ты перешагнешь тогда все!

Надеюсь и убежден, что это письмо товарищи-красноармейцы обсудят в одиночку, обсудят кучками, обсудят взводами и ротами и свои ответы пришлют мне, чтобы я мог судить, как поднять дисциплину в частях и с помощью этой дисциплины совершить такие же подвиги в борьбе с мировой контрреволюцией, какие выпали на мою долю со славною 23-й пехотной дивизией на Южном фронте, в какой действительно была железная дисциплина.

Товарищи-красноармейцы, сознайте, пора уже сознать, что армия без дисциплины быть не может, что победы совершает не человек, а дисциплина. Пора себя взять в руки и научиться меньше рассуждать, а больше делать, ибо этого в данный момент повелительно требует революция. Теперь не время самоволию, за которым идет рабство. Я уже старый человек, но я согласен временно так подчинить себя требованиям дисциплины, чтобы от моего «я» ничего не оставалось в минуты служебного выполнения долга и боевых приказов. Я знаю, что, лишив себя на время воли и *сверх-воли*, в будущем буду вознагражден за временное самолишение и революционное терпение высшею наградою: *действительною свободою*, которой уже никто угрожать не будет и которая благословит меня на мирный труд.

Проникнитесь, товарищи-красноармейцы, следующими строками:

Счастлив тот, кто умеет летать,
Не боясь ни тумана, ни бури,
Счастлив тот, кто умеет взирать,
Не боясь блеска ясной лазури.

Счастлив тот, кто, взлетая высоко,
Не боится, что может на землю упасть,
Счастлив тот, кто, увидя врага недалеко,
Не боится, что может в его сети попасть...

...Жду же, товарищи-красноармейцы, ваших честных красных писем и постановлений, как ответа революционному голосу. И как только получу, там начнем ковать ту «железную дисциплину», о какой все чаще и чаще стали говорить наши красные газеты.

Только с железною дисциплиной мы победим! Только ею!

Спешите же с ответами, мои друзья по оружию и идее! Спешите, пока еще не поздно!

Командир Особого Корпуса
гражданин *Ф. Миронов*

13 июня 1919».

Как видим, князь Воехотский из некрасовской «Медвежьей охоты» отлично использован для революционной агитации, да и собственные стихи пришлись кстати.

Формирование корпуса тянулось всю вторую половину июня и первую июля, осложненное многими обстоятельствами; главным тяжелым обстоятельством было то, что Деникин продолжал успешно наступать, взял Белгород, Харьков, Екатеринослав и в начале июля — Царицын. Корпус был значительно ослаблен, и его отвели в тыл. В середине июня в Козлов, где помещался штаб Южного фронта, приехал Троцкий. В. Трифонов находился в это время в Козлове.

Сохранилось письмо В. Трифонова, написанное им своему старому другу А. А. Сольцу вскоре после посещения Козлова Троцким.

«Прочитай мое заявление в ЦК партии и скажи свое мнение: стоит ли его передать Ленину? Если стоит, то устрой так, чтобы оно попало к нему. На Юге творились и творятся величайшие безобразия и преступления, о которых нужно во все горло кричать на площадях, но, к сожалению, пока я это делать не могу. При нравах, которые здесь усвоены, мы никогда войны не кончим, а сами очень быстро скончаемся — от истощения. Южный фронт — это детище Троцкого и является плотью от плоти этого... бездарнейшего организатора. Публике нашей нужно обратить серьезное внимание. Армию создавал не Троцкий, а мы, рядовые армейские работники. Там, где Троцкий пытался работать, там сейчас же начиналась величайшая путаница. Путанику не место в организме, который должен точно и отчетливо работать, а военное дело именно такой организм и есть. Ведь только сказать, что из одного эвакуационного пункта отправлено 32 000 тифозных больных,— страшно становится. В каких невероятных условиях должны жить солдаты, чтобы дать такое количество тифозных. Воистину солдаты Красной Армии — величайшие герои... Меня хотят втянуть еще в одну авантюру — организацию Казачьей дивизии под командованием авантюриста Миронова. Там, где не хватает организационных талантов, хотят взять хитростью. Безнадежное дело, ибо у них ума так же мало, как и организационных талантов. У меня, друг мой, сейчас такое настроение, что я готов перестрелять всех этих остолопов или себе пустить пулю в лоб. В руках этих идиотов находится судьба величайшей революции — есть от чего сойти с ума. Ну, пока обнимаю.

Валентин».

Письмо написано 3 июля 1919 года. Я привел это случайно сохранившееся письмо для того, чтобы показать, как все было сложно, драматично и накалено до крайности. Люди, которые руководили армиями молодой республики, истекавшей кровью, изнемогали от непосильного напряжения, сталкивались с великим множеством трудностей, и помочь разобраться во всем этом мог только гений Ленина. Ленин был безусловным авторитетом для всех настоящих революционеров. Но Ленин был далеко, в Москве, и посоветоваться с ним не всегда удавалось.

Трифонов, конечно, не перестрелял «всех этих остолопов» и не пустил себе пулю в лоб. Он продолжал делать то, что ему было поручено.

В середине лета 1919 года положение на Юге создалось чрезвычайно опасное. Деникин уже ставил перед своим «белым воинством» задачу захвата Москвы. Новый Главком Красной Армии С. С. Каменев, сменивший Вацетиса, разработал по поручению ЦК РКП (б) стратегический план военных действий на Юге. План был одобрен ЦК и лично Лениным.

Важнейшие операции возлагались на ударную группу из Девятой и Десятой армий и Конного корпуса С. Буденного, получившую название Особой группы Южного фронта. Командующим этой группы был назначен переведенный с Восточного фронта В. И. Шорин, в Реввоенсовет вошли С. И. Гусев, И. Т. Смилга и В. А. Трифонов.

Наступательные действия Особой группы сыграли важную роль в борьбе с Деникиным, они, по существу, сорвали его стратегический замысел, что он сам признал впоследствии в своих мемуарах. Правда, успех пришел не сразу, несколько тяжелых недель пришлось пережить войскам Южфронта в августе и сентябре, когда в наши тылы ворвался конный корпус Мамонтова и захватил Козлов и Тамбов.

Тут очень пригодился бы корпус, который формировал Миронов в Саранске. Вацетис хорошо понимал это, требуя от Реввоенсовета Южного фронта и Главснаба энергичного содействия Миронову в выполнении возложенной на него задачи. Но дело с корпусом принимало затяжной оборот. Комплектование людьми, снабжение оружием и снаряжением срывалось, во-первых, из-за катастрофического недостатка всего необходимого, во-вторых же, все более назревал конфликт между Мироновым и некоторыми ответственными работниками корпуса, причастными к принесшей много вреда политике «расказачиванья» и необдуманно, без разбору применявшими репрессии против казачества. Негодность этих работников понимал казачий отдел ВЦИКа и предлагал заменить их людьми с более широким политическим кругозором, но замена почему-то затянулась, может быть, из-за нехватки подходящих людей.

А для Миронова, сына Дона, не было больнее вопроса, чем это самое «расказачиванье», компрометировавшее идею пролетарской диктатуры и подогревавшее колебания казачества. Никаким политиком он не был и с горячей прямолинейностью, иногда с перехлестами, дававшими поводы для сомнений в его преданности Советам, вставал на защиту казаков. Как Чапаеву, ему нужен был Фурманов — Фурманова при нем не оказалось. Зато обильно шли доносы в Реввоенсовет фронта и в казачий отдел ВЦИКа: Миронов-де опасен антисоветским нутром — новый атаман Григорьев, и вторая григорьевщина не заставит себя ждать, как только атаман выпестует корпус. Корпус еще не был сформирован, а втайне от Миронова шли в верхи ходатайства о расформировании. В этом, надо полагать, и кроется корень высказанного в письме Сольцу взгляда В. Трифонова (да и одного ли Трифонова?) на «авантюризм» Миронова. А Миронов рвался на фронт: деникинцы по-своему расправлялись с семьями его казаков, им нужно было отплатить как можно скорее. Вместо фронта — прозябание в тылу, клевета, улавливаемая чутким ухом, телеграммы и письма, похожие на вопль: «Вы мне не верите, скажите мне прямо, я уйду, не буду мешать, но не держите меня в заточении неизвестности. Мне остается только застрелиться», «Прошу открытой политики со мною и скорейшего заканчивания формирования корпуса», «Я задыхаюсь, меня ждет фронт. Не могу видеть гибель революции».

И вот в конце августа в штаб Девятой армии приходит телеграмма Миронова: «Видя гибель революции и открытый саботаж с формированием корпуса, не могу дальше находиться в бездействии. Выступаю с имеющимися у меня силами на жестокую борьбу с Деникиным и буржуазией».

С четырьмя тысячами пехоты, из которых только две тысячи имели винтовки, и одной тысячью кавалерии Миронов двинулся на фронт. Но этот самовольный шаг, являвшийся одновременно нарушением дисциплины и жестом отчаянья, был теперь воспринят, как начало той самой «григорьевщины», о вероятности которой уже были «сигналы». В первый миг, когда стало известно о выступлении Миронова, было полное впечатление мятежа. Об этом свидетельствует и запись в дневнике Павла, сделанная 24 августа в Вольске. (В. Трифонов находился в это время в Вольске, в штабе Особой группы Южного фронта.) Павел сделал запись шифром, ибо известие было ошеломляющим и тревожным, и многие, наверно, еще о нем не знали. «Корпус Мамонтова из Тамбова отправился к Козлову и взял его. Миронов, который формировал в Саранске казачью дивизию, поднял восстание». Таково было впечатление. Так думали тогда — в августе 1919 года.

Что произошло дальше, известно из мемуаров С. М. Буденного, разоружившего и арестовавшего Миронова. Но при том объяснении, которое дает автор поведению Миронова, кажется странным, что Миронов, уводя корпус к Деникину, как прямо говорится в «Пройденном пути», дал себя разоружить и не сделал даже попытки применить ни одной винтовки, ни одного пулемета и ни одного орудия, которые, хоть и в малом числе, он имел. Правда, корпус Миронова к моменту разоружения значительно поредел. В дневнике Павла есть запись от 14 сентября: «Миронов с 500 всадниками пойман». Так или иначе, Миронов не оказал никакого сопротивления Буденному и это потому, что шел он воевать против Деникина, а не против советских войск. Миронов был отправлен в Балашов, где его судили военным судом. Приговорили к расстрелу. Всю ночь Миронов вместе со своими командирами, тоже приговоренными к расстрелу, пел революционные песни, а утром их помиловали, затем расформировали по разным частям.

Дальнейшая судьба Миронова так же фантастична. Осенью 1919 года он приехал в Москву, побывал у Ленина и Дзержинского (кстати, благодаря вмешательству Ленина Миронов был помилован в Балашове). В начале 1920 года Миронова приняли в партию и вскоре направили в Ростов заведующим земельным отделом Ростовского исполкома. (Из дневника Павла известно, что Миронов ехал из Москвы в одном поезде с В. Трифоновым, который возвращался в Ростов с Девятого съезда партии, где был делегатом. Это было 4 апреля 1920 года.) В сентябре 1920 года вновь засверкала звезда Миронова: он назначен командиром Второй конной. В боях под Александровкой и Никополем он громит конницу Врангеля, гонит беляков до Перекопа. Он получает благодарность от Реввоенсовета республики, его награждают орденом Красного Знамени и Почетным революционным оружием. И затем — клевета, расстрел, клеймо предателя на четыре десятилетия.

Миронов, конечно, сложная фигура. Все противоречия и сложности этой фигуры являются как бы отражением тех противоречий и сложностей, какие таил в себе «казачий вопрос», вопрос об отношении к казачеству — один из самых больных вопросов революции.

В связи с этим мне хочется вернуться назад, к письму Трифонова Сольцу.

Вначале это письмо просто поразило меня своим тоном: гневным, резким, почти трагическим.

Мы так привыкли, изучая историю в институтах (я учился, когда Сталин еще был жив), к тому, что наши армии двигались от победы к победе, а там, где возникали затруднения, появлялся Сталин —«партия посылала его на самые опасные участки»— и немедленно наводил порядок. И вдруг — какие-то безобразия и преступления, «о которых надо кричать на площадях». О них Трифонов пишет Сольцу, о них сообщает в своем заявлении в ЦК и просит Сольца передать его Ленину. О чем речь? О штабных безобразиях и о путанице, которую создавал Троцкий в армиях. Об этом существует много свидетельств. Есть, например, письмо Орджоникидзе Ленину, написанное в том же 1919 году и тоже с Южного фронта, где говорится о положении в штабах фронта: «Что-то невероятное, что-то граничащее с предательством... Где же порядки, дисциплина и регулярная армия Троцкого?! Как же он допустил дело до такого развала? Это прямо непостижимо...»

Но мне хотелось разыскать заявление Трифонова в ЦК, чтобы понять точно и определенно, что именно возмущало Трифонова. Одно дело — писать письмо старому другу, иное — заявление в ЦК. Там должен быть иной тон, должны быть факты, конкретность, предложения. Мне удалось разыскать в архиве то, что я искал. Это оказалось не заявление, а подробный доклад в Оргбюро ЦК, и действительно в нем были факты, конкретность, предложения. Но тон был тот же, что в письме к Сольцу: гневный и резкий.

Речь в докладе идет не о штабных безобразиях, а политике Донского бюро по отношению к казачеству и о причинах Вешенского восстания. Вот этот доклад с большими сокращениями:

«В организационное бюро ЦК РКП (б).

До образования Донревкома гражданская жизнь в очищенных от неприятеля местностях Донской области налаживалась гражданским управлением Южфронта...

Объединение в одних руках идейного партийного руководства и практической работы по созданию Сов. власти, может быть, и могло бы принести известную пользу, но при других нормальных условиях и нормально направленной политике. В донском же случае такое объединение принесло колоссальный вред РСФСР. Вместо контролирования одного учреждения другим, вместо выправления линии поведения согласованием опыта и здравого смысла, получилась единая работа, направленная единой волей, но волей, ложно понимавшей и обстановку, при которой пришлось работать, и задачи, ставшие перед нею...

Донбюро исходило из двух соображений:

1) очевидная контрреволюционность казачества вообще и

2) победоносное шествие и мощь наших армий.

Казаков, явных контрреволюционеров, необходимо уничтожить, тем более что Красная Армия в состоянии это проделать,— такова была главная мысль Донбюро.

Огульное обвинение казаков в контрреволюционности является, конечно, плодом незрелого размышления. Бытие определяет сознание — этой истиной мы всегда руководствовались. Бытие же казаков — доброй половины Донской области — всех северных и восточных округов — отнюдь не таково, чтобы неизбежно толкать их в стан контрреволюции. Земельный казачий надел этих округов равен в среднем 2—4 десятинам. Казачьи привилегии по организации торговых и промышленных предприятий не имеют совершенно никакого значения для указанных округов, т. к. торговля и промышленность здесь развиты очень незначительно. Условия существования ничуть не лучше, чем в смежных губерниях — Воронежской, Тамбовской, Саратовской. Кроме того, в Донской области налицо имеется характерный и очень благоприятный для Советской России факт совершенно несправедливого распределения материальных благ между южными и северными округами. Казачий земельный надел южных округов равен в среднем 25—20 десятинам, в северо-восточных же, как я говорил, 2—4 десятины. Казачьи права на беспошлинную торговлю, на организацию промышленных предприятий и на недра, землю имеют очень крупное значение для Черкасского и других южных торгово-промышленных округов, и эти права совершенно бесполезны для казаков севера. Право на рыбную ловлю ценно опять-таки для станиц, расположенных по низовью Дона и берегу Азовского моря, и не имеет совершенно никакого значения для Медведицкого, Хоперского и других северных округов. Словом, все те же казачьи преимущества и привилегии, которые создали из казаков верный оплот для царского самодержавия, сосредоточены исключительно на юге области и сосредоточены более или менее искусственно. Южные станицы, как, например, Новочеркасская, все время стояли во главе управления Донобласти и совершенно сознательно заботились главным образом о благополучении южных станиц в ущерб северным. Земля из войскового резервного надела нарезалась почти исключительно для станиц юга, чем и объясняется такая поразительная разница между земельными наделами севера и юга...

Донбюро до сих пор считает, что целесообразно заменять советское строительство репрессиями, а здравый смысл и марксистское рассуждение — решениями с кондачка...

Ошибки, граничившие с преступлением, совершенные нами на Дону, сильно спутали карты и осложнили положение. Нужно много усилий и много такта, чтобы выправить положение. Нужно прежде всего убрать из донской работы всех скомпрометировавших предыдущей работой, старой «линией поведения», товарищей. Нужно совершенно новыми людьми начать новое строительство, только тогда можно иметь надежду на успех.

В основу нового строительства нужно положить следующий основной принцип: нужно твердо и определенно отказаться от политики репрессий по отношению к казакам вообще. Это не должно помешать, однако, строгому беспощадному преследованию в судебном порядке всех контрреволюционеров.

Нужно отказаться от мысли вселять в Донскую область немедленно, после ее освобождения, крестьян северных губерний. Такое переселение практически трудно осуществимо, и политически оно вредно и, конечно, всегда будет служить поводом к восстанию.

В течение первых месяцев существования Сов. власти в Донской области можно и нужно ограничиться переселением казаков северных округов на юг — уравнением казачьих паев и наделением землей крестьян, уже живущих в донских степях. Переселение казаков из одних округов в другие ничего необычайного для Дон. области не представляет, т. к. такая мера практиковалась и раньше в целях уравнения наделов. Она прекратилась лет 30 тому назад, когда господствующие южные станицы решили не давать больше земли северу. Наделение же крестьян, живущих на Дону, землею так же пройдет безболезненно, т. к. об этом еще при самодержавии велись разговоры, и больших возражений они не встречали.

Пересадив северян на юг, мы тем самым привлечем на нашу сторону и тех, кого переселяют, и те станицы, откуда переселенцы будут взяты, т. к. их земельный пай соответственно увеличится. Создав т. о. определенный кадр «советских казаков», можно будет подумать и относительно дальнейшего «расказачивания» области. К этому вопросу, однако, нужно подходить с полной осторожностью и большим вниманием. Не лампасы и слова «казак» и «станица» сделали казака казаком, а его бытие. И нужно обратить сугубое внимание, нужно умелой пропагандой вскрыть все темные стороны былого казачества (их очень много) и практикой советского строительства показать светлые стороны новой жизни...

Член РКП(б) *В. Трифонов.*

10/VI
г. Козлов».

Доклад написан 10 июня. На следующий день, 11 июня, судя по дневнику П. Лурье, в Козлов приехал Троцкий. Наверняка Трифонов разговаривал с ним по вопросам, затронутым в докладе, и вряд ли нашел поддержку. Репрессии, вызвавшие восстание, проводились с благословения Троцкого. Этим новым спором, новым резким несогласием с Троцким, объясняется, видимо, тот враждебный отзыв о нем, который содержится в письме Сольцу, написанном две недели спустя.

Сохранилась листовка, подписанная членом Реввоенсовета Республики В. Трифоновым «К донскому трудовому казачеству!». В ней между прочим говорится:

«...Действия отдельных негодяев, примазавшихся к Советской власти и творивших преступления и беззакония на Дону, на которые ссылаются белогвардейские захребетники, со всей строгостью осуждены центральной Советской властью. Часть этих негодяев уже расстреляна, часть же ждет своей участи и будет расстреляна, как только виновность их будет установлена. Советская власть не может и не будет потакать врагам народа, негодяям, злоупотреблявшим своею властью,— их ждет беспощадная кара...

Вам, трудовые Донские Казаки, при посредстве Советского правительства протягивают свою руку помощи и дружественной поддержки многомиллионные трудовые массы Советской России. От вас зависит, взять ли эту дружескую руку для согласного и совместного строительства царства труда на земле, или же вы захотите продолжать подлое дело, начатое богачами-генералами, и на предложенную помощь ответите предательским ударом из-за угла.

В первом случае вас ждет мирное и спокойное развитие, согласный труд в семье трудового народа, во втором же — вам предстоит борьба, жестокая последняя борьба на жизнь или на смерть, борьба до уничтожения. Крепко подумайте, станичники, и решайте, с кем идти — с трудовым народом против кучки богачей-генералов или с богачами-генералами против всего трудового народа. Подумайте и решите, а мы по делам вашим узнаем ваше решение».

Обращение к казакам, отпечатанное в виде листовки, помечено датой: 4 июля 1919 года. История Вешенского восстания описана в «Тихом Доне». И надо отдать должное мужеству Шолохова, который сумел в трудные времена культа личности Сталина, когда искажались и история, и назначение литературы, изобразить картину восстания достаточно правдиво. В нескольких местах устами разных героев сказано, почему восстали казаки. Так, например, бородатый старовер в разговоре со Штокманом говорит: «Потеснили вы казаков, надурили, а то бы вашей власти и износу не было. Дурастного народу у вас много, через это и восстание получилось».—«Как надурили? То есть, потвоему, глупостей наделали? Так? Каких же?»—«Сам небось знаешь... Расстреливали людей. Нынче одного, завтра, глядишь, другого... Кому же антирес своей очереди ждать?» Штокман же в другом месте рассуждает о необходимости расстрелов, причем именно с «кондачка и наскока», как рассуждало и действовало тогда Донское бюро.

Еще более определенно написал Шолохов в письме к Горькому в 1931 году. (Недавно это письмо опубликовано в томе «Литературного наследства», где помещена неизданная переписка Горького с советскими писателями.) «Некоторые «ортодоксальные вожди» РАППа,— говорится в письме,— читавшие 6-ю часть, обвиняли меня в том, что я будто бы оправдываю восстание, приводя факты ущемления казаков Верхнего Дона. Так ли это? Не сгущая красок, я нарисовал суровую действительность, предшествовавшую восстанию; причем сознательно упустил такие факты, служившие непосредственной причиной восстания, как бессудный расстрел в Мигулинской станице 62 казаков-стариков или расстрелы в станицах Казанской и Шумилинской, где количество расстрелянных казаков в течение 6 дней достигло солидной цифры — 400 с лишним человек».

Шолохов решительно утверждает, что восстание возникло «в результате перегибов по отношению к казаку-середняку». Эти же мысли почти с такими же примерами содержатся в докладе В. Трифонова, написанном в июне 1919 года.

В конце сентября 1919 года Особая группа Южного фронта была реорганизована в Юго-Восточный фронт, в Реввоенсовет которого вошел В. Трифонов. Командующим Юго-Восточным фронтом был назначен В. И. Шорин. В состав войск нового фронта были включены Девятая и Десятая армии, Сводный конный корпус Б. М. Думенко; из Туркестанского фронта была передана Одиннадцатая армия. Однако фронт был ослаблен передачей в Восьмую армию конного корпуса С. М. Буденного, направленного ранее на ликвидацию прорыва генерала Мамонтова. Фронт не имел резервов.

Юго-Восточный фронт образовался в момент крайней опасности: за неделю до его создания деникинцы вступили в Курск, через девять дней захватили Воронеж и, угрожая Орлу и Туле, нацеливались на Москву.

Сложившуюся грозную обстановку обсуждал в те дни Пленум ЦК РКП (б). Было решено усилить войска, действовавшие против Деникина. Начались массовые партийные и комсомольские мобилизации, на фронты шли выпускники военных школ и курсов, Юго-Восточный пополнился тремя дивизиями и несколькими бригадами, Реввоенсовет фронта произвел в прилегавших к фронту уездах мобилизацию граждан от 17 до 37 лет.

Временно перейдя к обороне, фронт все же действовал активно и сковал крупные силы Кавказской армии Врангеля и значительную часть Донской армии белых и, главное, не допустил соединения Деникина с Колчаком. Военный историк К. В. Агуреев в книге «Разгром белогвардейских войск Деникина» (М., 1961) писал об этом периоде: «Несмотря на все трудности, Реввоенсоветы Южного и Юго-Восточного фронтов сумели блестяще завершить оборонительные действия, остановив наступавшие армии генерала Деникина...»

В войсках Юго-Восточного фронта действовали такие выдающиеся командиры, как В. М. Азин, М. И. Василенко, Г. Д. Гай (помню, как берегли в нашей семье белую папаху, подаренную Гаем отцу), П. Е. Дыбенко, Д. П. Жлоба, Е. И. Ковтюх, А. И. Тодорский, И. П. Уборевич. На том же фронте в Реввоенсовете Одиннадцатой армии находился С. М. Киров.

В октябре началось общее успешное наступление войск Южного и Юго-Восточного фронтов. Войска Юго-Восточного изгнали белоказаков из русских губерний, освободили значительную часть Донской области и овладели Царицыном и Новочеркасском.

После взятия Ростова и выхода Красной Армии к нижнему Дону произошла новая реорганизация фронтов на Юге: 10 января 1920 года на базе Южного возник Юго-Западный фронт, а Юго-Восточный 15 января был преобразован в Кавказский фронт и усилен включением в его состав Восьмой армии и Первой Конной. Вначале командующим Кавказским фронтом был назначен В. И. Шорин, а 31 января его сменил на этом посту М. Н. Тухачевский. Членами Реввоенсовета фронта были Г. К. Орджоникидзе, В. А. Трифонов, С. И. Гусев и И. Т. Смилга.

Новый фронт возник в сложных условиях. После занятия Новочеркасска и Ростова наступательный порыв войск Красной Армии стал угасать. Люди устали, регулярное снабжение войск нарушилось, тылы армий, корпусов и дивизий отстали на десятки и сотни километров, связь со штабом фронта была плохая. Даже прославившаяся рядом блестящих побед Первая Конная армия не смогла не только продолжать преследование панически отступавшего из Ростова противника, но и не сумела закрепиться на левом берегу Дона.

Этой передышкой воспользовались деникинцы. Они поспешно начали приводить в чувство свои, изрядно поколоченные части, сгруппировали их, окопались и создали прочную оборону на рубежах Дона и Маныча.

Войска Кавказского фронта много раз пытались пробить эту оборону, овладеть Батайским плацдармом, но это им долго не удавалось. 17—21 января 1920 года предпринимались наиболее крупные наступательные операции силами двух армий — Первой Конной и Восьмой, но и они окончились неудачей. Местность благоприятствовала белым — крутые берега рек и болота — и была крайне неудобна для наших наступавших войск, особенно для частей Конной армии. Там полегло очень много людей. В момент занятия Ростова наступила оттепель, тонкий лед на Дону и Маныче не выдерживал не только кавалериста, но и пехотинца. В середине января вновь вернулись морозы, и войска Кавказского фронта, воспользовавшись этим, форсировали водные рубежи, но закрепиться на левых берегах Дона и Маныча не смогли. В конце января опять стало тепло, а в феврале морозы ударили очень сильно. Надо было торопиться, ранняя южная весна была близка. Реввоенсовет фронта готовился к генеральному наступлению.

Началось оно в середине февраля на огромном пространстве Кавказского фронта. Конечная цель: полный разгром белой армии Деникина и освобождение народов Северного Кавказа. Никогда еще в ходе гражданской войны не сосредоточивались силы такой мощной концентрации, какие были собраны на донских рубежах для нанесения решающего удара Деникину. Оборона белых затрещала, войска Кавказского фронта усилили нажим. Пытаясь помешать успешно начатому наступлению, Деникин предпринял ряд атак против Восьмой и правого фланга Девятой армии. Корпус генерала Гусельщикова пробил фронт западнее Ростова, занял Хопры, Гниловскую и ворвался в Темерник. Почти двое суток шел яростный бой за Ростов, и все же войска Восьмой армии были вынуждены оставить город. Момент был грозный. Ленин в телеграмме Реввоенсовету Юго-Западного фронта требовал скорейшей переброски двух дивизий на помощь Кавказскому фронту. Деникин же полагал, что генеральное наступление советских войск сорвано или, во всяком случае, приостановлено.

Однако Реввоенсовет Кавказского фронта, возглавляемый молодым командующим и большевиками-ленинцами, имевшими опыт не столько войны, сколько революции, принял энергичное и мужественное решение: несмотря на временную потерю Ростова, вести наступление дальше. И это принесло победу. Ростов был отбит на второй день, а наступающие войска протаранили наконец-то оборону белых на Дону и Маныче и стремительно двинулись к Черному морю. В течение марта были освобождены Екатеринодар и Новороссийск. 2 апреля 1920 года Орджоникидзе докладывал Ленину об освобождении от белых всего Северного Кавказа, Кубани, Ставрополья, Черноморья, Терской и Дагестанской областей.

Войска Кавказского фронта завершили разгром белой армии Деникина. Лишь Добровольческому корпусу и нескольким частям Донской армии под прикрытием военных судов Антанты удалось эвакуироваться в Крым. Незначительные остатки белогвардейских войск спаслись бегством в Турцию и на Балканы.

Штаб Кавказского фронта в момент его образования находился в Саратове, во время подготовки наступления прибыл в Миллерово и в ходе наступления обосновался в Ростове. Так вернулся отец в город своей юности, где когда-то давно баррикады Темерника определили его жизнь, было ему в ту давность шестнадцать лет, и казалось, наверное, что революция победит очень скоро, самодержавие рухнет и наступит царство свободы. С тех пор прошло еще шестнадцать лет. Революция победила, царь расстрелян в Екатеринбурге, все в стране переменилось, все бурлило, все разделилось на два люто враждующих лагеря, все напряглось до отчаянных последних пределов, а до царства свободы было еще далеко.

За него предстояло еще бороться долго и трудно, может быть — всю жизнь.

В марте 1920 года В. Трифонов выехал в Москву на Девятый съезд партии как делегат от Кавказского фронта. Деникин и Юденич были разгромлены, Колчака незадолго перед открытием съезда расстреляли в Иркутске, освобожденном советскими войсками. Перед Советской республикой встали неотложные хозяйственные задачи, о которых Ленин говорил на съезде.

Среди многих решений, принятых на съезде, было также решение создать так называемые «трудовые армии»: использовать воинские части для борьбы с разрухой, для восстановления дорог, шахт, промыслов, рудников, всего безграничного хозяйства, пришедшего в упадок. Создание трудовых армий началось практически еще до Девятого съезда: в январе 1920 года Совет обороны издал постановление о преобразовании Третьей армии, входившей в состав Восточного фронта, в Первую революционную армию труда. Позднее, на Кавказском фронте, Восьмая армия была преобразована в Кавказскую армию труда, действовавшую в районе Ставрополья, Кубани, Терской области и Дагестана. В ее главные задачи входила добыча необходимейших для жизни страны нефти и хлеба, а также восстановление разрушенного войной железнодорожного транспорта на Северном Кавказе.

Деятельность Красной Армии на хозяйственном поприще отражена в нашей литературе скупо, и мне хочется рассказать хотя бы кратко о работе Кавказской трудовой армии. Командующим этой армией был назначен И. Я. Косиор, его помощниками: по политической части И. Я. Врачев, по административно-хозяйственной А. А. Медведев. В сборнике, изданном Политотделом Кавказской армии труда в сентябре 1920 года («На фронте крови и труда. Два года борьбы 8-й ныне Кавказской армии труда»), есть немало яркого, удивительного и забытого, что забывать не следует.

Трудармейцы очистили от хлама десятки железнодорожных станций, восстановили и заново построили сотни мостов, отремонтировали железнодорожную колею протяженностью до 1000 верст. Чермоевский фонтан на Грозненских нефтяных промыслах, подожженный белогвардейцами, горел 730 суток. Его потушили трудармейцы, при этом особо отличились трудармейцы-китайцы из 10-го Восточно-интернационального батальона Пау Ти-сана. К сентябрю 1920 года нефть добывалась уже из 112 скважин. Трудовая армия восстановила нефтепровод Грозный — Петровск-порт и построила два новых: Грозный — Царицын и Майкоп — Туапсе. Заготавливался лес, были восстановлены Каспийские рыбные промыслы, особые продовольственные комитеты заготовляли продовольствие не только для нужд армии, но и для снабжения Москвы и Питера. Начали понемногу оживать, тоже с помощью трудармейцев, и знаменитые кавказские курорты, но по ночам еще была стрельба, в горах бродили банды, то там, то здесь вспыхивали кулацкие мятежи...

Мир пока не наступил. В Крыму окопались остатки деникинских войск, командование над которыми принял Врангель. На западе еще весной встала угроза войны с Польшей. В апреле 1920 года белополяки, поддержанные Антантой, развязали войну. На Западный фронт стали срочно перебрасываться войска с Кавказского. 19 апреля проходила через Ростов на запад Первая Конная армия и в ее составе — 9-я кавалерийская дивизия, которой командовал Евгений Трифонов. Братья встретились в родном городе, но ненадолго, кавдивизия спешила на фронт.

В течение 1920 года и до весны 1921-го В. Трифонов оставался членом РВС Кавказского фронта. После Тухачевского, который командовал фронтом недолго, около трех месяцев, а затем был назначен на Западный фронт, командующим Кавказским фронтом стал В. М. Гиттис, из той же плеяды военспецев старой русской армии, что и А. И. Егоров, С. С. Каменев, В. И. Шорин. Войска Кавказского фронта, занимавшего громадную территорию, выполняли в течение двадцатого и двадцать первого годов множество самых разных задач: вместе с войсками Южного фронта ликвидировали Врангеля, подавляли контрреволюционные восстания на Кубани и на Северном Кавказе, устанавливали Советскую власть в Закавказье и, наконец, снабжали Россию, Москву и Питер хлебом и нефтью.

В июле 1920 года в Реввоенсовет Кавказского фронта явился уже известный отцу А. В. Мокроусов. Почти два года назад холодной, гнусной ночью — лучше не вспоминать!— судьба свела их в вагоне эшелона, уходившего из Ростова под ударами немцев. Мокроусов все просил тогда передать привет Чичерину. На этот раз он тоже пришел с просьбой: дать ему катер. Он предъявил отношение Реввоенсовета Юго-Западного фронта. Катер был нужен ему затем, чтобы с небольшой группой коммунистов переправиться в Крым и организовать там, в тылу Врангеля, повстанческую армию. Мокроусов и был назначен командующим этой армией.

Предприятие выглядело явно фантастически: море контролировали английские и врангелевские корабли, крымские берега охранялись белогвардейцами. Катер оказался бы совершенно беззащитным при встрече с любой вражеской шхуной. В своей книге «В горах Крыма», выпущенной в Симферополе в 1940 году, Мокроусов пишет: «Трифонов отнесся к поездке как к мальчишеской выходке и категорически заявил, что катера мне не даст, так как жалеет и катер, и, главное, меня и моих товарищей». Насколько отчаянным и заведомо, казалось, обреченным на неудачу был замысел Мокроусова, теперь видно из воспоминаний и самого Мокроусова, и отправившегося с ним матроса И. Д. Папанина, и имевшего отношение к снаряжению этой экспедиции Всеволода Вишневского. Но Мокроусов был из тех людей, которым легче было погибнуть, чем отказаться от вскружившей голову идеи. В конце концов он убедил-таки Трифонова — не в целесообразности экспедиции, а в том, что не отстанет, пока не получит катер. И получил. Катер был ветхий, дырявый, не мог дать больше 8 узлов. «На таком катере можно ходить по Кубани или в порту, но выйти в море было крайне рискованно. Идти на нем в Крым не представлялось возможности...» — признавался Мокроусов. Но лучших катеров не было ни в одном из портов на Кавказском побережье.

Мокроусов, Папанин и их спутники едва не погибли на переходе из Анапы в Капсихор. Дальнейшее известно: созданная Мокроусовым в крымских горах немногочисленная партизанская армия потрясала тылы Врангеля.

Орджоникидзе и Трифонов были бессменными членами РВС Кавфронта, вместе с ними работали в разные времена С. И. Гусев, С. Д. Марков, И. Т. Смилга. В отцовском архиве документов периода Кавказского фронта оказалось немного. Сохранился блокнот с копиями телеграмм, отправленных в конце 1920 года. То, что этот растрепанный старый блокнот уцелел, чистая случайность, и телеграммы в нем случайные. Отец не собирался их беречь. Это был просто бумажный хлам, завалявшийся в сундуке.

Но сейчас и эти случайные телеграммы интересны. В них видно, как переломилось время. Вот, например, телеграмма от 11 декабря 1920 года, направленная

В. Трифоновым председателю Дагестанского трибунала:

> «Чрез. комиссия города Петровска приговорила двух инженеров — Шатилова и Серенко — к высшей мере наказания за старые дела. Инженеры эти очень нужны как хорошие специалисты нефтяного цеха и вырывать их из работы теперь совсем не резонно. Прошу этот вопрос рассмотреть с этой точки зрения и постараться сделать так, чтобы они вновь вернулись на свою работу, хотя бы она и носила официально принудительный характер, как мера наказания».

И рядом другая телеграмма:

> «17 декабря 1920 года.
> Екатеринодар. Командарму IX Левандовскому.
> 20—22 декабря прибудет Новороссийск итальянский пароход «Анкона». Необходимо его немедленно разгрузить. Руководить разгрузкой будет представитель Внешторга Боганов или Федоров. Окажите содействие рабочей силой. Малейшая задержка парохода нарушает соглашение.
> Член Реввоенсовета фронта *В. Трифонов*».

Да, в конце двадцатого Реввоенсовет Кавказского фронта уже мог тревожиться по поводу торговой сделки с Италией. Но до этих забот надо было прожить тяжелейшие месяцы лета и осени, месяцы борьбы с врангелевскими бандами, с армией генерала Фостикова, орудовавшей на Кубани в июле, и с десантом полковника Назарова, высадившимся в это же время, и с еще более крупными десантами генерала Улагая, Харламова и Черепова. Насколько ожесточенной была борьба с контрреволюцией в летние месяцы 1920 года, видно из приказа войскам Кавказского фронта от 29 июля 1920 года. Этот приказ я нашел в Центральном архиве Советской Армии, в фонде Кавказского фронта. Вообще, надо сказать, я с большой радостью обнаружил в этом архиве, в материалах Кавказского фронта телеграммы, записи разговоров по прямому проводу, отчеты, резолюции, связанные с именем В. Трифонова. Я боялся, что многое уничтожено после тридцать седьмого года.

Итак, в приказе по войскам Кавказского фронта от 29 июля 1920 года между прочим говорилось:

«...Несмотря на тягчайшие преступления, совершенные казаками против Советской России за два года борьбы в рядах белых армий, рядовое казачество было с честью и миром распущено по домам к мирному и полезному труду. Распущено оно было потому, что огромная масса казаков не знала, с кем и за что она воюет, она была вовлечена в борьбу обманом, ложью и клеветой. Теперь, после двух лет борьбы, не может быть места обману, теперь всякий поднявший оружие против Советской власти знает, что он поднимает его против рабочих и крестьян в защиту помещиков и генералов, и будет рассматриваться как сознательный, закоренелый и неисправимый враг трудящихся и беспощадно уничтожаться, а те станицы, хутора и населенные пункты, которые оказывают содействие или дают приют изменникам и предателям делу трудящихся, будут считаться гнездами помещичьей контрреволюции и беспощадно разоряться. Население казачьих областей должно знать и твердо помнить, что все оно несет ответственность за те преступления против Советской власти, которые совершаются на ее территории, и само оно, в своих собственных интересах, должно немедленно и решительными мерами пресекать возникающие беспорядки и волнения и арестовывать преступников — агентов контрреволюции.

РВС Кавказского фронта приказывает всем РВС армий, областным и губернским комиссарам принять к неуклонному исполнению следующее:

1) Всех бандитов, захваченных с оружием в руках, немедленно расстреливать на месте.

2) Обязать население сдать к 15 августа все имеющееся у него оружие. Если после указанного срока будет найдено оружие без надлежащего на то разрешения, все имущество виновных немедленно конфисковывать и передавать в отдел социального обеспечения, а самих виновников предавать суду и судить по законам военного времени, как за тягчайшее преступление перед Советской властью.

3) Обязать население оказывать всемерное содействие местным властям в поимке преступников и лик-

видации контрреволюционных банд. Лица, ушедшие с бандитами, а также уличенные в укрывательстве бандитов и содействии бандитам, подлежат высшей мере наказания по законам военного времени, а их имущество — конфискации; конфискованное имущество передавать в отделы соц. обеспечения для раздачи беднейшему населению станиц и хуторов.

4) Станицы, хутора и населенные пункты, принимающие активное участие в восстаниях против Советской власти, должны приводиться в повиновение самыми решительными, беспощадными мерами, вплоть до полного их разорения и уничтожения. Никакие поблажки и колебания здесь не допустимы.

5) Органы Советской власти, проявившие разгильдяйство, растерянность и нерешительность в проведении указанных мер, надлежат высшей мере наказания по законам военного времени.

Приказ ввести в действие по телеграфу.

Реввоенсовет Кавказского фронта

В. Трифонов,
В. Гиттис».

Этот суровый документ, столь отличный от доклада В. Трифонова в Оргбюро ЦК, написанного год назад, говорит не о том, что изменилась точка зрения, а о том, что изменилось время. Поистине, те, кто теперь подняли оружие против Советской власти, были не заблуждающимися, а отъявленными врагами. Пощады и снисхождения по отношению к ним в этот миг истории, когда, казалось, к концу подошли и борьба и силы, быть не могло.

И все же Советская власть находила в себе мужество для пощады и снисхождения, вернее — для праведного суда. Я просмотрел сотни страниц документов Ревтрибунала Кавказского фронта за лето и осень 1920 года. Бандиты и укрыватели бандитов, спекулянты, растратчики, вымогатели, дезертиры, хранители оружия, мошенники — все отвечали по законам военного времени, все приговаривались к высшей мере. Приговоры областных и армейских трибуналов сообщались в Ростов, в Ревтрибунал фронта, для утверждения. В. Трифонов, как член Реввоенсовета фронта, руководил и Ревтрибуналом. Он почти постоянно находился в Ростове. Я нашел огромное количество телеграмм с мест и записей разговоров по прямому проводу с резолюцией В. Трифонова: «Приостановить исполнение приговора, передать дело в РВТ фронта».

Приостановка исполнения приговора почти всегда означала, что приговор будет изменен.

«РВТ 11-й 6 сентября в 16 часов вынес приговор о высшей мере наказания командиру 21-го эскадрона 41-го кавполка Первой кавдивизии Морозову Сергею, бывшему ротмистру старой армии, за халатность, дезорганизацию, связь с контрреволюцией, превышение власти...»

«В 15 часов 5 сентября осужден расстрелу за дезертирство и растрату народных денег делопроизводитель хлебопекарни 95-й бригады Владимир Михайлович Садовников...»

«15 сентября сегодня 9 часов 45 минут приговорен к расстрелу с целью спекуляции мануфактуры, перевязочных средств и медикаментов и дачу взятки советскому работнику с целью получения отобранного при обыске...»

«РВТ 11-й приговорен к расстрелу Чугунов Александр по обвинению: в бытность председателем ликвидационной комиссии по удовлетворению претензий населения Чугунов постепенно растратил на свои нужды миллион рублей аванса...»

По всем этим и им подобным делам существовали ходатайства о пересмотре, почему они и попадали телеграфным или телефонным путем (надо было спешить, ибо до исполнения приговора давалось 24 часа) в Реввоенсовет фронта. Я сразу узнавал почерк отца, его химический карандаш: «Приостановить исполнение...»

В течение двадцатого года шел непрерывный обмен мнениями по телефону и обмен телеграммами между Орджоникидзе и Трифоновым. Серго был не только членом Реввоенсовета фронта, он являлся также руководителем Кавказского бюро ЦК РКП(б), полпредом Ленина на Кавказе. И он почти не сидел в Ростове. Он был повсюду, метался по громадному краю с одного горячего участка на другой: весною был в Баку, когда Одиннадцатая армия освобождала Азербайджан, летом в Ростове и Краснодаре во время отпора Улагаю, осенью во Владикавказе и в Грозном, когда вспыхнул мятеж надтеречных станиц и когда в Дагестане поднял восстание имам Гоцинский — с этим последним пришлось основательно повозиться, была создана даже специальная Дагестанская группа войск под командованием А. И. Тодорского. А съезд народов Востока в Баку, съезд горских народов во Владикавказе — Серго должен быть и там! И должен встречаться с Энвер-пашой, и принимать министра иностранных дел Турции Бекир Сами-бея, который приехал как гость, но с настойчивостью, вовсе не приличествующей гостю, рвался в мятежный Дагестан; и должен вести сложную дипломатическую игру с Кучук-ханом, «Главкомом Персидской Красной армии».

Так выходило, что два члена Реввоенсовета общались больше всего по прямому проводу и по телеграфу. А вопросов, которые надлежало решать, было великое множество. Они обсуждали важнейшие оперативные дела, боевые операции, вопросы переброски войск и присылки фуража, закупки лошадей на Кубани (это было серьезнейшее задание Совета труда и обороны, по поводу которого сохранилась пространная телеграмма Трифонова Ленину[1]) и формирования кавалерийских частей для отправки на Польский фронт. Они совещались по вопросам международной политики, о взаимоотношениях с Персией и Турцией, с независимой в то время Грузией и даже с Италией (в апреле 1920 года в Новороссийскую гавань неожиданно вошел итальянский крейсер «Этна», то ли с целью провокации, то ли замыслив какую-то авантюру). Орджоникидзе спрашивал по прямому проводу у Трифонова: «Получил ли ответ насчет итальянского крейсера? До сих пор еще не могу добиться ответа. Вчера послал ночью еще одну записку. До сих пор не отвечают. Вызови Склянского к аппарату и потребуй у него ответа. Правда ли, что Конармия в Ростове бесчинствует? Я приеду завтра днем». Трифонов отвечал из Ростова: «Армия прошла совершенно спокойно, ни одного случая бесчинства я не знаю. Некоторый конфуз получился на параде 4-й дивизии третьего дня. На параде красноармейцы стали требовать освобождения Думенко, но более или менее скоро успокоились. Парад пришлось прекратить. Эксцессов, однако, не было. Конармия уже вся прошла через Ростов и сегодня проходит остатки

[1] Архив Центрального музея Советской Армии, 16. 419, 4/23.

тылов. Беспокоиться нечего. Склянского, Москву потревожу, конечно...»

Трифонов дал распоряжение командованию Девятой армии усилить береговые батареи. Затем телеграмма от Склянского: «По поводу прибытия в Новороссийск итальянского крейсера... Чичериным послано радио в Сан-Ремо с запросом о подтверждении полномочий капитана». Полномочий у капитана не было. Все это было наглой авантюрой с целью прощупать, крепкие ли нервы и нельзя ли чем поживиться у молодой республики, недавно потопившей весь свой флот. Трифонов дал распоряжение Василенко, командующему Девятой армии, арестовать крейсер и не выпускать его из гавани до ответа на запрос Чичерина. Орджоникидзе и Трифонов совещались по сложным вопросам внутренней национальной политики на Северном Кавказе (например, о переселении казаков из терских станиц и заселении их горцами, что было, в общем, вредной затеей, от которой волей-неволей пришлось отказаться), обсуждали назначение командиров, комиссаров, партийных и советских работников, решения Ревтрибунала фронта, проблемы использования воинских частей для трудовых целей, а также много других дел, иногда, казалось бы, вовсе незначительных («14 августа годовщина 11-й армии. Имеем ли мы право преподнести от фронта знамя? Если да, тогда это можно еще успеть, отвечай. Орджоникидзе».— «От фронта знамя преподнеси, но имей в виду, что это знамя будет подарок фронта, а не республиканская награда. Красное Знамя, как награду республики, может дать только ВЦИК. Трифонов).

Не могу не вернуться к апрельскому телеграфному разговору Орджоникидзе и Трифонова, к тому месту, где упоминается о требованиях красноармейцев 4-й кавдивизии освободить Думенко.

В то время когда Первая Конная армия проходила через Ростов на Польский фронт, Б. Д. Думенко находился в Ростовской тюрьме. Он был расстрелян 11 мая 1920 года. С тех пор до конца 1964 года он считался врагом.

Думенко был организатором и командиром первых частей и соединений Красной конницы. Особая кавалерийская дивизия, которой он командовал, когда других кавалерийских дивизий в Красной Армии еще не существовало, «во внимание к исключительным заслугам перед революцией и Советской Республикой» была награждена Почетным знаменем. Сам Думенко пятым по счету в стране получил орден Красного Знамени. В 4-м томе «Истории гражданской войны в СССР» на странице 292 приведено сообщение «Правды» о взятии Новочеркасска в ночь на 8 января 1920 года: «Осиновый кол вбит в самое сердце контрреволюции. Ее главной опоры — Донской армии — не существует; остатки ее бегут, гонимые нашими частями. Наши войска неудержимой лавиной двигаются на Кавказ». Для большей точности должен заметить, что слова эти взяты из напечатанного 10 января 1920 года в «Правде» донесения Реввоенсовета Юго-Восточного фронта; под ним стоит подпись В. А. Трифонова.

Тогда, конечно, не следовало оповещать в открытой печати, какие именно войска взяли Новочеркасск. Но теперь нет причин таить, что «наши войска», взявшие Новочеркасск, именовались так: «Сводный конный корпус товарища Думенко».

После взятия Новочеркасска Думенко повел корпус на Дон и Маныч. Там были и успехи и неудачи — счастье на войне переменчиво, но, в общем-то, конница Думенко дралась с деникинцами геройски. Но к этому времени в Реввоенсовет армии и фронта уже шли доносы на комкора: недоброжелателей у него хватало. Думенко был крут, несдержан, излишне самолюбив, не терпел чьей-либо опеки, хотя бы и со стороны комиссаров. Люди, обиженные Думенко, и считавшие себя обиженными, и завистники — были у него и такие — методично сеяли подозрения: Думенко, мол, скрытый враг Советской власти, ждет удобного случая, чтобы перейти на сторону белых. К нему был прислан отличный комиссар В. Н. Микеладзе, человек храбрый, решительный. Между комкором и комиссаром начали складываться, хотя и с трудом, отношения добрые. В конце января Микеладзе уже вручил Думенко членский билет партии большевиков.

Осталась темной и невыясненной (и может быть, никогда уже не будет выяснена) личность злодея, в ночь на 3 февраля 1920 года убившего в поле комиссара Микеладзе. Но можно сказать, что в ту ночь был убит и Думенко. Враги его воспользовались случаем и к прежним обвинениям добавили еще одно: безапелляционное заверение, что организация убийства была делом Думенко и его штаба. Видимо, сыграл роль и горячий климат гражданской войны, не отпускавший времени на длительный разбор обстоятельств дела, когда идут настойчивые «сигналы» о контрреволюционном заговоре. Как бы там ни было, но Реввоенсовет фронта — теперь это очевидно — поспешил, отдав приказ о немедленном аресте Думенко и штаба Сводного конного корпуса.

Следствие шло около двух месяцев, но многие детали и «мелочи» так и остались невыясненными. Теперь очевидно и то, что ряд показаний свидетелей обвинения был бездоказательным, а иные попросту ложными. Думенко был прежде убит морально, потом, опозоренный, расстрелян. Любопытно, что неубедительность речи обвинителя была отмечена в дневнике Павла, где имеются две короткие, чисто информационные записи о суде над Думенко.

«6 мая. Вечером был с Ив. Ив. Луком на деле Думенко. Обвинителями выступали Колбановский (очень плохо) и Белобородов. Защищали 2 адвоката и Знаменский (член РВС 10 армии). Мы ушли в 11 часов. Суд кончился в 3 часа ночи. Думенку, начштаба Абрамова, начопереда Блехтера и еще двоих суд приговорил к расстрелу».

Во время следствия по делу Думенко В. Трифонова на Юге не было — он находился в Москве как делегат Девятого съезда и вернулся в Ростов лишь во второй половине апреля. Документы судебно-следственного дела показывают, что никакой прикосновенности В. А. Трифонова к делу Думенко не было. Это «дело» создали на основании клеветнических доносов член РВС Девятой армии А. Г. Белобородов и член РВС Кавказского фронта И. Т. Смилга.

Разумеется, у Думенко кроме грехов вымышленных, которые ему приписывались, были грехи совершенно реальные, признававшиеся даже его защитниками: нарушения дисциплины, факты разгула, пьянства, имевшие место в корпусе, и порой даже обиды мирного населения. Но такого рода нарушения были нередки и в других частях Красной Армии, выросших из партизанства! Достаточно вспомнить некоторые части Первой

Конной и свидетельство хотя бы такого очевидца, как И. Бабель. Несколько участников гражданской войны, прочитавшие «Отблеск костра» в первом варианте (среди них весьма уважаемый мною генерал Б. Л. Колчегин), в письмах выразили недовольство тем, что я изобразил Думенко чуть ли не идеальным героем гражданской войны. Нет, он не был идеальным героем, он был просто героем гражданской войны.

Таковы были герои тех лет. Вокруг этого вопроса до сих пор кипят страсти, спорят яростно — как в атаку идут — бывшие кавалеристы, вчерашние политработники, нынешние историки. Одни люто за Думенко, другие так же люто против. Так или иначе добрая слава Думенко возвращена. Его именем названа улица в Новочеркасске.

Наверное, ничто не добывается с таким трудом, как историческая справедливость. Это то, что добывают не раскопки в архивах, не кипы бумаг, не споры, а годы.

Одной из главных задач Кавказского фронта была поддержка и помощь революционному движению в закавказских республиках. Вот запись по прямому проводу, сделанная в ноябре 1920 года.

«Передайте немедленно секретную записку В. Трифонову... Левандовский до сих пор ничего не сделал на ботлихском направлении, что в высшей степени осложняет положение в Дагестане. (Речь идет о действиях частей Девятой армии по подавлению мятежа имама Гоцинского.— *Ю. Т.*) Если дело затянется еще, если не будет быстрого и мощного удара на Ботлих, могут получиться весьма неприятные осложнения... В связи с наступлением Кемаля на Армению вероятнее всего, что нам придется вмешаться для спасения Армении и придется советизировать, для чего понадобится главным образом кавалерия. Такой приказ фронт может получить от главкома через несколько дней. Поговори с Гиттисом и сообщи, что можно перекинуть... Жду ответа. Орджоникидзе».

В ответной записке Трифонова, переданной в Баку, говорится, что, «если обещанное главкомом будет переброшено с Южного, тогда можно будет выделить, но это будет не раньше как через месяц. Сейчас вся кавалерия занята, как ты это, вероятно, и сам знаешь. Кроме того, мы находимся в постоянном ожидании неприятностей со стороны моря, и это нас обязывает держать здесь силы».

Между тем в конце ноября в Армении вспыхнуло восстание, руководимое Военно-революционным комитетом. Сохранилась такая ликующая телеграмма Серго:

> «Члену РВС Кавфронта Трифонову.
> ...Только что получено из Эривани сообщение. Старое правительство свергнуто, вся власть передана военному командованию до прибытия Ревкома. Ревком настоящее время в Дилижане. Итак, еще одна советская республика! Да здравствует советская республика Армения!
> *Орджоникидзе»*.

Командование Кавказского фронта приказало частям Одиннадцатой армии прийти на помощь трудящимся Армении. Дашнакская армия перешла на сторону Ревкома. 2 декабря правительство дашнаков, возглавляемое Врацяном, подписало акт об отказе от власти.

Последним оплотом антисоветских сил на Кавказе оставалась меньшевистская Грузия. Из Грузии тянулись нити белогвардейских мятежей, вспыхивавших то там, то здесь на Северном Кавказе и в Дагестане. Грузия давала приют остаткам разгромленных врангелевских банд, отступавших с севера под ударами Красной Армии, она открыла границу шести тысячам недобитых вояк генерала Фостикова и затем переправила их морем в Крым к Врангелю.

В феврале в Грузии началось восстание против меньшевистского правительства. Документы свидетельствуют о том, с какой осмотрительностью, тщательно взвешивая все обстоятельства, готовилось Советское правительство принять решение о помощи восставшим. В архиве Центрального музея Советской Армии есть телеграмма Склянского и Крестинского в Реввоенсовет Кавказского фронта.

«15 февраля 1921 года.

Тт. Смилге, Трифонову, Гиттису, Фрумкину, Геккеру. ЦК склонен разрешить 11-й армии активную поддержку восстания в Грузии и занятие Тифлиса при соблюдении международных норм и при условии, что все члены РВС 11-й после серьезного рассмотрения всех данных ручаются за успех. Мы предупреждаем, что все сидим без хлеба из-за транспорта, и поэтому ни единого поезда и не единого вагона не дадим. Мы вынуждены ввозить с Кавказа только хлеб и нефть. Требуем немедленного ответа по прямому проводу за подписью всех членов РВС 11-й, а равно Смилги, Гиттиса, Трифонова и Фрумкина.

До нашего ответа на телеграмму всех этих лиц ничего решительно не предпринимать. По поручению ЦК *Крестинский, Склянский*».

Смилга, Трифонов и Гиттис были членами РВС фронта, Геккер командовал в тот период Одиннадцатой армией, а Фрумкин находился в Ростове как член коллегии Наркомпрода и Кавказского бюро ЦК. М. И. Фрумкин, старейший коммунист, член партии с 1898 года, стал после Кавказского фронта близким товарищем отца. В последних томах Ленина имя Фрумкина встречается бессчетное число раз: Ленин обращался к нему по множеству вопросов, касавшихся снабжения продовольствием, торговли, экономики, Фрумкин был замнаркома продовольствия, затем — замнаркома внешней торговли. Он погиб в 1939 году.

В тот же день, 15 февраля 1921 года, когда пришла телеграмма от Крестинского и Склянского, Гиттис и Трифонов, находившиеся в Георгиевске, ответили в Москву:

«Связи обусловленным неполучением из центра того, что минимально требовалось, считаем возможным определенный ответ дать только непосредственном выяснении всей обстановки Баку и учитывания характера и истинного размера событий. Баку будем утром 17 февраля, откуда немедленно ответим».

Ответ был дан положительный: РВС фронта ручался за успех. На следующий день, 16 февраля, Грузинский ревком (председатель Филипп Махарадзе) в телеграмме на имя Ленина просил о помощи восставшим. И Красная Армия двинулась на помощь. 25 февраля советские войска вступили в Тифлис.

К середине марта советскими войсками под командованием Левандовского и Тодорского были разгромлены последние отряды мятежников в Дагестане и Чечне. А 13 июля 1921 года части Красной Армии, руководимые Тодорским, выбили дашнаков из последнего пункта Закавказья — села Мегры.

Гражданская война, кровопролитнейшая, бесконечно долгая, медленно завершалась.

В июне 1921 года В. Трифонов демобилизовался. Он прожил еще семнадцать лет, и это были годы работы, и о них можно было бы написать так же длинно, с подробностями, как я писал о ссылках и революции. Но я хочу поставить точку. Я пишу книгу не о жизни, а о судьбе. И не только о своем отце, а о многих, многих, о ком я даже не упомянул. Их было очень много, знавших отца, работавших рядом, похожих на него.

Чем же все-таки он занимался после 1921 года?

Тогда был период топливного кризиса. Недавнего военного работника направили на топливный фронт: он был заместителем начальника Главтопа, председателем Нефтесиндиката. А затем — Военная коллегия Верховного Суда, где он председательствовал в 1923-м и в 1924 годах, военная миссия в Китае, дипломатическая работа в Финляндии, Главконцеском...

Работая в Главконцескоме, руководя этой будто бы гражданской, а на самом деле чрезвычайно острой, дипломатической организацией, отец написал незадолго перед своей гибелью военно-теоретическую книгу «Контуры грядущей войны». Он всю жизнь интересовался военными вопросами, так же, впрочем, как и экономикой сельского хозяйства: был одним из организаторов Сельскохозяйственной академии имени В. И. Ленина.

В книге «Контуры грядущей войны», где В. Трифонов писал о многих сугубо военных проблемах, например о небезызвестной доктрине генерала Дуэ, о необходимости перевода промышленности на Урал и в Сибирь, отчетливо ощущалась неизбежность скорой схватки с фашизмом. Весь тон книги был суров и тревожен. И это, между прочим, отличало ее от многих, появившихся в те годы, книг и кинофильмов, которые убаюкивали народ самоуверенной похвальбой и непониманием грозящей опасности.

Больно звучат сейчас многие слова, которые подтвердила история. Например, рассуждения о факторе внезапности и о преступной беспечности тех, кто не сознавал в полной мере, что значит иметь дело с фашизмом.

«Новейшие средства войны,— писал Трифонов в конце книги,— создали могущественное оружие для нападения на суше и в воздухе, причем мощность этого оружия усиливается во сто крат в условиях внезапности.

Необходимо, кстати, отметить, что у нас все признают, как вывод из современной обстановки, как нечто совершенно бесспорное, что фашисты нападут на Советский Союз неожиданно, внезапно, но из этого признания далеко не все делают надлежащие выводы. Очень многие относятся к истине, содержащейся в этом выводе, с пагубным добродушием, будучи почему-то убеждены, что истина эта будет иметь практическое применение в первую очередь в отношении каких-то других государств, а не Советского Союза; эти странные люди не хотят верить, что, может быть, в первую очередь им именно придется проснуться однажды от грохота взрывов авиабомб противника».

Одним из этих «странных людей» был Сталин.

К сожалению, книга «Контуры грядущей войны» не увидела света. В начале 1937 года, окончив книгу, отец послал рукопись нескольким членам Политбюро — Сталину, Молотову, Ворошилову, Орджоникидзе. Наиболее близким в ту пору для отца человеком был Орджоникидзе. Серго неожиданно умер в феврале 1937 года. Сейчас известно, что он застрелился, тогда об этом знали немногие. Помню, как испугала меня внезапная небывалая мрачность отца в тот день, когда узнали о смерти Серго. Для него это было не просто горе, а какой-то громадный и страшный сигнал. От остальных членов Политбюро отец так и не дождался ответа. Не ответил Молотов, с которым отец был товарищем еще в Питере перед революцией. Не ответил Ворошилов, знавший отца по Южному фронту. Не ответил Сталин. Их молчание и было ответом. И «ответ» этот скоро пришел: его принесли люди в военном, которые приехали ночью в Серебряный Бор. Отцу тогда было 49 лет.

А костер шумит, и пылает, и озаряет наши лица, и будет озарять лица наших детей и тех, кто придет вслед за ними.

Исчезновение

Роман

Знаете ли, я скажу вам секрет: все это, быть может, было вовсе не сон!

Достоевский. «Сон смешного человека»

I

Когда-то я жил в этом доме. Нет — т о т дом давно умер, исчез, я жил в другом доме, но в этих стенах, громадных темно-серых, бетонированных, похожих на крепость. Дом возвышался над двухэтажной мелкотой, особнячками, церквушками, колоколенками, старыми фабриками, набережными с гранитным парапетом, и с обеих сторон его обтекала река. Он стоял на острове и был похож на корабль, тяжеловесный и несуразный, без мачт, без руля и без труб, громоздкий ящик, ковчег, набитый людьми, готовый к отплытию. Куда? Никто не знал, никто не догадывался об этом. Людям, которые проходили по улице мимо его стен, мерцавших сотнями маленьких крепостных окон, дом казался несокрушимым и вечным как скала: его стены за тридцать лет не изменили своего темно-серого цвета.

Но я-то знал, что старый дом умер. Он умер давно, когда я покинул его. Так происходит с домами: мы покидаем их, и они умирают.

II

Октябрьской ночью 1942 года после одиннадцатисуточного переползания с одной среднеазиатской станции на другую эшелон дотянулся до Куйбышева. Откочевали назад то знойные, то ледяные ржавые казахстанские степи, отдышала полынь в открытые двери тамбура, отмаячили навсегда старухи, сидевшие на корточках с мисками по десятке, где в тинистой жиже плавали бараньи кишки и что-то еще баранье, черное. Пошли дожди, настал холод. В Куйбышеве мертво стояли в тупике, никто ничего не знал. Разнесся слух, что на Москву отправят не раньше чем в понедельник. Внезапно на рассвете объявили, что отправляется какой-то непредвиденный воинский эшелон, к нему прицеплены два вагона, и надо спешно, не теряя ни минуты, пересаживаться туда. Прыгали, бежали, спотыкаясь, волокли узлы в серой знобящей мгле. Игорь тащил очень тяжелый, из толстой кожи отцовский чемодан, набитый вещами, бельем, банками, фруктами, сахаром, одеялами — бабушка насовала все, что можно, чтобы ей и Женьке было меньше везти,— и мешок с двумя зимними пальто, своим и Женькиным, двумя парами валенок и еще веревочную авоську, где лежала буханка черного хлеба и книжка Эренбурга «Война», купленная в Ташкенте на вокзале. Игорь читал книжку в дороге, лежа в духоте и кислом воздухе под потолком. Чемодан и мешок Игорь связал поясным ремнем и перекинул через плечо. Сумку с черной буханкой нес в руке. Ремень лопнул, не выдержав тяжести. Спутники Игоря проходили мимо, сочувственно вскрикивали, но помочь не могли: каждый тащил свое.

Одновременно нести чемодан и мешок не удавалось, тогда Игорь решил передвигаться короткими перебежками. Оставив мешок, он перенес чемодан на пятнадцать шагов вперед, затем вернулся к мешку. Все его товарищи уже пробежали вперед. Взяв мешок, Игорь двинулся к чемодану и увидел, что высокая фигура, неясно различимая в рассветной мгле и слегка скривившаяся от веса чемодана, торопливо удаляется в глубь перрона. Бросив мешок, чтобы идти быстрее, Игорь последовал за удалявшейся фигурой: он не побежал, не закричал, ибо и то и другое казалось ему несколько стыдным и преждевременным. Зачем поднимать панику? Человек с родным отцовским чемоданом ускорил шаги, теперь все как будто стало ясно — мысли работали затрудненно, все напоминало тяжкий утренний сон перед пробуждением,— и Игорь побежал. Не очень быстро, чтобы не выглядеть паникером. Похититель нырнул вправо, за вагоны, и исчез. Преследовать было страшновато: можно упустить эшелон. Игорь бегом вернулся к тому месту, где он оставил мешок, но мешка не было. В руках у Игоря осталась сумка с буханкой черного хлеба и книжка очерков Эренбурга. Перрон опустел.

С обеих сторон чернели глухо и немо стены товарных вагонов.

Игорь побежал, в страхе от мысли, что отстанет от своих. Куда они провалились? Он бежал сквозь строй вагонов и кричал, звал. Дверь одного товарного вагона с тихим визгом сдвинулась, и на уровне пола показалась голова в лохматой шапке, странная голова, лежавшая на боку, щекой к полу, и как будто не имевшая туловища, отрезанная голова, и гаркнула матом. Сейчас же Игорь услышал другие голоса, заплакал ребенок, его успокаивала женщина. Игорь бежал вперед уже не по перрону, а по земле, но с обеих сторон по-прежнему стояли не имевшие конца эшелоны, он бежал как по дну ущелья, вдруг показалось, что плывет по реке, стиснутой узкими берегами, и тонет. Нечем стало дышать. Тело сникло, он понимал, что надо действовать, двигаться, махать руками, но сил не было: такое же мгновенное, смертное оцепенение он испытал однажды, когда тонул на Габайском пляже, в июле, шагнул и потерял дно. Он остановился — будто кто-то невидимый с силой дернул за руку, тогда, на Габае, это был Володька — и понял, что надо вернуться к тому месту, откуда начал бежать. Кинулся назад. Вдруг подумал: «Хорошо, что нет чемодана и мешка. Я бы не смог бежать!» Он несся из последних сил, невероятно быстро, как на соревновании, внезапно останавливался, молотил в двери закрытых товарных вагонов, орал: «Эй, кто живой?»

На площадке одного вагона возникла фигура в тулупе, с винтовкой, зажатой в сгибе локтя, и хриплый голос — не поймешь, мужской ли, женский,— стал незлобно ругаться: чего орешь, шалопут? Игорь объяснил, что ищет воинский эшелон на Москву. Тулуп сказал, что тут все воинские и все на Москву, но дал совет: «Спроси вон того мужика, по той пути ходит, колеса стукает. Сигай сюда!» Игорь вскочил на площадку, протолкался мимо тулупа, так и не разобрав, мужчина в него закутан или женщина, спрыгнул на другую сторону и стал оглядываться, ища мужика, который стукает колеса, но никого не было видно ни там, ни здесь. Игорь напрягал зрение, тянул пальцем глаз — он был близорук, а очки остались в чемодане,— потом закричал с отчаяньем:

— Где ж твой мужик?

В то же время раздался нежный звук стали, ударяемой о сталь, и Игорь побежал туда, на звук, все еще никого не видя, совсем ослепнув от тяжести, сдавившей грудь: отстал! отстал! Железнодорожник с фонарем, стоявший на карачках возле колеса и оттого не видный издали, выслушал и махнул рукой:

— Через два пути на третий, и беги вбок!

Игорь прыгал, пролезал под платформами, на которых стояли накрытые брезентом орудия, ждал, пока пройдет какой-то бесконечный состав из одних цистерн, спрашивал, звал и наконец нашел, вскочил на подножку и влетел в вагон — это был темный, теплый, пахнущий жильем и махоркой некупированный вагон, все полки которого были, кажется, заняты, но Игоря это нисколько не расстроило, он с радостью повалился прямо на пол, в проходе.

Спутники Игоря — их было шестеро, четыре парня и две девушки, все москвичи, оказавшиеся в Ташкенте в эвакуации и так же, как Игорь, завербовавшиеся там на военные заводы, чтобы вернуться в Москву,— спрашивали, что с ним было и куда он, чертов сын, подевался? Никто не знал, что у него свистнули чемодан и мешок, да и никто не поверил бы этому, глядя на то, с каким радостным видом он растянулся на полу. Когда же он рассказал историю в подробностях, все изумились, сначала пожалели его, а потом стали хохотать. По вагону ходили военные с фонарем, кого-то искали, потом прошли два контролера — проверяли билеты и пропуска на въезд в Москву,— они тоже смеялись. Поезд вдруг тронулся, веселье стало всеобщим, хохотали незнакомые люди, лежавшие на дальних полках, и те, кто из любопытства подошли поближе и кто пробирался в другой вагон и остановился лишь на минуту узнать, почему смеются. Игорь почувствовал себя в некотором роде знаменитостью. Кто-то нашел ему место: «Эй, юморист, полезай сюда!» — еще кто-то послал ему кусок сала с хлебом.

Игорь забрался на третью полку, положил сумку с черняшкой под голову и стал жевать сало. Он сильно проголодался. Хотя сало было не очень свежее, источало почему-то запах табака, Игорь грыз и сосал его с удовольствием. Кроме того, положение знаменитости и гусара, которому плевать на потерю багажа, обязывало есть какое угодно, пусть самое рискованное сало. Если бы Игорю предложили сейчас стакан водки, он бы хватил разом, не моргнув.

— Малый, а тебе сколько лет? — спросил кто-то, лежавший на полке напротив.

Игорь посмотрел: человек был укрыт шинелью, вроде как больной или раненый. Пристально и неприятно глядел черными глазами на Игоря, и тот ответил не сразу и без охоты:

— Шестнадцать...

— В Москве у тебя кто есть?

— Ну, есть...

— Ждут тебя?

Игорь грубо спросил:

— А вам какое дело?

— А никакого, конечно, до тебя, дурака, нет...— сказал человек тихо и закрыл глаза.

Игорь сопел, размышляя: оскорбиться или нет? Решил: не стоит. Человек был жалок. Может быть, умирал. Но гусарское самочувствие исчезло, сделалось тоскливо. Колеса стучали по мосту, проезжали Волгу. Внизу говорили о сводке, кто-то слышал на вокзале в Куйбышеве шестичасовое радио: тяжелые оборонительные бои в районе Сталинграда и Моздока. То же самое, что все последние дни. Слишком уж скупо. А что там на самом деле? Еще говорили о боях в Ливии, о том, что англичане хитрят, а американцы не умеют. В Москве, говорили, за жиры дают хлопковое масло, только не такое, как было в Ташкенте, а более светлое, обезжиренное. Чаю нет, все пьют кофе черный, желудевый или ячменный.

Голоса снизу доносились рвано, в промежутки, когда колеса стучали тише. Вдруг голоса возвысились, зазвучали сварливо, вперебой:

— А вас не спрашивают!

— Нет, я спрашиваю...

— В чужой разговор...

— Распространяете...

— Брось ты с ним! Не видишь, что ли...

Игорь думал о тех, кто его ждет в Москве. Впрочем, было неведомо, ждут или нет. Бабушка написала письмо своей двоюродной сестре Вере, еще более старой, чем бабушка, и совсем квелой старухе — поэтому не могла никуда тронуться из Москвы,— о том, что Игорь получил пропуск и приедет в октябре, но ответа ни от бабушки Веры, ни от ее дочери тети Дины пока не было, так что не знали, можно ли у них остановиться, здоровы ли они и живы ли вообще. Игорь мог, конечно, жить и один в комнате на Большой Калужской (цела ли комната?), но бабушка считала, что ей будет спокойней, если Игорь поселится у бабушки Веры. Все это были подробности, не имевшие значения. Главное то, что он возвращается. И эта дурацкая, из чаплинской комедии, история с чемоданом и мешком — лишь малая цена за возвращение, ничтожная цена, пустяки, не надо огорчаться. А все-таки что же там было? Ну, пустяки, барахло, ну валенки, зимнее меховое пальто, переделанное из отцовской бекеши. Ну, какие-то кофты, одеяла, простыни, скатерти, всякая мура. Очки вот жалко. Без очков — хана. Но можно заказать новые. А вот что действительно жалко — дневники, вся школьная жизнь с седьмого класса по девятый. Три толстых общих тетради. Все, начиная с переезда из того дома на Большую Калужскую, когда они остались втроем — он, бабушка и Женька,— новая школа, ребята, Дом пионеров, два лета в Серебряном Бору и одно лето в Шабанове. Сколько там дорогого, ценного, смешного, изумительного! Как часто он смеялся, перечитывая некоторые страницы. Все остальное мура. Заснуть и забыть. Завтра вечером будет Москва. И он заснул, хотя в щели маскировочной бумаги серело, загорался день.

Ему приснилась старая квартира — та, где жили раньше с отцом. Большая темноватая столовая, рядом с нею комната бабушки, отгороженная от столовой портьерой болотного цвета: в бабушкиной комнате всегда было солнечно, окно во всю стену и дверь на балкон, и там стоял платяной шкаф, тот самый, из которого однажды зимой — перед Новым годом — совершенно неожиданно, никто его не трогал, выпало большое, вделанное в дверь зеркало и разбилось.

III

Елка стояла в столовой почти посередке, обеденный стол сдвинут к пианино. Комната стала тесной, запахла лесом, дачей, лыжами, собакой Моркой, верандой с белыми окнами и грязным, мокрым полом, где стучали валенками о доски, бросали рукавицы на голый стол, без клеенки — все вещи на веранде имели какой-то жалкий, промерзший вид — и, распахнув обитую войлоком дверь, вбегали в тепло, в дымный, кухонный, сухой уют с треском печи. Всем этим пахла хвоя, это был запах каникул. Через два дня Горик и Женя должны были ехать на дачу, но не к себе в Серебряный, а к Петру Варфоломеевичу Снякину, дяде Пете, старому товарищу отца и бабушки еще по ссылкам и гражданской войне. У дяди Пети тоже были внуки, два мальчишки, но Горик знал их мало, и, хотя его очень привлекал неведомый Звенигород, называемый Русской Швейцарией, возможность покататься на лыжах с гор и пожить на прекрасной снякинской даче, про которую мама говорила, что это не дача, а дворец, а бабушка с легким неодобрением рассуждала о том, как меняются люди,— было немного жаль расставаться с привычным Бором.

На елку пришла Женькина подруга, тонконогая черноглазая девчонка Ася из ее класса, очень важничавшая, но Горик не обращал на нее внимания, и пришел двоюродный брат Горика Валера со своим отцом дядей Мишей. Из школьных товарищей не пришел никто: Леня Карась с матерью уехал в Ленинград, он часто ездил в Ленинград к родственникам, у Марата Скамейкина у самого была елка с гостями, а Володька Сапог уехал на дачу в Валентиновку. Но Горик не жалел о том, что никого из них нет. Он не прочь был отдохнуть от них: Леня Карась с его выдумками и тайнами порой угнетал Горика, он чувствовал, что впадает в зависимость, в какое-то рабство к нему; Сапог был малый компанейский, но любитель врать и хвастать, а Скамейкин большой хитрец. Без них Горик жить не мог, он любил их, они были лучшие и единственные друзья, но от этой дружбы он уставал.

С Валерой Горик виделся редко — дядя Миша жил за городом, в поселке Кратово,— но уж когда братец приезжал в Москву, они с Гориком устраивали такой «тарарам», такой «маленький шум на лужайке», такой «бедлам», по выражению мамы, что у соседей внизу качались люстры. Часами они могли кататься по полу, сидеть друг на друге верхом, кружиться и пыхтеть, стискивая один другого что есть мочи, стараясь вырвать крик боли или хотя бы еле слышное «сдаюсь». И чем больше они потели, разлохмачивались, растрепывались, изваживались в пыли, чем сильнее задыхались и изнуряли друг друга, тем радостнее и легче себя чувствовали; это было как наркотик, они делались пьяные от возни, понимали умом, что пора остановиться, что дело кончится скандалом, но остановиться было выше их сил.

Возня происходила рядом с елкой, на большом диване, от которого, если елозить по нему носом, шел запах дезинфекции, и его твердая, шершавая ткань скребла щеки, на нем были два валика, которыми братья дрались, тихо смеясь, сладострастно хрипя, норовя ударить друг друга посильней по больному месту. Девчонки по другую сторону елки играли в какую-то настольную игру. Они были сами по себе, а Горик и Валера сами по себе. Но в миг паузы Валера прошептал Горику на ухо: «Знаешь, почему мы тут возимся?» «Ну?» — спросил Горик. «Потому что перед этой Асей показываемся». Горик промолчал, пораженный. Горику было одиннадцать с половиной лет, а Валерке просто одиннадцать, и он не такой уж сообразительный, гораздо меньше читал, но сказал правду. Как же он так угадал про Асю? Уязвленный чужой проницательностью, Горик спрыгнул с дивана и крикнул: «Айда в кабинет!» Они побежали в отцовский кабинет, там было темно, зажгли свет, все взрослые собрались зачем-то в комнате у бабушки и разговаривали, совсем забыв о ребятах.

Кабинет был вёлик, полон таинственных вещей. Там в четырех шкафах теснились книги, тысячи книг, многие из которых были совершенно неинтересны, в бумажных переплетах, трепаные, пыльные, никому не нужное старье, но были и очень красивые энциклопедии в коже, с золотыми корешками и множеством картинок внутри, с которых Горик давно уже для разных нужд поотдирал прозрачную папиросную бумагу. Там висело в простенке между одним из шкафов и окном отцовское оружие: английский карабин, маленький винчестер с зеленой лакированной ложей, бельгийское охотничье двуствольное ружье, шашка в старинных ножнах, казацкая плетеная нагайка, мягкая и гибкая, с хвостиком на конце, китайский широкий меч с двумя шелковыми лентами, алой и темно-зеленой (этот меч отец привез из Китая, им рубили головы преступникам, и Горик видел в альбоме, который отец тоже привез оттуда, фотографию такой казни; отец по утрам, а иногда и днем делал специальную китайскую гимнастику с этим мечом, размахивал им, становился в позы, и однажды, когда пришла в гости тетя Дина, Горик вздумал показать ей редкостное зрелище — отца, размахивающего мечом, и распахнул дверь в кабинет. Тетя Дина вскрикнула: «Ах, боже!» — прикрыла дверь, а отец больно щелкнул Горика по макушке, сказав: «Идиот!»). В углу кабинета стояла пика с длинным бамбуковым древком, четырехгранным наконечником и клочком сивой гривы, привязанным чуть пониже наконечника. Пику отцу подарили в Монголии, когда он путешествовал в пустыне Гоби. Этой пикой было удобно закрывать форточки, а иногда мама использовала ее для других целей: заметив где-нибудь высоко на стене клопа, мама брала палку, нацепляла на нее кусочек ваты, смоченной водой, и клоп бывал настигнут. У мамы Горика было замечательное острое зрение. Более острым зрением обладала лишь бабушка, которая у себя на работе в Секретариате занималась в стрелковом кружке и даже получила значок «Ворошиловского стрелка».

Пол кабинета застилал толстый и громадный, во всю комнату, персидский ковер. Возиться на ковре было гораздо удобнее, чем на диване. Горик и Валера опустили шторы, чтобы в комнату не проникал свет даже от дальних окон, и устроили «японскую дуэль»: поединок, который происходит обычно в полном мраке. Противника надо угадывать по шороху, по дыханию. Несколько раз они набрасывались друг на друга в темноте и после короткой яростной схватки разбегались по углам. Однажды кинулись друг на друга так неловко, что стукнулись головами и оба завопили от боли. Вбежали взрослые, включили свет. У Горика был здоровенный «фингал» на лбу, у Валеры из носа хлестала кровь.

Поднялся шум, забегали, закричали, оказывали первую помощь и одновременно ругались нещадно. Злее всех ругался дядя Миша.

— Здоровенный оболтус! — кричал он Валере.— Чем ты думал? Каким местом? Почему не мог спокойно посидеть и почитать книжку?

— Наш тоже хорош,— сказала мать и сильно дернула Горика за руку, чтобы он повернулся к ней другим боком: она вправляла ему рубашку в штаны.— Когда приходят ребята, всегда начинает беситься. Смотри, что ты сделал с белой рубашкой.

— Неужели у вас нет других, более интересных занятий? — спросила бабушка.

Их повели в ванную комнату, продолжая осыпать упреками. Дядя Миша грозил сейчас же забрать Валерку и увезти в Кратово. Было ясно, что взрослые возбуждены чем-то помимо драки (и драки-то не было), уж очень они взбеленились. В конце концов, Валера приходил в гости нечасто, сегодня был праздник, они имели право побузить. Подумаешь! Горик надулся и отвечал матери односложно. Она не должна была так сильно дергать его за руку. Тем более раненого человека. Вместо жалости подняли такой крик.

Когда вернулись в столовую и сели на диван, дядя Миша стал рассуждать о прошлом: Горик заметил, что дядя Миша любил вспоминать прошлое, когда немного выпьет: лицо его покрывалось красными пятнами, становилось бугристым, тяжелым, на лысой голове выступал пот, дядя Миша расхаживал с сердитым видом по комнате и рассуждал, рассуждал, рассуждал, грозя кому-то пальцем. Теперь он рассуждал — специально для Валерки и Горика — о том, как он и его брат, то есть отец Горика, жили в молодые годы, как они мыкались по чужим домам, зарабатывали себе на хлеб и так далее и тому подобное. Конечно, они жили плохо, никто не спорит: ведь они жили в царское время. Ничего нового он не открыл. Валера даже демонстративно отвернулся и рассматривал корешки книг на черной этажерке, стоявшей возле дивана. Горик уважал дядю Мишу, который был героем гражданской войны, краснознаменцем, воевал с басмачами и до сих пор имел звание комполка, ходил в военной форме, в гимнастерке с широким командирским поясом, но отчего-то Горику бывало иногда его жаль. Может, оттого, что он был уже не боевой командир, а работал в Осоавиахиме, а может, оттого, что Горик часто слышал, как отец говорил матери: «Вот черт, Мишу жалко...» У дяди Миши непрестанно случались неприятности, то по службе, то дома. То он ругался с начальством, то влезал в долгие тяжбы, защищая кого-то от мерзавцев и негодяев или же выводя кого-то на чистую воду, то ссорился с женой, выгоняя ее из дома, снова привозил, и Валера мотался с квартиры на квартиру.

Мать Горика говорила: «Михаил не умеет ладить с людьми. У него тяжелый характер. Вот удивительно:

два брата, а совсем разные!» Но Горику казалось, что дело в чем-то другом. Однажды он видел, как дядя Миша с отцом играли в шахматы. Дядя Миша приехал тогда тоже с какой-то неприятностью. Кажется, на него один мерзавец и негодяй написал донос в Общество политкаторжан, и дяде Мише надо было оправдываться и что-то доказывать — вместо того чтобы просто пойти и «натереть ему рыло»,— и отец кому-то звонил по телефону насчет дяди Миши, долго объяснял, чертыхался, называл кого-то дураком, потом они с дядей Мишей оделись и пошли в соседний подъезд к одному старому товарищу, с кем отец был в ссылке, пришли через два часа и сели играть в шахматы. И дядя Миша проиграл отцу пять партий подряд. Он так разозлился, что ударил кулаком по доске, и все фигуры разлетелись. «Конечно, я тебе проигрываю! — сказал он.— Потому что у меня башка занята другим».

И вот Горику казалось, что у дяди Миши всегда башка занята другим. Поэтому у него и неприятности. Сегодня тоже наверняка случилась какая-нибудь неприятность. Дядя Миша ходил, скрипя сапогами, блестя стеклами пенсне, на щеках и скулах пунцовели пятна — не от гнева, а оттого, что выпил на кухне рюмку-другую водки,— говорил сердито и много, но было, однако, видно, что он думает о другом.

— Хотя мы с Николаем о такой жизни, как ваша, лоботрясы вы этакие, даже мечтать не могли...

— Не знаем мы, какая у них будет жизнь,— ввернул отец. И, как показалось Горику, ввернул очень умно.

— Как же не знаем? Великолепная жизнь, им все дано,— сказала бабушка, расставляя блюдца и чашки для чая на столе. На нем стояли две вазы с самодельным бабушкиным печеньем и лежала раскрытая коробка круглых, в виде раковин, вафель с шоколадной начинкой. Это были любимые вафли, Женька их уже потихоньку таскала, но Горик, как находившийся под следствием, вынужден был сидеть не двигаясь и пожирать вафли глазами. Женька взяла пятую. Правда, две она отдала Асе.— У них все права,— продолжала бабушка.— Кроме одного права: плохо учиться. Женечка, ты же не мыла рук. Ася, Женечка, бегите в ванную и мойте руки.

Через полтора часа всех ребят, кроме Аси, которую мать Горика проводила домой, уложили спать в детской.

Валера, бедняга, сразу захрапел, Женька тоже заснула, а Горик долго лежал, прислушиваясь к звукам и голосам. Он слышал, как пришел другой дядя, мамин брат Сергей, студент университета, с ним какие-то мужчины и женщины, наверное, тоже студенты, много чужих голосов, один чужой женский голос смеялся очень звонко и нахально; весь этот шум прокатился в глубь коридора, из столовой раздалась музыка, кто-то заиграл на пианино и сейчас же перестал. Через дверь с матовым стеклом сочился из кухни тонкий, свежий запах печенья. Бабушка всегда пекла одно и то же печенье, сухое, коричневого цвета, в виде ромбиков, нарезанных зубчатым колесиком, и с одним и тем же запахом. У Горика заныло сердце: ему захотелось печенья. Захотелось в столовую, где разговаривали студенты. Захотелось увидеть собаку Морку, почувствовать запах снега, побежать на лыжах через речку к холмам, и чтобы Ася увидела, как он летит стремглав с самого высокого холма, где два трамплина.

В кабинете Николая Григорьевича собрался срочный семейный совет. Как быть? Везти ли ребят на дачу к Снякиным? Сергей принес тревожный слух насчет Ивана Варфоломеевича Снякина, брата Петра. Будто бы его нет. Будто бы три дня уж, как нет. «А точно ли это? — сомневался Николай Григорьевич.— В столовке что-то не говорили. Я не слышал». Сергей сказал, что сообщил человек осведомленный, из театральных кругов. Смехота! Старый каторжанин, бомбист, согласился директорствовать в музыкальном театре. И поделом дураку: не соглашайся на постыдные предложения, не унижай себя. Так полагал слегка рассвирепевший брат Николая Григорьевича, который знал Ивана еще по Александровскому централу.

Из столовой, где собралась молодежь, слышны были голоса, запели песню. Новую прекрасную песню из кинокартины: «Крутится, вертится шар голубой...» Бабушка вполголоса подпевала.

— Сережа, ты ступай в столовую,— сказал Николай Григорьевич.

— Ступаю, ступаю. Герцеговинка не нужна? — Сергей взял с письменного стола коробку папирос «Герцеговина флор», предназначенную гостям, так как Николай Григорьевич уже пятый месяц бросил курить, и пошел к двери. На секунду остановившись, сделал страшные, веселые глаза и зашептал: — Вы тут недолго, бояре, а то Мотю прозеваете. Мотя такие стихи будет читать — закачаетесь!

Ему было двадцать два. Михаил Григорьевич смотрел ему вслед с недоумением: какие стихи? Елизавета Семеновна, мать Горика, сказала, что надо сейчас же позвонить Петру Варфоломеевичу, и все станет ясно. Они с братом очень дружны.

— Еще бы! — сказала бабушка.— В двадцать шестом году оба подписали платформу ста сорока восьми. Но Петя гораздо порядочней. Вот за Петю я могу ручаться где хотите.

— И жена Ивана Варфоломеевича всегда у них на даче, у дяди Пети,— сказала Елизавета Семеновна.

Она сняла телефонную трубку, но бабушка остановила ее:

— Лиза, постой. А что, если он подтвердит?

— Как — что?

— Ты повезешь детей или нет?

— Я не знаю...— Елизавета Семеновна стояла в нерешительности.— Им, наверно, будет не до того.

— Тогда не звони. Петя нам не звонил, и нам не нужно навязываться,— сказала бабушка.— Он бы позвонил вчера или даже сегодня, если б они нас ждали. Звонить не нужно категорически!

Николай Григорьевич шагнул к телефону.

— Почему же не нужно? Глупости! — Резко двигая пальцем, он набирал номер.— Может, как раз потому что...— Он замолк. Всем четверым были слышны гудки.— Думаю, что вранье. Давид мог знать, я его видел в столовке. Никто не подходит, значит, он на даче, и всё в ажуре...— Он снова умолк. Гудки продолжались. Вдруг он спросил: — Ты, Варфоломеич? Я уж думал, вы там все перемерли или сгорели, шут вас возьми. Да, да. Ждали, ждали, и вот. Ничего. Сравнительно да. Что? — Николай Григорьевич посмотрел на брата, потом на бабушку и сделал губами движение, означавшее «плохо». Он продолжал слушать, что ему говорили, сохраняя все то же выражение крепко поджатых и несколько надутых губ. Потом его губы разжались, он вздохнул, выпрямился и сказал другим голосом: — Вот мы и нагрянем все шестеро, и я с Лизой. Ребята настроились. А? Давай нагрянем? Погода-то пропадает. Ну, как хочешь. Ладно. Всем привет. А я завтра зайду.

Николай Григорьевич почесал трубкой затылок, присвистнул и повесил трубку. Елизавета Семеновна смотрела на мужа, хмурясь.

— Что он сказал конкретно? — спросила бабушка.

— Сказал, что с Иваном недоразумение. Ничего конкретного. Он уже звонил Давиду, тот пытался узнать — бесполезно.

— Господи, какое несчастье! Что же у Вани могло быть? — спросила Елизавета Семеновна.

— Что-то было,— сказала бабушка.— На пустом месте такие вещи не случаются, как ты знаешь. Между прочим, Иван Снякин никогда не был мне симпатичен. Во-первых, вся эта смена жен. Во-вторых, отношение к детям. Ведь своего старшего сына, от первой жены, он не захотел воспитывать, отдал в лесную школу. По требованию этой теперешней, артистки. Мы были тогда все возмущены: и Иван Иванович, и Берта, и Коля Лацис. Берта помогала устраивать в лесную школу, она же в Наркомпросе, но она тоже возмущалась...

Николай Григорьевич, усмехнувшись, хотел что-то сказать, но только покрутил головой и вышел из кабинета. А Михаил Григорьевич снял пенсне — его лицо без пенсне показалось больным, усталым, под глазами мешки — и сказал слабым голосом:

— Ерунду ты порешь, матушка. Обывательские разговорчики вместо настоящей партийной оценки.

Тихо открылась дверь, и вошла мать Горика. Она постояла неподвижно в темноте, прислушиваясь и стараясь понять, спят дети или нет. Женя и Валерка спали, а Горик лежал с открытыми глазами. Он сказал шепотом: «Ма, я не сплю». Мать подошла на цыпочках и села на край кровати. Она притронулась ладонью ко лбу Горика, где была шишка: рука ее была холодная. «Сынок, мы поедем послезавтра к себе, в Серебряный Бор». «Правда? — Горик обрадовался.— Ух, здорово! Мне так не хотелось ехать в этот самый Звенигород! А ты поедешь?» — «Конечно. И я, и папа. И, может быть, Валерку возьмем, если Миша его отпустит и если вы дадите слово, что будете вести себя хорошо». «Конечно, дадим! Непременно дадим! Обязательно дадим!

Ура-ура-ура! Да здравствует наш любимый, несравненный, драгоценный Серебряный Бор!» — в возбуждении восклицал шепотом Горик. Он уснул счастливый.

На другой день, тридцать первого декабря, когда все сидели утром за завтраком в столовой, в бабушкиной комнате раздался внезапно оглушительный грохот. Было похоже, что кто-то выбил балконное окно. Побежали туда и увидели, что разбилось не окно, а зеркало. Весь паркет был усыпан сверкающими осколками. Никто не мог понять, каким образом и почему старинное толстое зеркало выпало из двери платяного шкафа, запертой к тому же на ключ. Это была загадочная история. Домашняя работница Мария Ивановна сказала, что это к войне Отец Горика сказал, что война с Гитлером и Муссолини, разумеется, будет, но не скоро. А Горик подумал о том — и это поразило его,— что в мире происходят вещи, которые не может объяснить никто: даже отец, самый умный человек на свете, и мать, тоже очень умная и самая добрая. Ни один человек, никто и никогда не объяснил Горику, почему в то утро упало зеркало.

IV

От вокзала до Страстного бульвара, где жила тетя Дина, Игорь шел пешком, совсем налегке: хлеб он доел, а книжку Эренбурга сунул в карман. Москва поразила тишиной, малолюдством — даже на вокзальной площади людей почти не было, троллейбусы шли пустые — и чем-то глубоко и тяжко растрогала. Он словно увидел родное лицо, но изменившееся и настрадавшееся в долгую разлуку. На площади перед метро «Кировские ворота» стояли несколько человек и слушали радио из репродуктора, установленного на фонарном столбе. «Немцы болеют от гитлеровских эрзацев,— читал торжественным голосом диктор.— Как заявил в Женеве прибывший из Германии голландский врач, долгое время практиковавший в одной из дрезденских клиник...» Лица слушающих выражали сосредоточенное, несколько отупелое внимание. Может быть, они и не слушали, а думали о своем. Или терпеливо ждали что-то важное, что должен был сказать диктор.

Пошел слабый дождь. Игорю не хотелось садиться в трамвай. Он шел бульваром, заваленным опавшей, гниющей листвой, останавливался у газетных витрин, читал. Умер художник Нестеров. Рязанская область закончила уборку картофеля. Волнения во Франции. Исполком Моссовета одобрил инициативу жильцов дома № 16 по Н.-Басманной и № 19 по Спартаковской улицам по активному участию в подготовке к зиме: участие в ремонте отопления, крыш, утепления зданий, завозе топлива, его хранении, эксплуатации. 450 лет назад Христофор Колумб открыл Америку. Этому знаменательному событию посвящена выставка, открывшаяся на днях в библиотеке... А дочь Татьяну и внука Юру фашистские изверги загнали в погреб и забросали гранатами.

Дом на Страстном знакомо, громадно чернел сквозь дождевой туман. Внутри, в клетках дворов, было пустынно. Когда-то эта цепь проходных дворов была оживленнейшим местом: по ним проходили, сокращая себе путь, с Большой Дмитровки на Страстную площадь, а по утрам здесь толпами шли хозяйки за покупками в Елисеевский магазин, и навстречу им, снизу, шли другие — на Палашевский рынок. Игорь свернул направо, в тупиковый двор, и подошел к подъезду. Это был, впрочем, не подъезд, а небольшая, довольно грязная и старая, много раз крашенная дверь с железной ручкой, лестница за нею была такая же грязная и старая, она поднималась наверх короткими зигзагами и по своей крутизне напоминала винтовую. Лестница огибала пустое вертикальное пространство, такое узкое, что если бы кто-то вздумал кончать тут счеты с жизнью, то должен был бы лететь вниз стоймя, солдатиком. На третьем этаже была выбита ограда, край лестницы висел над обрывом; Игорь прошел эти несколько ступеней с осторожностью, прижимаясь к стене. «Ну и ну! Как же тут бабушка Вера ходит?» — подумал он с изумлением.

Он нажимал кнопку звонка и улыбался.

Его радовали этот сырой день, пустые дворы, перекрещенные бумажными лентами окна. Это была Москва. Он вернулся. Дверь не открывали. Он позвонил еще раз и ждал, продолжая улыбаться. Потом, догадавшись, что звонок не работает, сильно постучал. Сразу же зашаркали, завозились с замком, женский голос спросил:

— Кто там?

— Я — к Дине Александровне...

В первую секунду он не узнал тетю Дину: худая старушенция. Какое желтое, опавшее лицо! На плечи тети Дины был наброшен, как у боксеров, выходящих на ринг, махровый халат, который совсем гнул ее и заставлял вытягивать шею вперед. Выражение лица у тети Дины было испуганное. Она вскрикнула:

— Ах, Горик! — И сейчас же, оглянувшись назад, очень громко и напряженно: — Мама, Горик приехал! Это Го-рик!

Вышла бабушка Вера. Она ничуть не изменилась. Она тихо шла по коридору, вдоль стены, подняв сухонькое, кивающее, детское личико в мелко-кудрявом, седом венчике, и улыбалась издали. Подойдя, обняла Игоря легкими руками, пригнула голову и поцеловала, и он вспомнил этот старушечий запах комода, лежалости и сухих духов. Обе принялись хлопотать вокруг него, сняли с него пальто. «Я принесу чайник!» — «Мама, не суетись. Принеси лучше полотенце. Ходи медленно!» — «Я вовсе не суечусь и даже не суетюсь. Видите, этот глагол мне чужд, я даже не знаю, как его спрягать...»

— Баба Вера, ты молодчина,— сказал Игорь радостно.

Он сидел на стуле и стаскивал башмаки, несколько прохудившиеся. В Ташкенте, где месяцами не бывало дождей, они служили неплохо, но в первый же час в Москве сдались, он промочил ноги.

— Почему ты шел пешком? — спрашивала тетя Дина.

— Я так проголодался, так соскучился по Москве! Читал афиши, объявления. Знаю, например, что производится набор аптекарских учеников для аптек Москвы. А что? На худой конец? Вечер Хенкина, в Театре эстрады — рядом, на Малой Дмитровке...

— Постой, Горик. А где твой багаж?

Он рассказал. Лицо тети Дины побледнело. Она опустилась на сундук и сказала:

— Я получила письмо три дня назад. Тетя Нюта написала очень подробно, что она с тобой посылает — ты не знаешь свою бабушку,— по пунктам...

— Да, барахла было много.

— И продуктов тоже, она писала.

— Да,— сказал Игорь.— Продуктов тоже...

Тетя Дина сидела на сундуке, с удивленным видом разглядывая пол.

— Как же так, я не понимаю? — сказала она тихо и развела руками.— Как можно быть таким рассеянным? Как можно, зная, что едешь в голодный город...

Игорь стоял перед нею босой, в мучительном оцепенении. В правой руке он сжимал влажные носки. Только сейчас он внезапно осознал, как ужасно, непоправимо жестоко было то, что произошло с ним и в чем он был конечно же виноват. Как всегда, осознание приходило к нему позже, чем следовало, и тем сокрушительней. Он готов был тут же, босой, кинуться бежать из дома. Бабушка Вера пришлепала с полотенцем в прихожую и остановилась, не понимаю, отчего Игорь замер в такой странной позе, а тетя Дина сидит на сундуке.

— Дина, что случилось? — спросила она.— Что-нибудь с Нютой?

— Нет, нет, ничего с твоей Нютой,— сказала тетя Дина.— Иди, пожалуйста, в комнату. Он будет мыться, а потом мы станем пить чай, и я тебя позову.

Бабушка Вера нащупала рукой гвоздь в стене, на который были наколоты какие-то квитанции, повесила на него полотенце и зашлепала обратно в комнату.

— Мама почти не видит,— сказала тетя Дина.— И стала в последнее время очень плохо слышать. Вообще, мы живем... я не знаю, как мы живем. Мы живем на одну служащую карточку! Ты представляешь? Маринка поступила на курсы иностранных языков при военном ведомстве, устроить было невероятно сложно, я нажала все кнопки и устроила, ее приняли, но не успели дать ни карточек, ничего, и она заболела. Больше месяца лежит. Какое-то тлеющее воспаление легких, каждый день температура. Она — там, в комнате, ты потом к ней зайди, ты ее не узнаешь. Нужно давать мед. А где его достанешь? Я ждала тебя, скажу тебе честно, еще и потому с таким нетерпением, что тетя Нюта писала, что посылает с тобой банку меда.

— Мед я тебе достану...— пробормотал Игорь сквозь зубы.

— Где ты его достанешь, мой милый? Ты не представляешь, как живет Москва. Надо иметь очень большие связи или очень большие деньги. У меня уже нет ни того, ни другого. Одного я все-таки не понимаю: как можно допустить, чтобы у тебя на глазах... Ах, бог с ним! — Она порывисто поднялась с сундука.— Сейчас согрею воду. Помоешься, и будем пить чай. Что случилось, то случилось. Не будем огорчаться, правда, Горик? — Она шлепнула Игоря по щеке, это был шлепок примирения и прощения, но все же он оказался чуть сильнее, чем нужно, как слабая пощечина.— Сядь на стул, я поищу какие-нибудь носки Бориса Афанасьевича.

Через полчаса Игорь помылся, переоделся в сухое и пил чай на кухне вместе с тетей Диной и бабушкой Верой. Собственно, пили не чай, а отвар шиповника с сахарином.

— Хорошо, что нет соседей. Можно посидеть на кухне,— говорила тетя Дина.— К нам жуткую парочку подселили, вот уже год. В комнату Розалии Викторовны. Ты помнишь Розалию Викторовну?

Еще бы не помнить Розалию Викторовну. У нее был низкий голос, темная челка, длинные пальцы в узлах суставов, манера постоянно улыбаться сухими бесцветными губами — рот был неприятный, мятый, весь в морщинках, как кусок бумаги, скомканный в кулаке,— и редкостная способность мучить людей. Две зимы она мучила Игоря и Женьку уроками музыки, но потом мама с нею внезапно рассталась. Сказала, что она нечистоплотная.

— А что стало с Розалией Викторовной?

— Она куда-то переселилась. А может, совсем уехала из Москвы. Не знаю точно. Она была странная, с причудами, но нынешние, которых нам вселили,— это ужас!

Тонкие ломтики черного хлеба лежали на красивой фарфоровой доске, имевшей форму лопатки с короткой ручкой. У тети Дины всегда было много красивой, старинной посуды. Чашки, из которых пили отвар шиповника, были, наверно, столетнего возраста, на их донышках красовались замысловатые вензеля. Тетя Дина брала ломтики хлеба, наносила на них изящным серебряным ножиком почти незримый слой масла и давала Игорю и бабушке Вере.

Возбуждение все еще не покидало тетю Дину. То она, махнув рукой, говорила: «Ну, конечно! Не будем переживать. Кто первый заговорит, с того штраф» — и рассказывала о новых соседях, жуткой парочке, о своей работе в музыкальном издательстве, о каком-то полковнике, который ухаживает за Мариной, и вдруг, в середине рассказа, начинала иронически улыбаться и прерывала себя: «А если посмотреть на всю историю с комической стороны? Вообразите: идет этакий шляпа...»; то в ней просыпался гнев, и она проклинала подлецов и сволочей, которые пользуются людской бедой; то возникали неожиданные идеи, она предлагала написать заявление в Министерство внутренних дел или же начальнику милиции Куйбышевского вокзала. «Что же, что война. Они обязаны заняться и начать розыск...»

Бабушка Вера молча пила отвар и жевала хлеб. Зубов у нее, наверно, почти не осталось, и она жевала не переставая, помогала деснами и даже губами. Ее лицо при этом сжималось и разжималось, как гармошка, и, когда сжималось, принимало выражение забавно-напыщенное. Бабушка Вера отставила чашку и стала медленно, сгорбленной спиной вверх, подниматься из-за стола.

— Диночка,— сказала она.— Целый час ты не можешь съехать с этих чемоданов. Стыдно, ей-богу. Ну, привез бы он провизию или нет — какая разница? Через десять дней все равно бы все съели.

Тетя Дина взглянула на мать отрешенно.

— Ты права, мама... Конечно, мамочка... Стыдно, стыдно, невыразимо стыдно! — Она закрыла лицо ладонями.— Стыдно, что ни о чем другом я не могу говорить. Стыдно, что я так раскисла... Очень стыдно, но, я думаю, Горик меня простит. Ты простишь, Горик? — Голос ее задергался.— Ведь я одна забочусь о том, чтобы всех накормить. Я одна приношу хлеб в дом. Ты понимаешь, Горик? Я должна бегать по очередям, добывать, продавать, керосин, лекарство, доктор, картошка, последний день талона на крупу, талон на табак меняю на мыло — у меня голова кругом! У меня нет сна. И меня все обманывают, я все теряю, ничего не успеваю.— Лицо тети Дины исказилось гримасой, рот растянулся, и она заревела, продолжая говорить нелепым, орущим голосом: — Тебе хорошо, ты — старуха! Ты можешь сидеть дома и ждать. И говорить: «Это не стыдно! А то стыдно». Понимаешь? Потому что я должна бороться! Я должна спасать свою дочь! И тебя! Ни одной секунды мне не может быть стыдно, нехороший ты человек...

Бабушка Вера не спеша, держась за стенку и мелко-

мелко кивая головой, двигалась из кухни в коридор. Тетя Дина кричала ей вслед:

— Как же у тебя хватило совести? Злая ты, злая женщина!

Последнюю фразу тетя Дина выкрикнула особенно яростно и громко, чтобы бабушка Вера, уже скрывшаяся в коридор, услышала. Потом тетя Дина подошла к кухонной раковине, открыла кран и стала мыть лицо холодной водой и сморкаться.

Игорь, все время сидевший за столом, поднялся и пошел в коридор. Он не знал, можно ли ему сейчас идти в комнату, и в нерешительности топтался в прихожей, делая вид, что ищет что-то в карманах пальто. Потоптавшись, сел на сундук. Тетя Дина не появлялась. Он слышал, как она гремела в кухне посудой, двигала стулья. Наверно, ей было неловко после всего этого. Вот сейчас ей было по-настоящему стыдно. А что, если надеть пальто и тихо уйти? Игорь думал о тете Дине с жалостью. Он помнил ее совсем другой. Нет, уйти было бы проще всего.

Он рассматривал висевшие на стене в прихожей старые фотографии и гравюры в темных рамках. Без очков он видел плохо, и пришлось встать с сундука, чтобы подойти к картинкам ближе. Когда-то он все их видел, но совершенно забыл, и теперь они всплывали в памяти — этот старик с цилиндром, женщина в пышном белом платье с такой тонкой талией, что женщина была похожа на песочные часы, поэт Баратынский, вид города Пармы. Все эти картинки принадлежали исчезнувшему времени, тому жаркому лету за три года перед войной, когда он гостил в Шабанове, в музейной усадьбе. Дача в Серебряном Бору тогда уже не существовала, и бабушка попросила тетю Дину взять его на лето к себе. А Женя уехала тогда с другой родственницей на Украину. Тетя Дина жила в самой усадьбе композитора, в маленькой комнате на первом этаже, с окнами в сад, сырой темный сад со столетними елями, с липовой аллеей, спускающейся вниз к реке; на лужайке по утрам стояла художница, бледная женщина с надменным лицом, и писала кусты сирени, они были на холсте розовые, хотя давно отцвели, а небо почему-то зеленое, но Игорь не решался спрашивать, что это значит. Он слонялся по музейным залам, где потрескивали сами собой полы, где в шкафах за стеклом блестели старинные переплеты; вечерами на открытой веранде пили чай из самовара, всегда на столе были подогретые белые булочки и черносмородиновое варенье, и внучатый племянник композитора, очень похожий на него, с такой же бородкой, рассказывал о том, как жили в Париже перед первой мировой войной... Были и другие люди, они тоже рассказывали интересные истории, был один музыковед, пьяница, но добрейшая душа, был австриец, бежавший из Вены от фашистов, он умел держать тарелку на лбу, и он ухаживал за художницей с надменным лицом, а тетя Дина играла на рояле «Времена года». Иногда, очень редко, приезжала Марина на велосипеде. Она мало занимала Игоря. Ему шел тринадцатый год, а ей восемнадцатый, она была толстая, важная, всегда с нею были кавалеры. Шабаново она называла «деревней». Тетя Дина страдала из-за нее, говорила, что она с «фокусами». И Игорю нравилось жить в музейной усадьбе, сидеть до ночи за столом на веранде — вот только комары донимали — и слушать малопонятные разговоры. Однажды он слышал, как тетя Дина и внучатый племянник композитора о чем-то спорили на скамейке в саду, тетя Дина сердилась, тот ее успокаивал и вдруг закричал на Игоря: «Что за манера торчать рядом, когда взрослые разговаривают!» Прошло несколько дней, Игорь с музыковедом ходили на речку купаться, как раз тогда Игорь выронил в воду свои ботинки, когда переплывал речку, и музыковед спас их, нырнул и достал — и под секретом, а также под градусами, музыковед сообщил Игорю, что тетя Дина отказалась от мужа. «Прости меня, Егор, но твоя тетушка с этих пор для меня — тьфу»,— сказал пьяный музыковед. Игорь знал, что тетя Дина жила с мужем, отцом Марины, плохо. Все говорили, что в молодости тетя Дина была очень красива, а муж ей попался неудачный. Однажды Игорь застал тетю Дину плачущей, потом она уехала в Москву, вернулась, снова были прогулки, купание в холодной, с глинистым берегом речонке, вечерами снова сидели за самоваром, ели подогретые булочки, и тетя Дина играла на рояле «Времена года». Вскоре появился Борис Афанасьевич, очень большой, толстый, в очках, с черной бородой и усами. Игоря переселили в комнату рядом с чердаком, тетя Дина сделалась веселая, пела песни и играла с Борисом Афанасьевичем в шахматы, Марина перестала приезжать, а музыковед устроил однажды пьяный скандал, и вызывали милицию.

— Такой стал Горик? Ого! Потрясающе! — Игорь увидел бледную, с большим носом, рыжеволосую девушку, стоявшую в дверях прихожей. На девушке был халат с кистями, она держала руки скрещенными на груди, обнимая ладонями худые плечи, словно ей было зябко.— Никогда бы не узнала...

— Я тоже вас...— Он запнулся, почувствовал, что говорит что-то не то, но мужественно закончил: — Наверное, не узнал бы!

— Так ужасно я изменилась?

— Нет, но вы... Вы же болеете...

— Да, да. Я болею. Совсем забыла, что болею. А почему мама так кричала на бедную бабушку?

Игорь пожал плечами.

— Может, из-за этой смешной истории, которая случилась с твоим багажом? Мне бабушка рассказала. Боже, это же гениальная история! Ты гений, Горик. Ах, как жаль, что тебе не удалось все-таки опоздать на поезд...

Тетя Дина вышла из кухни, неся на подносе что-то, покрытое полотенцем.

— Зачем ты встала? — спросила она дочь.— Я несу питье и лекарство.

— А зачем ты кричала? Я думала — грабители, воздушная тревога или Бочкин вернулся. Ты меня разбудила. Я спала!

Последнюю фразу она произнесла с вызовом и прошла мимо матери и мимо Игоря в ванную, горделиво подняв свой большой нос и распушив движением головы рыжие волосы. За нею прошла волна ее запаха: лекарств и голого тела. Игорь почувствовал, что между матерью и дочерью есть какая-то напряженность и он почему-то эту напряженность усилил.

Тетя Дина сказала, посмотрев на него со слабой улыбкой:

— Вот чепуха, правда же? Какие-то чемоданы в голове, а немцы на Волге, Ленинград в окружении... Ты помнишь Славского? В Шабанове он жил одно лето вместе с тобой. Ленинградский музыковед, чудный человек. Погиб в августе под обстрелом. Иди сюда, я покажу, где ты будешь спать... От Бориса Афанасьевича никаких вестей уже четырнадцать месяцев...

Из ванной раздался крик Марины:

— Постели ему в моей комнате на кушетке! Мы будем с ним разговаривать!

— Перестань! — Тетя Дина с досадой махнула рукой.— Он рабочий человек, а ты бездельница. Он будет вставать в шесть утра. Идем, Горик...

Из прихожей шел коридор, заставленный какими-то фанерными ящиками, мешками, банками, корытом, шкафчиками; этого хлама раньше тут не было, по-видимому, привезли неведомые Бочкины, занимавшие комнату Розалии Викторовны. Эта комната находилась в глубине коридора, на ее беленой двери чернел большой висячий замок. Справа по коридору были две двери. Игорь вошел вслед за тетей Диной в первую. Увидел комнату и вспомнил, что близко под окном должен быть виден железный скат крыши, но теперь окно было закрыто черной светомаскировочной бумагой. Бабушка Вера сидела за столом и, держа у глаза лупу, читала книгу.

Муторней всего первый утренний час, с восьми. На улице еще тьма, как ночью, в цехе горит электричество, впрочем, не горит, а тлеет: две чуть живые лампочки качаются на длинных проводах над волочильным станом, третья возле отжигальной печи, но там обычно и без того светло от горящего горна, и еще одна лампочка едва проблескивает сквозь закопченные стекла перегородки, там, вдали, над верстаком слесарей. Для такой громады, как заготовительный цех, света, конечно, мало, конечно, мало, да где взять больше? И потом — привыкли. Вот только холод по утрам. К холоду не привыкнешь. Тяжелый предзимний ветер леденит ноги, дует без перестану в распахнутые ворота: по утрам завозят трубы. Две женщины-грузчицы и старый мужик, чернорабочий по прозвищу Урюк, таскают трубы, зажав их штук по шесть локтем к боку, сначала по цементному полу, потом по бетонному полу, и трубы сначала дребезжат, потом гремят и, наконец, сваливаются с грохотом в кучу возле отжигальной печи.

Но ни дребезжанье и грохот труб, ни холод, гуляющий по цеху — ворота остаются открытыми долго, потому что грузчицы и Урюк особенно не торопятся,—

не могут заставить Игоря проснуться по-настоящему. Мысли работают хоть и медленно, но четко, а тело разбито, вяло, движения вязнут в полудремоте.

Игорь ходит по трапу вдоль десятиметрового трубоволочильного стана и возит по рельсам, держа за рукоять, тележку со стальными зубами. Этими зубами тележка схватывает конец железной трубы, просунутый в матрицу с прямоугольным отверстием, и тянет по стану уже ставшую квадратной трубу, уже не трубу, а профиль. Работа простая: ходи туда-сюда. Подошел к матрице — дерг ручку вверх — зубами схватил и тащи. Дошел до конца трапа — и снова дерг вверх — зубы разжались, профиль вываливается, бросай его на сторону. И так круглый день с перерывом на обед от двенадцати до половины второго. Напарник Игоря Колька подтаскивает от печи к стану, и трубы уносят готовые профили, а работница Настя всовывает трубы в матрицу и обмазывает концы масляным составом, чтобы уменьшить трение.

Двенадцать дней уже, как Игорь тут, в «заготовке», и ему тут нравится. А вначале неделю ишачил такелажником, то есть попросту грузчиком: так распорядились в отделе кадров. Майор Оганов, читая его справку с ташкентского завода, где сказано, что И. Н. Баюков имеет специальность станочника-гвоздильщика третьего разряда, не то смеялся, не то злился очень, выпучивая черные глазки: «Это что за специальность такая? Откуда? Гвоздильщики-лудильщики! Мудильщики, вашу так! Тут военный завод, а не шарашка при базаре. Ах, прохиндеи, жулики, навербовали дерьма! А числишься небось станочником, квалифицированной силой. Пойдешь в такелажники в транспортный цех, парень ты вроде крепкий. Поворочай там, погвозди, если ты такой гвоздильщик». И «гвоздил» неделю ящики, разгружал машины, посылали и на вокзалы, и на другие заводы, и в речной порт. Потом потребовался один человек в заготовительный цех на волочильный стан, никто из грузчиков не хотел: они все уж там сбились, слепились в шайку, пятеро женщин, два мужика и два парнишки Игоревых лет, им грузчицкая работа нравилась потому, что выпадали часы безделья, сиди покуривай, а в «заготовке» не посидишь. Игоря и турнули: пускай, мол, новенький катится. Так он и попал из гвоздильщиков в волочильщики.

Называлось так: «Рабочий станочник трубоволочильного стана, 4-й разряд». В первый же день как оформился на завод, дали хлебную карточку 700 граммов, и продовольственную, и еще ватник новенький, очень хороший, за 60 рублей. Обещали тоже ботинки выдать, но не раньше Ноябрьских. На волочилке работать чем хорошо? Нету беготни, ходишь себе и размышляешь, туда-сюда, дерг-дерг. Правой рукой дергаешь, в левой самокрутка с махрой — курить Игорь начал еще в Ташкенте, на чугунолитейном научился,— а когда правая занемеет, повернешься боком и левой дергаешь. И так боком и ходишь.

Колька поначалу встретил Игоря злобно, называл не иначе как Косой или Очка́ (тетя Дина нашла Игорю очки Бориса Афанасьевича, правда, слабоватые, минус три, а ему нужно минус пять), орал в лицо Игорю песенки вроде: «Ношу очки я ррра́говые не для того, чтоб лучше зреть...» — а в столовой однажды цапнул Игореву пайку хлеба со стола и начал спокойно жевать, глядя на Игоря с улыбкой: что, мол, сделаешь? Игорь прежде отмалчивался, плевал на него с высокой горы, а тут вдруг взбесился: схватил Кольку за грудь и так его молча затряс, что, когда отпустил, тот с перепугу на колени хряпнулся. И с тех пор — всё. Ни наглости, ни «очка́».

Росту Колька небольшого, на вид совсем шкет, мелочь кривоногая, Игорь с ним одной бы ручкой справился, а лет ему немало: семнадцать с половиной. Весной Кольке в армию. Перестав дразнить Игоря очками, он теперь мучает его рассказами — врет, конечно, как змей! — о девчонках и женщинах, которых будто бы победил. Рассказывает он грубо, по-хулигански, при Насте, а ей все равно — она не слышит, думает про свое,— Игорь же мучается, не показывая вида. Главное, что невыносимо: при Насте. Ей лет тридцать, она невзрачна, желтолица, всегда закутана в серый платок, всегда молчит, не улыбнется, и вот эта женская смиренность и покорство, над чем измывается Колька, так же невыносимы Игорю, как и Колькина грубость.

Но показать это, оборвать Кольку, заступиться за тихую и бессловесную Настю у Игоря не хватает духу. Вроде стыдно как-то. Вроде будет он тогда не мужчина.

Бригадиров в «заготовке» двое — Колесников и

Чума. Колесников говорит глухо, двигается не спеша, лицо у него какое-то потухшее, бесцветное, он больной: кашляет. Иногда часами до́хает и до́хает, слова не может вымолвить. А Чума ни минутки не устоит на месте, оттого и кличка такая, весь день бегает, кричит, волнуется, учит, подгоняет, матерится и сам ишачит как черт. Он и смахивает на черта — малорослый, сутуленький, руки длинные, лицо большое, темное, впитавшее в кожу копоть и масляные испарения навечно, лицо старой обезьяны, с глазками-сверлами, упрятанными глубоко под узкий, козырьком, лобик. Игорю кажется, что таким мог быть Квазимодо.

— Что вы там портки сушите? Давайте работайте, давайте! — орет Чума.

Он всегда орет. В цехе, правда, шум немолкнущий, гудит волочилка, грохочет пневматический молот, но Колесников обязательно подойдет близко и скажет что надо, а у Чумы нет терпения — орет издали, трясет руками. А хоть и подбежит иногда — тоже орет.

Бригадиры командуют и волочильщиками, и слесарями, что пилят матрицы за перегородкой, и грузчиками, и кузнецами, которые работают у горна и пневмомолота — отковывают концы труб. И Чума не просто кричит, подгоняет и приказывает, а сам то и дело впрягается: то кувалдой, то у слесарей горбатится за верстаком, то, разъяренный медлительностью грузчиков, хватает охапку труб и волочит к горну. Он уже старый, под полтинник, а то и больше, но силы у него много, даже не поверишь. Недавно привезли слесарям точильный станок, установили неправильно, Чума разбушевался, разматерился и в сердцах как рванул, словно репу из грядки,— из пола выдрал. А в станке весу килограммов сто.

Никто не знает, как в точности зовут Чуму — имя и фамилия какие-то трудные, еврейские. Все привыкли: Чума и Чума, Чумовой. Начальник цеха Авдейчик однажды так серьезно запузырил: «Товарищ Чума, я вас очень прошу...»

— Баюков, пойди сюда немедленно! — издали кричит Чума.— Коля, стань за тележку!

Игорь дотягивает профиль — дерг! — и конец трубы, вырвавшись из стальной челюсти, подпрыгивает, как живой. Игорь поднимает двумя руками в рукавицах — одной рукой с конца не поднять — долгий и тяжелый, колыхающийся профиль и перебрасывает его через стан, где лежат ворохом, штук с полсотни, металлические и масляно поблескивающие профиля. Иногда, глядя на то, как медленно, с трудом, с писком даже, выползает из прямоугольника матрицы новенький, аккуратный, граненый профиль, Игорь испытывает почти физическое чувство удовольствия: сотворилась вещь, мир обогатился новой вещью, сделанной с его помощью, его руками. Эта работа вот чем хороша: видишь, как делается вещь, а не просто — таскай, грузи. Профиля идут на каркасы авиационных радиаторов, те собираются в пятом цехе, потом их везут недалеко, через шоссе, на завод номер такой-то — Игорь знал, какой номер, и вся округа знала,— а уж там собирают полностью, от и до, военные самолеты. И очень скоро, через несколько, может быть, дней после того, как Игорь вытянул профиль, самолет с радиатором, в котором сидит этот профиль, выгнутый, обпаянный и выкрашенный как нужно, летит бомбить немцев.

Наспех вытирая нитяными концами руки,— хотя он работает в рукавицах, ладони всегда непонятно как успевают измазаться,—Игорь идет к Чуме.

— Бежи к Авдейчику. На второй этаж.

— А зачем? — интересуется Игорь.

— Бежи одной ногой. Эй, женщина, куда столько мажешь, куда?! — внезапно кричит Чума Насте. Своими глазками-сверлышками он видит издалека и в каких хочешь потемках и сумерках, словно кот.— Ты дома маслице как кладешь — экономишь? Ну как, скажи? Мне на месяц пятьсот граммов, я уж так его...

Игорь проходит мимо бушующего пневмомолота, мимо горна, через ворота в соседний цех и по винтовой железной лестнице поднимается наверх. Зачем он понадобился? С начальником цеха Игорь за все дни разговаривал дважды: первый раз, когда пришел оформляться, второй раз, когда Авдейчик забежал мимолетно в цех и спросил что-то насчет матриц. Волочильщики — черная кость парии «заготовки». Вызывать волочильщика к начальнику цеха так же нелепо, как вызвать грузчицу Пашку или Урюка. Но зачем-то зовут! Внезапная тревога охватывает Игоря. Одно-единственное объяснение понятно ему: что-нибудь с анкетой, раскрыли, узнали. Майор Оганов не захотел разговаривать сам, велел Авдейчику. Могут сразу уволить. Могут еще хуже: за сокрытие факта с целью, чтоб проникнуть на военный объект... Странное равнодушие подступает вместо тревоги. Он идет не торопясь по мосткам второго этажа, хлопает ладонью по железному поручню, размышляет спокойно: «А что особенного? Написал правильно. Умер в таком-то году. Мне же ответили официально: умер от воспаления легких. Мать работает в Казахстане по своей специальности. Она зоотехник. Работает зоотехником в совхозе. Что особенного?» Ни с кем он не советовался, ни с тетей Диной, ни с Мариной — решил сам. Хватит, советовался однажды. В Ташкенте весной, когда окончили школу, нескольких ребят набирали в военное спецучилище — и его тоже, хотя он младше других, ему шестнадцать. Училище считалось закрытым, готовило каких-то хитрых радистов, анкета на три листа. Первая в жизни. Бабушка сказала: «Пиши как есть. Всегда надо писать и говорить правду, тогда ничего не страшно». Не приняли. Бабушка сказала: «Со своей точки зрения они правы». В августе приехал вербовщик вербовать подростков и молодежь на московские заводы. Тоже была анкета, но краткая, на один лист. Он не написал ничего. От бабушки пришлось скрыть. Она допытывалась: «Ты написал правду?» В том листке и вопроса такого не было, так что, можно сказать, он написал правду. И — поехал. И еще: глубинным, тайным, каким-то даже чужим и оттого, наверное, истинным умом понимал, что та правда, которую требовалось написать, не была правдой. И обман, значит, не был настоящим обманом. Был всего-навсего обманом обмана. Это никому пока не известно, и, может быть, еще долго не будет известно, и ему самому известно не окончательно, но он чуял, что правда тут не простая, какая-то двойная, секретная.

Успокоился и смирился, пока шел длинной дорогой, но когда толкнулся — «Можно?» — в фанерную клетку начальника, увидел Авдейчика за столом, желтоволосого, с красной, сухой, почему-то казавшейся Игорю петушиной физиономией, стало тоскливо.

— Баюков, говорят, ты умеешь малевать лозунги. Верно или нет? Чего молчишь?

— Откуда вы взяли?

— Не ты мне вопросы задаешь, а я тебе. В художественной школе учился?

— Ну, да...

— Вот пойди в цехком, возьми кумач и после работы напишешь быстренько и красиво лозунг. На!

Авдейчик протягивает записку с текстом. Игорь читает с тупой радостью, едва вникая в смысл: «Рабочие и работницы, инженеры и техники авиационных заводов! Увеличивайте выпуск боевых машин, давайте больше истребителей, штурмовиков, бомбардировщиков для Красной Армии!»

К двенадцати ночи Игорь добирается до дому. Ужинает в комнате, потому что на кухне Бочкины затеяли парить белье. Тетя Дина приносит из кухни тарелку обжигающего картофельного супа, Игорь с жадностью ест суп с хлебом и пьет кофе. Ни Марина, ни бабушка Вера не спят, все тревожились из-за того, что Игоря долго не было, обычно он приходит к девяти. Женщины тоже не прочь бы поесть суп, он хоть и водянист, но горяч, однако они съели свои порции днем, кроме того, необходимо «беречь фигуру и не увлекаться супами», а Игорю нужно есть много, он мужчина. И женщины пьют кофе, ненатуральный, разумеется, без цикория, пахнущий размокшей сосновой доской, но очень горячий и с сахарином. Такой кофе пить гораздо полезней, говорит тетя Дина, он не дает бессонницы, а, наоборот, вгоняет в сон.

И верно, как только Игорь наливается кофейно-супной бурдой и ощущает животом лживое, одурманивающее и приятное чувство в с п у ч е н н о с т и, его сразу начинает клонить ко сну, веки слипаются, он зевает и на вопросы женщин отвечает односложно и вяло. Тете Дине все же удается постепенно вытянуть из Игоря историю с лозунгом: как его вызвал Авдейчик, как Игорь удивился, но не показал вида, как он корпел после работы три часа, сделал все как нужно, натянул полотнище, отбил веревкой, натертой мелом, линии, разграфил, разметил, написал очень красиво и вдруг, когда кончил, когда поставил уже восклицательный знак, обнаружил, черт бы его взял, что пропущены две буквы в слове «штурмовиков». Получилось так: «...увеличивайте выпуск истребителей, штурмиков, бомбардировщиков для Красной Армии!» Вот гадость-то. И почему так вышло? Ведь Игорь так старался, зная себя, зная, что в школе, рисуя лозунги и заголовки в стенгазетах, всегда что-нибудь путал, пропускал буквы. Сегодня уж он напрягся и сосредоточился, как никогда. Хотелось сделать получше. Лозунг должен висеть в цехе над воротами, и Игорь, когда идет с тележкой к матрице, будет все время его видеть и читать. Что было делать? Стирать кумач, сушить его, гладить — целая история. Можно было, конечно, вписать аккуратно сверху две буквы «ов», как это делается в школьных тетрадях, но это выглядело бы омерзительно. Пока он в панике ломал голову, пришел Авдейчик, бегло посмотрел, похвалил и велел немедленно вешать. Игорь ничего ему не сказал. Так и висит со «штурмиками». Пока никто не заметил, правда, Игорь сразу ушел домой. Есть большие, знаменитые штурмы — например, штурм Измаила или штурм Перекопа, и есть маленькие, скромные штурмики. Интересно, что ему скажут завтра? А если ничего не скажут — признаться ли самому или пускай висит?

Начинается дискуссия. Все возбуждены, забыли про сон и торопятся высказать свою точку зрения на внезапно возникшую коварную проблему. Игорь тоже взволновался и сонливость его исчезла, так же, впрочем, как и чувство в с п у ч е н н о с т и: неплохо бы еще рубануть супу с хлебом. Беда в том, что, как ни говорите, тут есть политическая подоплека. Могут быть неприятности. Бабушка Вера считает, что надо завтра утром во всем признаться и лозунг переделать. Зачем же играть с огнем? Чистосердечное признание... (Все бабушки стоят горой за признания. Можно подумать, что они уже признались во всем, что натворили за долгую жизнь.) Тетя Дина нервно стискивает ладони: «Боже, боже, какой ты растяпа, Горик!» Она полагает, что признаваться глупо — почему не признался сразу? — а нужно сделать дома новый лозунг, кумач она берется достать, и незаметно заменить. По мнению же Марины, не нужно трепыхаться, пусть висит как висит: никто этих лозунгов не читает.

— Держу пари на тыщу рублей, что он благополучно провисит до конца войны!

— Марина, ну как же можно?! — Тетя Дина возмущена не предположением дочери, а ее недальновидностью и легкомыслием.

Игорь наконец соглашается с хитрым планом тети

Дины: написать новый лозунг и незаметно заменить. Тетя Дина предлагает сделать это в воскресенье у ее знакомой, живущей в Гнездниковском, в бывшем доме Нирензее, там большие коридоры, и можно расстелить кумач любой длины.

— Хорошо,— говорит Игорь.— Но меня удивляет одно. Откуда он узнал, что я учился в художественной школе?

— Горик, ты будешь меня ругать, но это, наверное, моя вина,— говорит тетя Дина с несколько торжественной и робкой улыбкой. И выпрямляется с видом готовности принять какой угодно укор и удар.

— То есть?

— Горик, я не могла выносить твои рассказы. Я мучительно думала, я не спала две ночи... Лиза в своем единственном письме писала мне: «Позаботься о том, чтобы способности Горика не пропали...» И вот Горик волочит какие-то трубы, приходит грязный, в мазуте, по двенадцать часов...

— Ну, ясно, ясно! Что дальше?

— Дальше я стала думать, я мучительно думала, перебирала, кто есть у меня. И нашла одного человека из главка — он брат моей хорошей знакомой Фани Громовой...

— Дина Александровна в своем репертуаре,— говорит Марина насмешливо.

— Его фамилия Громов. Ты не слышал?

— Нет.

— Я просила Фаню, та меня познакомила, я все ему сказала, он был очень мил...

— Что ты все сказала?

— Я сказала, что ты мой племянник, одаренный художник...

— Какой я, к чертям, художник! — выпаливает Игорь в бешенстве.— Проучился год в изостудии Дома пионеров, подумаешь! Зачем это? Кто тебя просил? Мне совершенно ни к черту не нужно, и я не хочу, не хочу!

— Но, прости, Горик, я думала только о хорошем...

— Не надо было, ах, не надо, Дина! — шепчет бабушка Вера.

— Мама всегда думает о хорошем, а получается пшик,— говорит Марина.— Типичная историйка.

— Ну, и что Громов? Кто он такой, во-первых?

— Он из главка, Горик, крупный работник, по транспорту. Заведует транспортом, так что от него зависят все заводы. Ты понял? Он обещал поговорить с каким-то человеком на вашем заводе, а тот, по-видимому, говорил с начальником цеха...

— И бедного Горика запрягли после работы на три часа писать плакаты. Хо-хо! — смеется Марина.— А мы тут волнуемся и не знаем в чем дело. Оказывается, во всем виновата Дина Александровна...

Тетя Дина ударяет ладонью по столу.

— Перестань издеваться над матерью, слышишь? — треснувшим голосом вскрикивает она.— Негодяйка! — Лицо тети Дины покрывается бледностью.— Все время издевается над матерью.

— Я?

— Ты! Издеваешься совершенно открыто, беспардонно, пользуясь тем, что...

— Молчу! Всё! Извините, Дина Александровна. Вы всегда правы, я забыла...

Марина идет в свою комнату, по дороге с усмешкой шлепнув Игоря по загривку. Слышно через стенку, как она там закатывается кашлем. Игорь, подавленный всем, что только что узнал, молча разбирает свою постель. Он спит на кровати возле окна, где раньше спала бабушка Вера, а бабушка Вера спит в комнате Марины на кушетке. Наскоро помывшись, Игорь бухается в постель, ложится на бок, сгибает колени, накрывается с головой. Но разговоры, хоть и тихие, в комнате продолжаются. Игорь заметил, что в семье тети Дины любят разговаривать ночами. Вновь появляется Марина, и они с матерью шепчутся, иногда совсем тихо, а иногда довольно громко, так что Игорю слышно. «Нет, Маня, это не причина...» — «А почему ты считаешь, что ты всегда и во всем права? Почему бы ради разнообразия...» — «Потому что я хочу вам добра, идиоты вы!» — «Мамочка, вспомни: ты писала письма в министерство высшего образования, и чем это кончилось...» — «Если бы не твой скандал!» — «Конечно, когда вызывает директор...» — «А почему ты не сказала ему того же, что мне?» — «Боже мой, я не могла, как ты не понимаешь!» Скрипучий шепот бабушки Веры: «Перестаньте! Дайте ему спать».

Он спит. Он видит во сне зимнюю дорогу, по которой идет с отцом ранним январским вечером, справа от дороги заборы, слева лужайка под снегом, исчерканная бороздками лыжней, но в сумерках лыжней не видно, и лужайка кажется нетронуто-белой, посередине ее стоит дуб, дальше смутно чернеет ивняк на берегу невидимого под снегом болотца, еще дальше колышется темной полосою лес, и там, в гущине, почти неразличимая во тьме, мерещится чья-то дача с одиноко светящимся окном. Тихо скрипят на утоптанной твердой дороге валенки. Ясно зеленеет небо. Запах курящегося табака отцовской трубки разносится в морозном воздухе. «Сейчас дойдем до оврага и постреляем»,— говорит отец, сжимая Игореву руку своей рукой. И вдруг Игорь идет один, а отца нет. Чья-то высокая фигура маячит впереди на дороге. Стоит неподвижно, почти сливаясь с темнотою забора. Игорю кажется, что неведомый человек ждет его, и знобящая тревога одолевает Игоря, уже не тревога, а растущий с каждой секундой страх перед темной, поджидающей его фигурой. Игорь совсем один на пустынной просеке, и нужно идти вперед, а ноги не слушаются, он не может сделать ни шага, он прирастает к окаменело-снежной дороге. Фигура, стоящая у забора, внезапно оказывается рядом с ним, и он видит, что это женщина, очень высокая, большая женщина, в пальто до пят, чем-то напоминающем шинель, с воротником из серого каракуля, глухо застегнутым под подбородком, в серой шапочке из такого же каракуля, похожей на невысокую офицерскую папаху, а лицо у женщины круглое, полное и багрово-румяное оттого, что она долго стоит на морозе и ждет его. Женщина смотрит на Игоря глазами-щелочками и улыбается, а он отчетливо видит на ее лице небольшие, черные, закрученные усы и черную бородку, и сердце его останавливается. Это женщина его ужаса. Несколько раз она уже являлась ему и смотрела вот так же, улыбаясь из-под усов, закрученных двумя черными колечками.

V

Стояла пушкинская зима. Все пронизывалось его стихами: снег, небо, замерзшая река, сад перед школой с голыми черными деревьями и гуляющими по снегу воронами, и старинный дом, где прежде помещалась гимназия, где были коленчатые темные лестницы, на которых происходили молчаливые драки, где были залы с навощенным паркетом и где на главной лестнице каменные, желтоватые под старую кость ступени были вогнуты посередке, как в храме, истертые почти вековой беготней мальчиков.

Из репродуктора каждый день разносилось что-нибудь пушкинское, и утром, и вечером. В газетах бок о бок с карикатурами на Франко и Гитлера, фотографиями писателей-орденоносцев и грузинских танцоров, приехавших в Москву на Декаду грузинского искусства, рядом с гневными заголовками «Нет пощады изменникам!» и «Смести с лица земли предателей и убийц!» печатались портреты нежного юноши в кудрях и господина в цилиндре, сидящего на скамейке или гуляющего по набережной Мойки. «Мороз и солнце, день чудесный!» — по утрам декламировал Горик. «Еще ты дремлешь, друг прелестный...» — и он запускал подушкой в Женю, любившую спать долго. «Пора, кра-са-ви-ца...» — слово «красавица» Горик произносил с ужасающей гримасой, чуть ли не скрежеща зубами, чтобы было ясно, что ни о какой красавице тут не может быть и речи.

Вечерами Горик мастерил альбом: подарок школьному литкружку и экспонат для пушкинской выставки (с томящей надеждой получить за него первый приз). В большой «блок для рисования» вклеивались портреты, картины и иллюстрации, вырезанные из журналов, газет и даже, тайком от матери, из некоторых книг и тушью, печатными буквами, переписывались знаменитые стихи. Например: «Я памятник себе воздвиг нерукотворный...» — и тут же была наклеена вырезанная из газеты «За индустриализацию», которую выписывал отец, картинка, изображающая памятник Пушкину на Тверском бульваре. К сожалению, все картинки, вырезанные из газет, пожелтели от проступившего клея.

Мать Горика была увлечена альбомом не меньше сына. Елизавета Семеновна любила поэзию (особенно сатиры Маяковского, а также стихи Веры Инбер, Саши Черного и Агнивцева, многие из которых помнила наизусть) и сама нередко и с удовольствием писала длинные, юмористические стихи, которые очень нравились ее сослуживцам по Наркомзему и публиковались в стенной печати.

«Семья Баюковых к столетию Пушкина!» — такой лозунг выкинула Елизавета Семеновна в январе, когда жили на даче во время каникул. Кто выучит больше строк «Евгения Онегина»? Кроме Николая Григорьевича, который редко приезжал на дачу и вообще плохо запоминал стихи — он знал наизусть одно-единственное, попавшееся где-то в ссылке стихотворение про Сакья-Муни: «По горам, среди ущелий темных, где ревел могучий ураган...» — соревновались все, включая бабушку, Сергея и знакомую девушку Сергея Валю, гостившую на даче. С утра до вечера бубнили стихи. К концу каникул победителем определился Горик, второй была Елизавета Семеновна, потом Женя, Сергей, его знакомая Валя, и на последнем месте оказалась бабушка, сумевшая дойти только до: «...потом мусью ее сменил, ребенок был резов, но мил».

Горик получил от матери награду: пакет марок французских колоний. Правда, он и зубрил как сумасшедший. Иногда просыпался ночью в испуге: забыл строчку! И лежал в темноте, мучаясь, не в силах уснуть, пока не вспоминалось. Главное, хотел выиграть у этого хвастуна Сергея и показать его знакомой Вале, что Сергуня вовсе не такой умный, каким представляется. Подумаешь, студент, курит папироски и покрикивает: «Помалкивай» да «Не твое цыплячье дело!»

Радость омрачилась тем, что Сергуню обошел не только Горик, но и мама, и даже Женька. А Сергунина Валя сказала, что она где-то читала, что память развивается за счет ума. Ну, это они просто оправдывались и старались позолотить собственную пилюлю, и мама им резонно заметила, что Ленин обладал блестящей памятью.

Человек, который выучил за десять дней триста двадцать строк стихов, обязан был победить на школьном конкурсе. И выиграть первый приз: бронзовый бюст Пушкина. Елизавета Семеновна твердо считала, что так и случится, хотя ни единым словом, ни взглядом не высказывала своей уверенности Горику. Это было нечто само собой разумеющееся, и Елизавету Семеновну не колебал даже тот факт, что Горик учился в пятом классе, а в конкурсе участвовали все классы, вплоть до десятого. Елизавету Семеновну отличали оптимизм и искренняя вера в то, что ее семья — лучшая семья в мире, а ее дети своими способностями, воспитанием и заложенным в них нравственным зарядом превосходят любых других детей, знакомых и незнакомых.

Когда на торжественном вечере Горик услышал, что первый приз получил мальчик из восьмого за статуэтку из пластилина «Молодой товарищ Сталин читает Пушкина», второй приз присужден девочке, которая вышила шелковыми нитками покрышку для подушки на сюжет из «Сказки о царе Салтане», а третий приз отхватил Леня Карась — хорош друг, работал втихаря, от всех скрывал! — за портрет цветными карандашами друга Пушкина Кюхельбекера (правда, надо сказать, портрет был мировецкий, самый лучший на выставке), Горик, обомлевший и ужаленный в сердце, все же в первую секунду подумал о маме. Это будет для нее такой удар! Горик решил не передавать тяжелую весть сразу, сначала немного подготовить.

Ведь мама так надеялась, что их альбом — да, да, именно их альбом, она отдала ему столько сил, приносила журналы, отыскивала повсюду малейшее, связанное с Пушкиным,— возьмет хоть какой-нибудь приз, а он не взял ничего и выглядел как-то бедненько рядом с великолепным хламом, скульптурами, резьбой, вышивками, выжиганием, что все вместе вызывало у Горика острое, как боль в желудке, чувство зависти. Один мальчик сделал чертовски замечательную голову (ту самую, что встретил Руслан), совсем как живую, в натуральную величину человеческой головы, она застыла в миг чиха, приоткрыв рот и сморщив лицо. Шлем был сделан из буденовки, обклеенной золотой бумагой, борода и усы настоящие, из волос черного пуделя. Все были в восторге от этой головы. Но мальчик, ее сделавший, не получил никакого приза потому, что внезапно переехал из своего дома и больше не учился в школе. Эту голову на второй день убрали с выставки и куда-то выбросили.

Горик не мог смотреть на свой альбомчик, засунутый в укромное место, в угол зала. Там, верно, имелись грязные места, подчищенные кляксы, кое-где из-под картинок выдавался клей, и самое неприятное — на второй странице в заголовке, написанном акварелью, оказалась пропущенной буква «З». Вместо «произведения» получилось «проиведения». Хотелось все это забыть. Вечером, слоняясь по двору, Горик придумывал, как лучше подготовить мать к неприятности. Леня Карась, слонявшийся вместе с ним, не мог понять, что томит его приятеля. К восьми вечера мороз окреп и началась метель. На заднем дворе — на так называемой «вонючке»,— когда Горик и Леня уже собрались расходиться, к ним пристали ребята из дома четыре. Это был двухэтажный домишко на набережной, где жила тьма-тьмущая пацанов, издавна враждовавших с мальчишками из большого дома. Пацаны из дома четыре имели непонятно уж почему кличку «трухлявые».

«Трухлявые» остерегались заходить в громадные дворы большого дома, где бывало много взрослых, гуляли шоферы возле машин в ожидании начальства, выходили из своих подъездов вахтеры подышать воздухом и размягчить ноги, куда забредали милиционеры с улицы; зато на набережной, у кино, под мостом «трухлявые», всегда ходившие шайкой, брали свое. Предводительствовал у них Костя Чепец, свирепый драчун. Говорили, будто он носит в рукавице свинчатку.

Перед Гориком из пурги внезапно вырос незнакомый, маленького роста пацан и спросил ясно и звонко:

— По ха не хо?

Горику было известно это ставшее за последние дни крылатым выражение, означавшее в сокращении: «А по харе не хочешь?» Ошеломленный наглостью ничтожного на вид пацана, Горик грозно сказал:

— Ну, хо!

Пацан вытянул руку со сжатым кулаком, и тут же кто-то толкнул Горика в спину с такой силой, что Горик мотнулся всем телом и его лицо ударилось о кулак пацана. Сзади, ухмыляясь, стоял Чепец.

— Ты чего?

— Да ты сам просил!

— Я?

— Ты!

Колени Горика подгибались от страха, но он шагнул навстречу зловещей и скалоподобной, почти квадратной в черном меховом полушубке, фигуре Чепца и замахнулся. Неизвестно откуда, подобно молнии, удар в подбородок кинул Горика навзничь. Когда он поднялся с кружащейся, затуманенной головой, то увидел, что Леня дерется с тремя или четырьмя «трухлявыми», пальто его растерзано, шапка сбита, и вдруг все «трухлявые» исчезли вмиг, как стая воробьев, а Леня лежит на снегу. Горик подбежал к нему.

Леня встал сам, зажимая ладонью нос.

— Жуба нет...— сказал он и сплюнул темной слюной.

Нашли шапку. Леня приложил снег к носу и к глазу, но кровь не останавливалась. Неожиданно Леня покачнулся и снова рухнул на снег. Голова его запрокинулась. Горик видел однажды, как Леня бился в припадке на полу класса во время перемены, как его держали за ноги и за голову, как лицо его стало неузнаваемо страшным, багровым, дергалось одной щекой, глаза закатились и смотрели почти запавшими глазными яблоками в разные стороны, и все девчонки тогда с визгом выбежали, а мальчишки остались и смотрели. Через несколько минут Леня перестал дергаться, его подняли, увели в учительскую, там он полежал, отдышался и вернулся к уроку географии. Потом ребята спросили, помнит ли он что-нибудь, и он сказал, что не помнит ничего, только как будто красные кони перед глазами: налетели откуда-то, все застлали, одно красное. И еще это красное настигало Леню в драках: он в п а д а л в я р о с т ь. Ребята знали это, боялись его, даже старшие остерегались трогать. Чепец, наверно, не разглядел в темноте, что нарвался на Леню, оттого они так быстро и смылись.

Горик испугался, что сейчас начнется припадок, но Леня посидел-посидел на снегу, запрокинув голову, с закрытыми глазами, потом протянул Горику руку, тот его поднял и встал рядом, чтобы Леня мог обнять его за плечи.

— Сволочь Чепец... Бил в поддыхало...— сквозь колотящиеся зубы сказал Леня.— Ну, я ему сделаю...

Идти к Лене домой, пугать Лину Аркадьевну, было нельзя, решили пойти к Горику. Стоя на лестничной площадке перед открытой дверью, Горик выпалил матери все: про драку, про то, что Лене нельзя домой, про Ленин третий приз и про свое ничего.

Елизавета Семеновна так затряслась, увидя окровавленного Леню, что ничего, кажется, не поняла и даже не расслышала про конкурс. Но немного погодя она вдруг спросила у Горика шепотом:

— Неужели ничего? Так-таки ничего?

У Лени действительно был выбит зуб. Правда, этот зуб шатался и раньше. Уходя, Леня сказал Горику, что решил дать одну железную клятву. Какую именно, он откроет это завтра, после второго урока. Горик давно заметил, что Леня Карась всегда полон каких-то секретных фантазий, сопряженных с клятвами и тайнами, но привыкнуть к неиссякаемой Лениной таинственности не мог. Она причиняла ему боль. И заставляла ревниво и преданно любить друга, загадочного, как граф Калиостро. Весь вечер и часть ночи Горик мучился, стараясь догадаться, какую же клятву придумал Леня.

За ужином Сергей, очень ехидный человек, долго и отвратительно шутил по поводу неудачи с альбомом.

— Значит, говоришь, твое «проиведение» не «проивело» впечатления? Выходит, так?

— А ты и так не сделаешь!

— Это другой вопрос. У меня никогда не хватило бы твоего конского терпения...

— Се-ре-жа! — Елизавета Семеновна тихонько стучала пальцем по столу, глядя на брата осуждающе круглыми глазами.

Сергей в ответ ей подмигивал. Она едва заметно качала головой. Он, не обращая внимания, продолжал:

— И я никогда не стремился, чтоб ты знал, к призам, наградам, пышкам и коврижкам. Премии только портят истинного художника. Чтоб ты знал: Верещагин отказался от звания академика именно по причине...

— А я и не хотел! Подумаешь! — выкрикнул Горик, чувствуя, как в нем поднимается обида, боль и ненависть к Сергею.

— Никогда не надо делать специально на премию.— Сергей наставительно качал пальцем.— Надо — для себя. Для души. Понял? Для собственного удовольствия...

— Не знаю, зачем ты взялся читать ему мораль. Горик, по-моему, все понимает и нимало не огорчен,— сказала Елизавета Семеновна.— Так мне кажется. Правда, Горь? Было бы, ей-богу, глупо огорчаться из-за таких пустяков. А время зря не потрачено. Горик еще лучше узнал и полюбил Пушкина, запомнил много стихов. Познакомился с такими художниками, как Бенуа, Лансере...

Горик крепился, но когда Женя вдруг сказала, что он сделал самый лучший альбом и девочки из третьего «Б» сегодня спрашивали, правда ли, что это сделал ее брат, Горик не выдержал, выскочил из-за стола и бросился в детскую. Все вдруг раскрылось. Он понял, что гнусно и непоправимо унижен. Ему вспомнились вечера под лампой, его труды, надежды, беззаветно испорченные книги. Маленький пацан вышел из пурги и спросил: «А по ха не хо?» — и кто-то предательски, со зверской силой ударил в спину. Лежа на кровати, уткнув воспаленное лицо в подушку, Горик думал о мире, где все так неправедно и непрочно. Почему? За что? Ему хотелось мстить, но было еще неясно кому. Вообще всем — кто присуждает несправедливые призы, кто выскакивает из пурги, кто бьет в спину, кто издевается и злорадствует по поводу неудач.

Спускаясь в лифте, где густел устойчивый запах лака и дыма хорошего трубочного табака,— с тех пор как пять месяцев назад Николай Григорьевич бросил курить, он стал неприязненно повсюду улавливать запах табачного дыма, даже определять сорта,— Николай Григорьевич вдруг решил, что если будет ждать «роллс-ройс», тогда дело худо, если же подадут «эмку», тогда — обойдется. Никогда прежде ничего не загадывал. Даже в ссылках, где гаданье о будущем было такой же необходимой страстью, как разговор, как охота или писание писем. Но Лиза с ее полудетским и шуточным суеверием в последний год научила его этой игре. Он стал загадывать: на очки, на стариков, на номера трамваев. Просто оттого, что он много думал о Лизе. Это было связано с ней.

Стоял «роллс-ройс», черный, как гроб. Гранитный цоколь и белая облицовка качнулись назад, близко заглядывавшие лица прохожих, путь которых через Охотный ряд на несколько секунд преградил длинный автомобиль, были по-зимнему мрачны. Николай Григорьевич ехал для бесцельного разговора. Он уже понял из двух слов, сказанных только что по телефону, что Давид ничего не сделает. Наверное, просто не может. А признаться в том, что не может, для человека, который еще недавно мог, нелегко. Тогда он пойдет к Флоринскому. В пятницу на приеме в честь финского министра иностранных дел Холсти Николай Григорьевич пересилил себя и, подойдя к молодецки румяному, зализанному, в безукоризненном смокинге Флоринскому, сказал, что хотел бы поговорить с ним по срочному делу. «А ты зайди! Мы ж теперь соседи, зайди вечерком»,— по-простецки отозвался Флоринский. «Ладно. Зайду»,— небрежно кивнул Николай Григорьевич, и на сердце его отлегло. Только через минуту он вспомнил, что Арсений Флоринский никогда не говорил ему «ты», что последний раз они разговаривали лет пять назад и что в двадцатом году, когда Флоринский работал в трибунале дивизии, его называли не иначе как «Арсюшка» и Николай Григорьевич гонял его, как простого ординарца.

Неделю назад позвонила семнадцатилетняя дочка Лизиной сестры Дины с просьбой о встрече — но так, чтоб никто не знал. Боялась, наверное, матери. Николай Григорьевич догадывался, что разговор пойдет о Никодимове, отце Маринки, с которым Дина уже пять лет жила, по существу, в разводе. Павел Иванович Никодимов по кличке Папа был старый товарищ по Березовской и Иркутской ссылкам, отличный мужик, честнейший и принципиальный до глупости, а в житейском понимании недотепа и дундук, из-за чего, кажется, и вышел разлад с Диной. В годы войны в нем что-то надломилось, он стал оборонцем, а в семнадцатом после апреля и вовсе сник, завял и ушел окончательно и твердо в инженерию: строил турбины. Неприятности у него начались давно, с тридцать первого года. Все его за что-то цепляли, тягали, куда-то припутывали: то к делу «Виккерса», то к делу инженеров-уральцев наподобие «промпартии». Давиду и Николаю Григорьевичу удавалось выручать. Однажды в Гагре на отдыхе, лет шесть назад, Николай Григорьевич получил внезапную телеграмму: «Умоляю спасти легкими очень плох зиму не выдержит = Ундина».

С каждым годом Николаю Григорьевичу было все туже обращаться по таким делам: тех, кого он знал, когда работал в Коллегии, давно не существовало, одни умерли, другие исчезли, третьи были оттеснены, четвертые хоть и работали на прежних местах, но настолько разительно переменились, что обращаться к ним было непосильно. Один Давид не менялся. Но он уже ничего не значил. Или — почти ничего. Там заправляли люди молодые и неожиданные, вроде Арсюшки Флоринского. Павла все-таки удалось вытащить из группового дела, Николай Григорьевич устроил его в системе своего комитета: в трест «Уралосталь». А Дина, так хлопотавшая за мужа, ехать с ним на Урал отказалась и осталась с дочкой в Москве. В конце прошлого года возникла необходимость послать специалиста в Англию на завод, поставлявший в «Уралосталь» турбины. Лучшей кандидатурой был, конечно, Павел. Николай Григорьевич предвидел затруднения, но все-таки утвердил кандидатуру Никодимова, хотя Мусиенко, заместитель Николая Григорьевича и куратор двадцати уральских заводов, возражал очень резко. Конфликт разросся, Николай Григорьевич не уступал, Мусиенко упорствовал (тезисы были элементарны; с одной стороны — «политическое недоверие», с другой — «бездоказательные обвинения» и «деловые качества»), дело дошло до СНК, а Павел жил в своем Златоусте, ничего не подозревая. Николай Григорьевич взял верх, Никодимова утвердили. В начале января его вызвали в Москву для оформления командировки, а десятого января Николай Григорьевич получил официальное сообщение — принес плотоядно сияющий Мусиенко — о том, что Павел арестован в поезде по дороге из Челябинска в Москву и ему предъявлено обвинение в контрреволюционной деятельности. Уже прошел месяц, но подробностей выяснить не удавалось, а несколько дней назад Маринка показала тетрадь Павла с его записями о своих мытарствах 1931-го и 1932 годов. Называлась тетрадка: «Чего я никогда себе не прощу».

Николай Григорьевич перечитал тетрадь дважды. Обстоятельным канцелярским слогом, каким пишутся инженерные отчеты, Павел излагал, как и в чем его обвиняли в 1931 году и почему он подписал тогда «сознание». Из записи получалось, что его просто околпачили, или, скорее, с о б л а з н и л и, в исконном значении этого слова, близком к понятию смущения, околдования духа. Интересен был метод соблазна. На Павла давили именно по линии его «дундуковства», то есть сугубой и дурацкой совестливости. Тетрадь привезла незнакомая женщина, родственница тех людей, у кого Павел снимал в Златоусте комнату. По-видимому, записи делались год или два назад. Зачем? Скорее всего, это был род исповеди, мемуаров для себя и одновременно некий обет: «Никогда больше ложных показаний, следовательского вранья я не подписывал и подписывать, разумеется, не стану».

Николай Григорьевич обещал привезти тетрадь Давиду, с которым он говорил третьего дня по телефону и который сказал, что попробует навести справки о Павле. И вот он ехал к старику — без всякой надежды. Он опять подумал о Лизе, и его сердце стиснула нежность. Но это была нежность к чему-то гораздо большему: к февральскому вечеру, к снегу и к темным домам, и Лиза была частицей всего этого. Он вытащил из портфеля тетрадь, включил лампочку в потолке своего тихо, по гололеду, катящегося гроба и, приблизив тетрадь к близоруким глазам, стал листать ее, ища одно место. Это было чрезвычайно важное и нужное место. В нем туманился какой-то ответ — может быть, тень ответа — на то мучающее недоумение, что было главной тоской и главной загадкой последних лет, последнего месяца.

«...И досаднее всего, что я не столько струсил, написавши в 1931 году две строчки «сознания», сколько проявил доверие к людям, вовсе его не заслуживавшим. Теперь тем более мне необходима выдержка! Возьмем литературный пример: Хаджи-Мурат Л. Н. Толстого. Совершенно реальный тип, взятый с натуры. Он рассказывает русскому офицеру, как он растерялся, когда при нем стали убивать его начальника и молочного брата, и он один ускакал от многочисленных убийц. «Как же ты струсил, ты, знаменитый храбрец?» — спросил его офицер. Да, он струсил, но он стиснул зубы и больше никогда этого не делал — всю жизнь!

Другой пример: евангельский апостол Петр. Петр, наверное, даже не существовал в действительности. Но эта живая фигура, несомненно, списана с какого-то живого человека. Он был предан Христу, и, когда того стали арестовывать, он выхватил нож и ранил того, кто пытался арестовать. Но Христос взял да и запретил Петру защищать его! И Петр перестал что-либо понимать. Не зная, что делать, он даже стал отрекаться от соучастия с Христом, когда у ночного костра страж начал признавать его как ученика Христа. А потом он одумался и полностью оправдал свое имя Петр, что значит — камень. Разгадка в обоих случаях такая: не трусость решила все. Решили растерянность и недоумение. Ведь и у меня огромную роль сыграло изумление — разве способны эти блюстители законности на пакость? И вывод один: стисни зубы и скажи: «Раз обманули — больше не обманете...»

Машина поворачивала, съезжая с моста. Со стороны «Ударника» темным потоком шла толпа — наверное, только что кончился сеанс,— некоторые бежали, норовя проскочить перед самыми фарами медленно едущего «роллс-ройса». Арка, поворот налево — а двор, в котором жил Николай Григорьевич, остался справа,— и машина остановилась напротив четырнадцатого подъезда.

С Давидом, как с братом Мишкой, говорить можно было в открытую. Николай Григорьевич однажды и на всю жизнь, со станка Байшихинского на Енисее, когда впервые увидел маленького, бородатенького еврея с глазами навыкат, услышал его разговор о письмах, которые тогда сочинялись дураками в надежде на амнистию по случаю романовского юбилея, уверовал в то, что бородатенький — умница.

Жил Давид на девятом этаже в квартире из двух комнат, загроможденных книжными шкафами. Семьи у Давида никогда не было. Лет восемь назад он взял из детдома парнишку Вальку, сейчас Вальке было пятнадцать, учился он скверно, болтался во дворе со шпаной. Какой из Давида воспитатель, когда он до ночи, массами, воспитывал других: в комиссиях, комитетах, на пленумах? Дома оставалась старушка Василиса Евгеньевна, навек преданная Давиду за какое-то его «святое дело» в восемнадцатом году, кого-то он спас от расстрела. Спасал Давид многих. Казнил тоже. Он работал в партконтроле, в комиссиях по чистке, в Прокуратуре.

Старик-коротышка с большой головой младенца в белом пуху, в пенсне, с недовольно оттопыренными толстыми губами, в сползших с живота старых пижамных штанах и в пижамной же, но другого цвета кофте и в шлепанцах на босу ногу встретил Николая Григорьевича в коридоре. Он кивнул и, не сказав ни слова, повернулся и пошел, шаркая, в кабинет. Старик не выдержал во рту шелухи, всех этих бессмысленных «Заходите», «Пожалуйста», «Как дела?», «Будьте здоровы».

Он схватил тетрадку и сразу стал читать. Сочинение было длинное, он читал долго, изредка кроме сопения издавая носом и горлом еще другие звуки, вроде всхрапыванья и слабого кряхтенья. Вошла старушка в платке с сохлым коричневатым личиком, Василиса Евгеньевна, принесла чай. Пока Давид читал, она примостила свое легкое, из воздушных косточек, тельце напротив Николая Григорьевича, на краю кресла, и шепотом спрашивала о доме, все ли здоровы, как Елизавета Семеновна, как бабушка Анна Генриховна, как дети и не надо ли творожка, она взяла два кило в распределителе, а им много, никто не ест...

Давид вдруг отшвырнул тетрадь:

— Не могу я читать этого! Мне вспоминается софизм гимназических времен: один китаец сказал, что все китайцы лгут. Вот он утверждает, что он честный человек, и что лишь однажды сказал неправду, признав себя нечестным человеком, и что никогда больше неправды говорить не станет. Так? Сегодня утром мне сообщили — это досконально точно,— что недавно на допросе он признался в том, что состоял в террористической организации, что с двадцать девятого года завербован германской разведкой, и назвал четырнадцать человек своих сообщников.

— Господи, спаси и помилуй...— Тихонько зевая и крестя рот, Василиса Евгеньевна побрела из комнаты.

— Так. Ну? — сказал Николай Григорьевич.

— Стало быть, я уже ничего не понимаю. Когда он был честен? Тогда ли, когда впервые назвал себя вредителем, состоявшим в терорганизации? Или тогда, когда признал эти показания ложными и поклялся никогда больше не лгать? Согласись, что оба утверждения — хотя они взаимно исключают друг друга — при той новой информации, которую мы получили сегодня утром, ведут к единому выводу...

— Постой, ты можешь просто, без талмудизма, сказать: ты веришь в то, что Павел враг?

Положив короткие ручки на колени, старик печально и твердо смотрел Николаю Григорьевичу в глаза. Такой же слегка остекленевший взгляд был у него — Николаю Григорьевичу вспомнилось,— когда судили Путятина в двадцать первом году. Вот оно, великое минералогическое свойство этого характера: проходят десятилетия, а он остается самим собой.

— Я Павла знаю тридцать лет, так же как ты,— сказал Давид.— Он был отчаянный парень. Он же был бомбист. В Березове, помню, он написал брошюру о борьбе с провокацией, очень дельную...

— Когда это было.

— Коля, запомни: люди меняются только внешне, надевают другое платье, другие шапки, но их голая суть остается. Почему ты думаешь, что Павлу все должно было нравиться, что происходит? Ничто не должно было вызывать протеста? Я знаю, он давно отошел от политики. Но именно поэтому он мог сохранить старомодные представления о формах протеста, борьбы...

— Да не верю я в это!

— А я не верю в то,— закричал вдруг Давид,— что ты, я, Павел, любой из нас, мог бы подписать заведомую неправду под давлением ли...

— Но ведь подписывают! И в августе, и вот в январе — мы же с тобой говорили... И ты говорил о «временном безумии»...

— Там дело другое. Другие законы, жанры! Там вопросы большой политики. В конце концов, чего греха таить, и Каменев, и Зиновьев, и Гриша Бриллиант, и Пятаков никогда не относились к Кобе с любовью, это известно. И они политики до мозга костей. Они могли и подписать и наговорить на себя бог знает что — действуя, как я уже сказал, по законам жанра. Но чтобы наш Папа, Пашка Никодимов, который давно уже не играет в эти штуки и не хочет знать ничего, кроме своих турбин и котлов, чтобы он подписал ложь под давлением ли страха, посулов, шантажа, чего угодно — не может быть! Исключено! Брехня! Пытки, да? Какого черта? Зачем? Вздор, Коля, архивздор и мировая чепуха. Когда в Орловской тюрьме следователь, мерзавец, пытался заставить меня назвать товарища по одному эксу — мы взяли тогда кассу в Витковском переулке, без единого выстрела, товарищем был, кстати, Жорж Рапопорт, ты его должен помнить, который бежал потом в Америку с Завильчанским,— так вот я ему, мерзавцу, сказал: «Скорее волосы вырастут на этой ладони, чем я скажу вам, милостивый государь, хоть слово!» И сунул ему ладонь в нос, вот этак! — Давид приблизил свою ладонь к лицу Николая Григорьевича.— Меня — в одиночку, я — голодовку. И голодал восемнадцать дней... А тут — выдать четырнадцать человек! Вот что меня сразило. Ты представляешь, что бы мы сделали с ним в Байшихинске, если б узнали о нем такое? Убили бы, как собаку!

Николай Григорьевич думал: «А вдруг Давид прав?.. Ведь он не говорил этого об Иване Снякине — хотя, правда, об Иване ему ничего не удалось узнать... Человек, доведенный до крайности, отвергнутый, в тоске, черт его знает, на что способен».

— Старые впечатления оседают в нас, как хронические болезни, вроде радикулита или язвы, и мешают воспринимать, Коля...

Мысль о том, что Давид прав, постепенно вникала в Николая Григорьевича, превращаясь в убеждение и в некоторое даже облегченье души. Было, конечно, больно думать о Павле, о его погибели, о судьбе Маринки (за Дину Николай Григорьевич был почему-то спокоен), но одновременно возникло чувство покоя, ибо восстанавливался разрушенный было хаосом и необъяснимостью порядок мира. Николай Григорьевич вдруг спросил — этого потребовало возникающее чувство покоя, желавшее быть полным:

— Среди тех четырнадцати, кого он выдал, нет ли моей фамилии? А? — Он засмеялся.— Могла быть. Я устраивал его в «Уралосталь»...

— Не знаю. Зачем спрашивать чепуху?

— Я рекомендовал его недавно в командировку на заводы Дженкинса, в Англию. Боролся за него люто, так как считаю его лучшим на Урале. Кроме того, он ведь какой-то мне родственник, очень дальний...— Николай Григорьевич опять коротко засмеялся. Он почувствовал, что говорит унизительно.— Хотя теперь уже никакой.

— Не знаю. Мне неизвестно,— сказал Давид сухо.

Ему не понравились слова Николая Григорьевича, которого он любил и считал честнейшим работником. Даже шутливое предположение, что Николай Григорьевич мог попасть в список заговорщиков, показалось ему диким и дурацким. Он сердито засопел, засвиристел, выпуская воздух через нижнюю выпяченную губу, готовясь тотчас же и очень грубо обрезать Николая Григорьевича, если тот вздумает развивать тему дальше. Но тут в комнату без стука и спроса вошел долговязый, на голову выше Давида, белобрысый Валька и скрипуче сказал:

— Давид, дай мне полтинник на кино!

Старик отпер шкаф, стал рыться, бренча копейками,

в кармане брюк. Валька стоял посреди комнаты, подбоченясь и в нетерпении слегка выстукивая одной ногой чечетку.

— Как ты говоришь с отцом? Какой он тебе Давид? — вдруг озлившись, сказал Николай Григорьевич.

— А что? — Валька посмотрел невинно.— Он же не Иван, не Селифан какой-нибудь, верно же? Давид, он и есть Давид...

Хотелось щелкнуть его по башке, имевшей форму огурца, башке второгодника и хитрого тупицы, но Николай Григорьевич сдержался, заметив метнувшийся к нему испуганный и какой-то покорный взгляд Давида. Николай Григорьевич отошел к окну. Он слышал, как Давид спросил: «А какая картина в «Ударнике»?» — и скрипучий хохоток Вальки: «А ты чего, собираешься пойти?»

Уже месяцев шесть Давид не работал в Прокуратуре. Его выжил Вышинский. Теперь Давид занимал какую-то почетную, но десятистепенную должность в Наркомпросе, писал статьи, выступал с лекциями. Это была, конечно, отставка. Он работал сейчас над статьей, посвященной 25-летию Ленского расстрела, и Николай Григорьевич покинул его за столом, заваленным книгами и листами бумаги, исписанными крупным, поспешным почерком человека, работающего в упоении. Давид обещал сделать все, чтобы помочь Павлу материально — послать деньги, вещи. Но морально он ему не сочувствовал. Выдать! Четырнадцать человек!

Ощущение возникающего покоя вдруг пропало. Николай Григорьевич ушел, подавленный тоской: то была не личная, не направленная на самого себя тоска, а тоска вообще, смутная и не имевшая границ и оттого не поддававшаяся лечению. Может быть, так подействовало одиночество Давида — на девятом этаже, в пещере из книг и старых бумаг, одиночество со старушкой Василисой Евгеньевной, которая сидела вечерами на кухне и читала «Пионерскую правду» (газета выписывалась специально для нее), и с оболтусом Валькой, убегавшим до ночи. Николаю Григорьевичу захотелось скорее домой, к Лизе, к детям, к тому, что было беззаветно, прочно, единственно, но в этот вечер он пришел домой поздно.

Он встретил Флоринского.

Во дворе, возвращаясь от Давида, наткнулся на

его автомобиль. Флоринский с сыном, дочкой и двумя то ли приятелями, то ли адъютантами, то ли телохранителями приехали с «динамовских» кортов, где смотрели какие-то теннисные соревнования. От Флоринского пахло коньяком, и он с преувеличением, азартным радушием стал зазывать Николая Григорьевича зайти к нему сейчас же в гости. «Ты же грозился! Пользуйся случаем! Обычно я прихожу в четыре утра...»

Это «ты» и развязный тон опять резанули Николая Григорьевича, он хотел было холодно отказаться, сославшись на то, что поздно и его ждут дома,— Давид сказал, что Флоринский опасный тип и соваться к нему не следует,— но заколебался, подумав, что такого случая может действительно больше не представиться. Он посмотрел на окна своей квартиры в углу двора. В столовой горел оранжевый свет, в детской было темно. Значит, ребята легли, он опоздал. Лиза знала, что он зайдет к Давиду, и пока еще не беспокоилась. Зайти? В этом громадном доме — доме-городе с населением в десять тысяч человек — жило множество знакомых Николая Григорьевича, но он почти никогда и ни к кому не заходил в гости. Давид был свой, он не в счет. А сейчас тянуло зайти, узнать, даже не узнать, а почувствовать — Арсюшка, конечно, не станет рассказывать всего, что знает, а знает он достаточно, он все-таки там, при кухне, где пекут и варят, и на его руках и платье остаются запахи этой кухни, этой готовки, варки, горячих брызг.

Пока шли к подъезду и потом поднимались на лифте, обсуждали теннисный матч какого-то гастролера с нашим сильнейшим чемпионом. Николай Григорьевич ничего не понимал в этих спортивных делах и слушал разговор вполуха. Наш чемпион проиграл, кажется, в пух и прах, и все этим возмущались. Особенно возмущался сын Флоринского, он был просто бледен от гнева: «У него это не первый раз! Саботажник чертов! Отец, ты должен сказать...» «Я уже говорил,— кивал Флоринский.— Совсем потеряли ответственность...»

Дочка Флоринского вдруг спросила:

— А Игорь уроки уже сделал?

— Не знаю.— Николай Григорьевич, улыбаясь, посмотрел на девочку. Она была рыжеватенькая, лобастая, с серьезным и каким-то затуманенным взглядом.— Ты знакома с Игорем?

— А мы в одном классе. У нас сегодня был Пушкинский вечер...

Дверь отворила жена Флоринского, крупная, восточного типа женщина, считавшаяся красавицей. Про нее что-то рассказывали, но Николай Григорьевич забыл, что именно. Что-то о ее прежних мужьях. Усадили за стол, стали угощать, Николай Григорьевич выпил рюмку коньяку, очень настаивали. Шел разговор о вчерашнем концерте в Большом театре, Козловский был изумителен, Нежданова бесподобна, Андрей Сергеевич сделал очень глубокий доклад, какой анализ, ничуть не хуже Анатолия Васильевича. Николай Григорьевич наливался угрюмостью. «Хуже! Анатолий-то Васильевич не дошел бы до того, чтобы доклад о Пушкине заканчивать словами: «Книги Пушкина накаляют любовь к Родине, к великому Сталину».

Приход сюда был бессмыслен. Флоринский рассказывал о каком-то приеме у Ежова третьего дня, в честь велопробега пограничников. Агранов сострил, Николай Иваныч поморщился. Николай Иваныч сказал, Николай Иваныч провозгласил... Прислуга, дородная дама в наколке, чем-то похожая на жену Флоринского — такая же черноволосая, гладкая, с белой кожей,— несла, трясясь и придерживая плечом и подбородком, поднос с закусками, нагруженный как подвода. Арсюшка хотел сначала ошеломить, а потом разговаривать. Николай Григорьевич, скучая, оглядывал столовую, имевшую музейный вид: какая-то темная старина в бронзовых рамах, фарфор, хрусталь, буржуазность. «Ну и ну! — думал Николай Григорьевич.— Кто ж тебе ворожит? В прежние времена твое бы место — в райотделе, уполномоченным».

Арсений Иустинович Флоринский, хоть и выпил за день немало, был совершенно трезв и сквозь шуточный разговор, закуску и музыку (дочка завела патефон с французскими пластинками) смотрел на нечаянного гостя с тайно-жадным вниманием. Заметной чертой характера Арсения Иустиновича, чертой, определявшей многие поступки и, может быть, само поступательное и энергичное движение его жизни, было редкое злопамятство. Коварство природы заключалось в том, что столь отвратительным свойством она наградила человека на вид простодушного, курносого, со здоровым спортивным румянцем, располагающей улыбкой и голубыми глазами.

В злобной памяти Арсения Иустиновича хорошо сохранился эпизод: осенью двадцатого года он, молоденький мальчик в кожаном сюртуке до колен, с маузером на боку, секретарь ревтрибунала города Владикавказа, примчался на дрезине в Ростов, где стоял штаб фронта, и прямиком — в бывший парамоновский особняк, на второй этаж, к члену Реввоенсовета Баюкову. Трибунал города Петровска присудил к расстрелу следователя местной ЧК Бедемеллера А. Г., попросту Сашку, двоюродного брата Арсения Иустиновича, за использование мандата ЧК в корыстных целях, вымогательство и грабеж населения. Приговор, как полагалось, был послан на утверждение в РВТ фронта, и Сашкиной жизни оставались считанные часы. Баюков среди членов РВС был известен как либерал, писал обыкновенно «Приостановить исполнение», кроме того, он еще с девятнадцатого года, с Саратова, знал Арсения Иустиновича, называл его Арсюшкой и однажды помог его матери-старухе, послав ей мешок муки. К изумлению Арсения Иустиновича, Баюков очень резко и грубо ему сказал: «Мы можем простить любого, но не чекиста», И Сашка Бедемеллер, не доживший до двадцати трех лет, был расстрелян на рассвете в балке под городом. Арсений Иустинович отлично запомнил этот день — темный, удушливый ноябрь — не потому, что сильно горевал о Сашке, но потому, что Баюков так беспощадно отверг его доверительную и почти что слезную просьбу. В этой беспощадности было главное, что поразило. Ведь Баюков был добрый человек и к нему, к Арсюшке, относился почти как к сыну или младшему брату! И хотя в памяти остались даже мысль той внезапной, злорадной ненависти: «А ЧК совсем не то, что ты думаешь, чертов каторжник!» — и ощущение, что он, юноша, что-то угадал и увидел дальше, чем старый революционер с шестнадцатилетним стажем, но остался также великий и заразительный пример беспощадности — беспощадности, *имеющей право*.

Потом годами не виделись, Арсений Иустинович учился, работал в следственных органах на Украине, в Закавказье, встретились году в двадцать пятом на Пленуме Верхсуда в Москве — «старый революционер» был тогда крупный чин в Военной коллегии, носил четыре нашивки, называл Арсения Иустиновича по-прежнему Арсюшкой и улыбался покровительственно, как юному провинциалу,— потом Арсения Иустиновича перевели в Среднюю Азию, там была сеча, стреляли и убивали, но он выбрался невредимым, попал в Семипалатинск, оттуда в Москву, выдвинулся после закрытого «дела военспецов», где сумел проявить себя почти гениально, со «старым революционером» уже не встречались, того сшибли на хозяйственную работу, как и следовало ожидать, и он там чах и тух со своими каторжанскими взглядами, занимаясь неведомо чем. Теперь он прозябал в СНК, в каком-то занюханном, бесполезном комитете. И от прежней важности не осталось ничего, кроме лысины и очков. Он-то думал, наверное, что о нем забыли, и раза два на каких-то дрянных приемах — на большие приемы его, разумеется, теперь не зовут, кому он интересен,— делал вид, что не замечает или не узнает Арсения Иустиновича, но Арсений Иустинович помнил все исключительно прекрасно. Его память была как сейф, где хранилось множество ценных вещей. Он помнил, например, имя женщины, с которой у «старого революционера» был, по слухам, роман в Ростове, и чья она была родственница, и что о ней говорил один человек, причастный к назаровскому мятежу.

Едва обосновавшись на новой должности, в чине комиссара 1-го ранга, он сразу поинтересовался рядом лиц, в том числе Баюковым. Бумаги были занятные. Была, например, справка, составленная более года назад, в январе 1936 года, начальником 10-го отдела ГУГБ НКВД старшим лейтенантом имярек о том, что Баюков является скрытым троцкистом, контрреволюционно настроен и был связан со Смилгой, Зиновьевым, Каменевым, теперь уже мертвецами. Одной этой справки было достаточно, чтобы вбить ему очки в лоб, но день еще не настал. Когда он подошел в финском посольстве как ни в чем не бывало, стараясь сохранять остатки былого величия, и, криво посмеиваясь, попросил о встрече, Арсений Иустинович даже обрадовался: недурно было бы разработать его поподробней, вплотную. Пусть зайдет, поглядит квартиру. Арсений Иустинович гордился новой квартирой, куда переехал недавно из 4-го Дома Советов: сто двадцать метров одной жилой площади! Кабинет гигантский. Жаль, что работать в нем не удается, дома только завтракаешь да спишь. Квартира до прошлого лета принадлежала одному из тех, чье поганое имя будет навеки проклято человечеством. Ремонт был полный, даже сменили паркет.

Радостное чувство власти, но не грубой полицейской, а истинной, тайной, имеющей близость к року и божественному промыслу,— тончайшее наслаждение, ради которого единственно и стоило жить, ибо все прочие оргазмы жизни были так или иначе доступны миллионам, как общий городской пляж в Ялте, родном городе Арсения Иустиновича, где он родился в конце века в семье судебного чиновника, обнищавшего от болезней и умершего в один год с Толстым,— не покидало Арсения Иустиновича, и он с истомной доброжелательной улыбкой смотрел на Николая Григорьевича и кивал ему, ободряя глазами: «Балычка, Николай Григорьевич! Икорки бери! Еще рюмку, Николай Григорьевич!»

Метель прошла, было морозно, ясно, на дворе тихо лежал оранжевый — от тысяч абажуров, смотревших в окна,— снег. Дворники усердно скребли, стучали, торопясь расчистить дорожки для гуляющих, что вышли по совету кремлевских врачей на вечерний терренкур: похватать морозцу перед сном. Николай Григорьевич тоже шел медленно, дыша морозом, разгоняя легкий коньячный хмель. Странный фрукт этот Арсюшка Флоринский! Час разговаривали, и ничего не разъяснилось, все только затемнилось и запуталось. Не дурак, значит, если умеет путать. Нет, не дурак, не дурак. То есть он дурак, разумеется, но не в том смысле, в каком можно подумать, поглядев на него и поговорив с ним десять минут. На такие места, куда его вытащили, люди зря не попадают. О Павле он расспросил подробно, записал, обещал узнать и выяснить, в чем дело, но у Николая Григорьевича во время разговора неотвязно было гадостное ощущение, будто все, что Арсюшка расспрашивает якобы сочувственно и записывает тонким карандашиком на листах бумаги, лежавших в красивом, из красной кожи, бюваре посреди стола, нужно ему не для того, чтобы помочь Павлу и установить истину, а для того, чтобы как-то и что-то выудить из него, из Николая Григорьевича, вызнать какие-то сведения. И как ни стремился Николай Григорьевич свести разговор на тон небрежно-открытой приятельской беседы, Арсюшка исподволь, но упорно противился этому, и выходило похоже на допрос свидетеля по делу. Он даже имел наглость поучать Николая Григорьевича и советовать, как себя вести в нынешние времена («Времена серьезные в высшей степени. Можешь мне поверить, я-то знаю. Через несколько дней — скажу по секрету — будет Пленум ЦК по вопросам внутрипартийной демократии... На местах страшно обюрократились, а о бдительности забыли... Говорят, выступит Иосиф Виссарионович... Главное звено: борьба с нарушителями демократии, с врагами, которые маскируются партийными билетами... Псевдокоммунисты... Мой совет: оборвать все связи с оппозицией, все личные отношения — я знаю, формально ты никогда... но фактически твои дружеские...»).

Николай Григорьевич накалялся злостью, но терпел, убеждая себя в том, что все это, быть может, принесет какую-нибудь пользу Павлу. И, только уходя, понял, что никакой пользы не будет. Смутная тоска, напавшая на него в квартире Давида, охватила с такой силой, что защемило сердце. Вдруг он увидел ясно: Арсюшка далеко уже не Арсюшка. Время этой собачьей клички («Арсюшка, фас!») давно прошло. Арсений Иустинович Флоринский, действительный тайный советник, сенатор, вхож к государю, один из заправил департамента, зимами в Ницце... И то, как он подал руку на прощанье, как блеснули департаментским холодом его глаза — он даже не вышел в коридор, простился в дверях кабинета,— было фактом, над которым не стоило потешаться, его следовало молча и хладнокровно принять.

Дома были гости: Дина со своей матерью, умненькой старушкой Верой Андреевной, и дочкой Мариной. Марина сразу сделала Николаю Григорьевичу знак, чтобы он не проговорился при матери. Через несколько минут она забежала в кабинет, спросила шепотом:

— Дядя Коля, ну как?

Николай Григорьевич сказал только, что Давид Шварц обещал помочь посылкой вещей и денег. О чудовищном признании Павла рассказывать было, конечно, нельзя, да Николай Григорьевич и не верил в него по-настоящему.

— У вас неприятности из-за папы? — спросила Марина.

— С чего ты взяла?

— Анна Генриховна сказала, будто вы за него ходатайствовали и теперь...

— Никаких неприятностей. Как видишь, я жив-здоров.

В столовой две бабушки, Анна Генриховна и Вера Андреевна, играли на пианино в четыре руки. В канделябрах старого «Беккера» горели тонкие свечи, оставшиеся от детской елки, их двойные отражения колебались в черном окне, и пахло сладкой свечной гарью и домашним печеньем с корицей. Николаю Григорьевичу вдруг страстно захотелось горячего, крепкого чаю.

Перед сном Николай Григорьевич стоял у окна в кабинете — был миг тишины, гости ушли, Лиза была в ванной, бабушка спала в своей комнате за портьерой — и, погасив свет, оставив только ночник над диваном, смотрел на двор, на тысячи окон, еще полные вечерней жизни, оранжевые, красные, редко где попадался зеленоватый абажур, а в одном окне из тысяч горел голубоватый свет, и думал как-то странно, разом о нескольких вещах, мысли накладывались пластами, были стеклянны, одна просвечивала сквозь другую: он думал о том, как много домов было в его жизни, начиная с Темерника, Саратова, Екатеринбурга, потом в Осыпках, в Питере на Четырнадцатой линии, в Москве в «Метрополе», в салон-вагонах, в Гельсингфорсе на Альбертгаттан, в Дайрене, бог знает где, но нигде не было дома, все было зыбко, куда-то катилось, вечный салон-вагон, это чувство возникло только здесь, Лиза и дети, жизнь завершается, должно же это когда-то быть, ведь ради этого, ради э т о г о же делаются революции,— но вдруг показалось с мгновенной и сумасшедшей силой, что и эта светящаяся в ночи пирамида уюта, вавилонская башня из абажуров тоже временна, тоже летит, как прах по ветру, заместители наркомов, начальники главков, прокуроры, командующие, бывшие каторжане, члены президиумов, директоры, орденоносцы выключают свет в своих комнатах и, наслаждаясь темнотой, летят куда-то в еще бóльшую темноту — вот что на секунду померещилось Николаю Григорьевичу перед сном, когда он стоял у окна.

...Сколько Горик себя помнил, он всегда чем-то тайно и тихо гордился: альбомом марок, велосипедом, мускулами, умением выбивать чечетку, отцом, дядей, двоюродным братом, домом, в котором жил, и многим другим, иногда совсем нелепым и незначительным. Года два назад он гордился тем, что большой палец левой руки мог выгнуть почти под прямым углом, чего не удавалось сделать никому в классе. Мало того, он сам не мог сделать того же большим пальцем своей же собственной правой руки! Это удивительное свойство левой руки было, разумеется, предметом зависти. Некоторые мучились переменами напролет, стараясь выгнуть свои большие пальцы под прямым углом, но все было тщетно. А он выходил гуляючи из класса, правая рука засунута в карман, а левой небрежно помахивал, как бы между прочим, как бы посылая воздушные приветы,— и большой палец его левой руки, выгнутый легко и безукоризненно, стоял как взведенный курок. Горик гордился и другими таинственными свойствами своего организма. Он, например, не выносил клубники: сейчас же покрывался сыпью. Своими толстыми губами он умел издавать звук, похожий на звук пробки, вылетающей из бутылки.

В прошлом году Горик очень гордился своим искусством игры в «города». Никто не мог его победить, ни в школе, ни дома. Однажды играли дома, и, когда все выдохлись на букву «а», Горик назвал Асунсион (у него-то было еще штук десять в запасе, самых заковыристых, вроде Антофагаста, Антананариво, Акапулько), а отец вдруг засмеялся: «Ну, брат, не сочиняй, хитрый Митрий!» «Кто сочиняет? — возмущался Горик.— Это столица Парагвая!» — «Брось, брось! Придумал тут же, не сходя с места». Горик побежал в свою комнату и принес атлас. Отец был изумлен. А Горику стало неловко оттого, что он слишком наглядно доказал отцу, что знает географию лучше, чем он, и хотя он мысленно нашел этому оправдание — отец был сиротой, воспитывался в детском приюте и никогда в жизни не собирал марок, а вся Горикина география пошла от марок,— все же он чувствовал себя виноватым. Не надо было бежать за атласом. Отец сам напросился, стал спорить. И, однако, сердце Горика тихо и тайно ликовало: в мире уже были вещи, известные ему и неизвестные отцу.

Горик понимал, что тщеславиться и гордиться чем-либо нехорошо, но, как курильщик, который тянется к табачному дурману и не может жить без него, хотя понимает всю его вредность, он уже не мог существовать без знакомого и привычного щекотания гордости, гордости все равно чем, но постоянной, иной раз даже бессознательной. Бывало, он невольно обнажал свое тщеславие напоказ, и это кончалось конфузом. Как-то на уроке немецкого языка вместо того, чтобы поднять руку и попросить у учительницы разрешения выйти, Горик обратился к ней с длинной немецкой фразой: «Erlauben Sie mir bitte gehen gorthin wohin der Kaizer zu Fubgeht». Класс затих. Никто ни шиша не понял. Учительница кивнула, и он гордо вышел. Конечно, он знал немецкий намного лучше всех в классе потому, что третий год занимался с Марией Адольфовной. Когда он вернулся, его встретили злобным хохотом. «Ну как? Все в порядке? Донес? — кричал Володька Сапог.— Успел?» Пока Горик отсутствовал, учительница, разумеется, объяснила его вопрос, но это восприняли не как изысканную аристократическую шутку, на что Горик рассчитывал, а как грубую похвальбу и немедленно ему отомстили.

Другим свойством, тайно изнурявшим Горика не менее, чем тщеславие, была ревность. Это было тайное тайных, спрятано так глубоко, что он сам себе не признавался в том, что это было. Но — было, и мучило, и осталось потом надолго одним из самых острых, терзающих воспоминаний. Все считали, что Леня Крастынь, или, по-школьному, Леня Карась, выдающийся талант нашего времени. Леня увлекался палеонтологией, джиу-джитсу, научно-фантастическими романами — он писал их сам в толстых общих тетрадях,— рисованием и закалкой воли. До декабря месяца он ходил в коротких штанах, закалял волю и тело. Кроме того, он в п а д а л в я р о с т ь. Он был близорук, иногда приходил в школу в очках, страдал плоскостопием и был самый низкорослый в классе, но его боялись трогать даже такие дылды, как Тучин и Меерзон по прозвищу Мерзило, зная о том, что он в п а д а е т в я р о с т ь. И такой человек был другом Горика. Впрочем, настоящим ли? А может быть, Горик просто пользовался тем, что они были соседями, он жил в седьмом подъезде, Леня в восьмом, и они часто ходили вместе в школу и вместе возвращались? Многие мечтали о дружбе с Леней.

Володя Сапожников, и Марат, и Меерзон жили в этом же доме, но в других дворах. Неужели же только то счастливое обстоятельство, что Горик и Леня случайно оказались жильцами соседних подъездов — вот что томило! — и явилось причиной тех долгих увлекательных бесед по дороге из школы домой и из дома в школу, которые они вели о бронтозаврах и птеродактилях, теории Джинса, испанских событиях и борьбе кардинальской гвардии с мушкетерами короля?

Обычно Леня звонил в четверть девятого: «Ты готов?» «Готов!» — отвечал Горик, даже если не был совсем готов, что случалось чаще, ибо он был соня и «кунктатор», то есть «медлитель», как говорил отец. Поспешно одеваясь, дожевывая на ходу, он хватал портфель и бежал вниз по лестнице. Они встречались под аркой. Если Леня оказывался там раньше и ждал Горика минуту или полминуты, он отпускал какое-нибудь ехидное замечание: «Не мог оторваться от пончиков?» — или же: «У тебя яичница на подбородке, милейший». Иногда он мог сказать злое: «Только такие барчуки, как ты, жрут по утрам пирожные». Вообще Леня был вспыльчив, легко закипал, но так же легко отходил, обид не помнил. Если он не звонил в четверть девятого, Горик иной раз звонил ему сам, но чаще самолюбие удерживало его от звонка. Раза два было так: он звонил, Карась говорил: «Ты иди, я немного задерживаюсь», а потом Горик выходил и видел, как Леня спокойно шествует с Володькой, или с Маратом, или с обоими вместе. Володька Сапог и Марат Ремейко жили во дворе, где кинотеатр в четырнадцатом подъезде, и обыкновенно ходили вдвоем, но они, конечно, рады были принять Леню в компанию. Впервые, когда Леня таким способом изменил Горику, Горика поразило иное: как раз накануне Леня высказывался и о том, и о другом почти с презрением. Про Марата он сказал, что это «хитрая обезьяна», только и занят тем, что читает в энциклопедии статьи «Размножение», а про Володьку — что он истинный «сапог», редкий тупица и с ним не о чем разговаривать. Однако они шли втроем по набережной и разговаривали прекрасно. Горик сделал вид, что его это вовсе не задело, обогнал их, независимо поздоровался, а на переменке спросил у Лени как бы невзначай: «О чем это вы утром на набережной?..» — «Да Марат рассказывал про Испанию. Один их знакомый оттуда приехал». Черт возьми, Горику сделалось обидно, и он понял, почему Леня поперся с ними. «Да? — сказал он.— И что же?» — «Ты разве не знаешь Маратика? Запоминает всякую ерунду, анекдоты...»

Но через неделю Леня снова шел с Ремейкиным-Скамейкиным по набережной, а Горик плелся сзади, и ему не хотелось обгонять их и независимо здороваться.

На другой день после драки с Чепцом Горик зябнул утром под аркой и ждал Леню с нетерпением. Он помнил, что тот намекал на какую-то страшную клятву.

Леня появился непроницаемый и быстрый, на ходу погруженный в думу. Только свежий, свекольного оттенка фингал под глазом сообщал какое-то комическое несоответствие его серьезному, бледному от напряжения мысли облику.

— Ну?— спросил Горик.

— Что?— сказал Леня.

— Как насчет клятвы?

— А! На перемене после второго урока, я же сказал...

Первый урок был немецкий. Эсфирь Семеновна очень нервничала. На предыдущем ее уроке случился скандал: лишь только она заговорила о диктанте, как поднялся шум и гам, все стали топать и стучать по крышкам парт, как это делали в Государственной думе (судя по новому изумительнейшему фильму «Ленин в 1918 году»). Кое-как при помощи старосты Эсфирь утихомирила класс, опять завела речь о предстоящем диктанте, но ее опять сбили: начали организованно гудеть. Эсфирь помчалась в учительскую и пришла с групповодом Елизаветой Александровной. Весь гнев почему-то обрушился на Мерзилу, которого выгнали из класса. Вот почему Эсфирь Семеновна сегодня нервничала, и Горик даже испытывал нечто вроде сочувствия к ней, глядя на то, как резко двигалась ее маленькая красная головка на красной же, чем-то похожей на петушиную, морщинистой шее и как настороженно метались ее взгляды туда-сюда. Есть такие учителя, один вид которых, их беспомощность, неловкость, ординарность и отсутствие чувства юмора вызывают желание их изводить. Такой неудачницей была Эсфирь Семеновна. Ее уделом было служить мишенью для скрытых издевательств и попадать впросак. Неожиданно загудела труба завода

«Красный факел», находившегося рядом со школой, за кирпичной стеной.

— Кто гудит?— завопила Эсфирь Семеновна.

На втором уроке тоже удалось посмеяться. Был русский. Вызвали Володьку Сапожникова и спросили про наречие: изменяется оно или нет?

— Изменяется!— твердо ответил толстяк. Сапог всегда держался у доски крайне уверенно. А на сей раз он заметил, что новичок, сидевший на первой парте — как оказалось потом, большой шутник,— едва заметно кивал.

— Подумай хорошенько, Сапожников. Изменяется?

— Да!— еще более твердый ответ.

— По чему?

— По... по лицам.

— Ну, проспрягай мне хотя бы... хотя бы наречие «реже».

— Реже? Я режу, ты режешь, он режет...

Все грохотали, но Сапог был невозмутим: его ничем не прошибешь. И, только идя к своей парте, показал новичку кулак.

Настала перемена после второго урока. Горик получил записку от Лени, написанную простейшим цифровым шифром, прочитать которую было делом одной минуты: «На втором этаже у окна напротив физкабинета». Окно выходило в сад. Была видна набережная, берег, стылый под снегом кремлевский холм, часть стены с башней и дворец. Пришел Сапог, сел на подоконник и стал есть пирожки. На каждой перемене он что-нибудь ел. Появление Сапога обескуражило Горика: неужели Леня такой дурак, что решил посвятить в свою тайну и этого болтуна? Затем прибежал Марат и как ни в чем не бывало сказал: «Вы уже здесь?» Значит, и этот приглашен. Горик насупился. Лёнина тайна теряла свою прелесть. А ведь он, как участник драки с Чепцом и самый близкий сосед Карася, имел право быть посвященным первым.

Но пришел Леня, и обиды исчезли.

Леня сказал:

— Я предлагаю организовать ОИППХ. Что это значит, спросите вы? Общество по изучению пещер и подземных ходов.

Трое смотрели на Леню в ошеломлении. Сапог закашлялся: его рот был полон непрожеванной пищи.

— Подробности,— сказал Леня,— я сообщу на следующей перемене. А сейчас мы должны делать вид, как будто ничего не случилось.

Горику было поручено достать электрический фонарик, свечи и спички. Свечи и спички он просто вынул из ящика кухонного стола, где Маруся хранила всякую хозяйственную хурду-мурду, но с фонариком пришлось повозиться. У Сережки был прекрасный фонарик-жужелица, Николай Григорьевич привез его из Германии и подарил Сережке ко дню рождения. Матово-черный изящный овал, удобно помещавшийся в ладони. Горик отлично знал, где фонарик хранится: в Сережкиной комнатке, в книжном шкафу, внизу. Взять его было легко, но Сережка непременно заметит. Он как собака на сене, своими вещами не пользуется, но стережет их зорко. Оставалось одно: соврать что-нибудь и попросить.

Первый выезд в пещеры — по Павелецкой дороге, станция Горки — Леня назначил на двадцать третье февраля, на День Красной Армии. До этого следовало тщательно готовиться, закаляться физически и морально. Каждый вечер все четверо брали лыжи, уходили на Болото и бегали там до очумелости по заснеженному пустырю, где когда-то был парк, который вырубили. «Где фонарик?»— ежедневно допрашивал Леня, держа наготове книжечку. В этой книжечке по пунктам было отмечено кому что поручено, что исполнено и что нет. Сапог, по специальности, занимался едой: копил сахар, сухари, шоколад, кое-что покупал. У него и денег было больше, чем у других, его мать Ольга Федоровна была добрая женщина, а отец работал в Наркомторге. Скамейкин обеспечивал бечевку и номера. Он должен был написать на отдельных листках размером в половину тетрадного листа три сотни номеров. Леня отвечал за все. У него был компас, карта и оружие: финский нож.

— Где фонарик?

— Сережки не было дома... Сегодня я обязательно...

— Ты просто экспроприируй, и все. Не для себя ведь, а для общества. Для ОИППХа. Тут нет ничего дурного. Все революционеры делали экспроприации.

Горик еще никогда в жизни ничего не экспроприировал. Только, может быть, три или четыре раза, марки. Но ведь все филателисты занимаются такой простодушной экспроприацией. Горика учил сам Сережка, два года назад отдавший Горику свою коллекцию: незаметно облизать языком ладонь (это удобно сделать, если сидеть пригорюнившись) и потом опустить руку на рассыпанную по столу груду марок, показывая на какую-нибудь пальцем: «Вот эту меняешь?» После чего спокойно убирать руку и засовывать ее в карман: к влажной ладони обязательно прилипнут одна, две, а то и три марки. Этот приемчик можно повторить за один сеанс обмена несколько раз, постепенно набивая карман чужими марками. Помнится, у Мерзилы Горик однажды унес таким способом четырнадцать марок. Правда, попалась одна дрянь.

Но марки дело одно, а фонарик, например,— совсем другое. Взять его без спроса, казалось Горику, немыслимо. Он мучился, придумывая, что бы наврать. Наконец придумал: пусть попросит Женька. Ей Сережка даст, ничего не заподозрив. Женька согласилась, потребовав за услугу металлический карандаш.

Вечером долго сидели в столовой после ужина. Взрослые говорили о всякой всячине, о войне, политике, древних хеттах, врагах народа, о полярном лагере Шмидта, о Карле Радеке, который еще недавно жил в этом же подъезде, и Горик иногда видел его, рыженького, на лестнице, о писателе Фейхтвангере, о том, что пала Малага и что осадой руководил германский морской штаб с крейсера «Адмирал Шпеер», и, как всегда, отец спорил с бабушкой, а Сережка спорил со всеми. Кто бы что бы ни говорил, Сережка сейчас же доказывал обратное. Недаром мама говорит, что Сережка «противно спорит». Если бабушка замечала, что статья какого-то грузина в «Известиях» о том, что грузины произошли от древних хеттов, очень интересна, Сережка утверждал, что эта статья — бред. Если отец говорил, что падение Малаги еще ничего не решает, Сережка заявлял, что падение Малаги решает все, ибо Мадрид теперь в два счета будет отрезан от мира. Когда мама сказала, что Лион Фейхтвангер умнейший писатель, Сережка, лишь бы поспорить, сказал: «Прости меня, но, по-моему, он идиот».

Бабушка наконец не выдержала и сказала, что он пока еще не академик, не профессор, а лишь только студент третьего курса. И к тому же не с блестящими отметками. Сережка, конечно, надулся и замолчал. Сам он любил делать другим замечания и ехидничать, но тронуть его — боже упаси. Они с отцом пили лимонную настойку, и Сережка был уже красный, говорил чересчур громко, а отец, сняв очки, улыбался как-то посторонне. Отец пошутил насчет того, что Сережка не академик, не профессор, но зато жених, а это кое-что значит. И тут Сережка окончательно обиделся и сказал, что его личные дела никого не касаются.

Настала неприятная тишина, и Горик подумал, что сейчас не совсем удобный момент просить фонарик. Но особенно затягивать было тоже нельзя, потому что скоро погонят спать. Горик сидел боком в кресле, перекинув ноги через мягкий подлокотник, а в другой подлокотник упершись спиной, листал старинный, трепаный том Жуковского, как будто рассматривал картинки, а сам поглядывал косо на Женьку. Он ее гипнотизировал. Женька сидела за столом и вышивала восьмигранную салфетку по методу Марии Адольфовны. Тоже дурацкое занятие! Из школы носит одни «посы», а вечером занимается ерундой. Женька прекрасно поддавалась гипнозу, он заметил давно. Конечно, при наличии у гипнотизера сильной воли. Он внушал ей: «Фонарик! Фонарик! Фонарик!» А она отвечала: «Надоело! Отстань!»

Мама сказала, что обещал прийти дядя Миша, но почему-то опаздывает. Отец встрепенулся:

— Разве Михаил звонил?

Они заговорили о рукописи, которую написал дядя Миша и которую отец должен был кому-то передать и не передал. Бабушка стала отчитывать отца. Мама подтвердила:

— Верно, Коля, нехорошо, Миша звонил три раза. Его это сердит...

Отец, взволновавшись, ходил вдоль стола, тер с ожесточением лысину.

— Вот черт, виноват я, конечно! Не получалось Серго увидеть... Можно было, конечно, специально...

— Коля, какой вы необязательный,— качала головой бабушка.— А второй экземпляр?

— Он просил только об одном: передать Серго. Остальные экземпляры хотел передать сам, обычным порядком, в Политбюро, в Президиум... Ах ты, черт меня драл! Все напрасно, книга не пойдет, но — я обязан был...

— Тем более Миша сейчас...— сказала мама.

— В том-то и дело,— сказал отец.

Бабушка, продолжая ворчать и качать укоризненно головой, ушла в свою комнату и вернулась с очками на носу, держа газету. Она изъявила желание прочитать вслух заметку из позавчерашнего номера под названием: «Опасная игрушка». Никто не возражал, а мама даже сказала: «Конечно, почитай», и бабушка стала читать. Бабушка любила читать вслух. Она говорила, что в молодости ей предлагали стать актрисой, но дедушка отсоветовал, сказав, что нужно отдать все силы революции, а потом получилось так, что дедушка сам отошел от революции и даже разошелся с бабушкой из-за революции, а бабушка так увлеклась революцией, что забыла обо всем остальном. Но читала она до сих пор очень хорошо и красиво.

— «Безупречно здоровый девятимесячный ребенок внезапно занемог,— читала бабушка.— У него пропал сон, расстроилась деятельность кишечника, появились странные движения рта, до крови растрескались губы. Ребенок начал быстро терять в весе. Ни мать, ни наблюдавший за ребенком врач не могли определить причины заболевания...»

— Страсти-мордасти,— сказал Сережка, доставая из кармана портсигар, оттуда папиросу, постукивая ею по портсигару и разминая тщательно и не спеша, но — не закуривая, потому что в столовой бабушка курить ему не разрешала. Он даже вытащил спички, сунул папиросу в зубы — играл на нервах.

— «Врач предполагала наличие какой-то инфекции!— Повысив голос и грозно поглядев на Сережку, но не замечая его папиросы, а просто требуя тишины, продолжала читать бабушка.— Третьего февраля, спустя две недели, мать обнаружила на пеленках какие-то крупинки. Это были острые осколки камня — кварца...»

Женька на цыпочках подошла к Сережке, что-то сказала ему на ухо. Он кивнул, и Женька вышла из комнаты.

— «...гранита и полевого шпата, некоторые величиной с булавочную головку, и каменная пыль. И сразу стала понятна причина болезни ребенка...»

— Очень интересно!— сказал Сережка нахальным голосом.— Наверно, вредительство?

— «Когда ребенок брал игрушку в рот...— Бабушка почему-то показала на Сережку пальцем.— Ее швы расходились и содержимое оказывалось во рту и в желудке ребенка». Ясно вам? «Если после этого взять погремушку за ручку и трясти ее, из нее камни не просыпаются — так хитро сработана эта игрушка». И дальше...

Отец, сказав что-то маме, вышел на цыпочках из комнаты.

— Дальше,— сказала бабушка,— указан адрес фабрики, которая выпустила эту действительно вредительскую игрушку. Между прочим — Ленинград. Тоже показательно. Жалко, кстати, что Николай Григорьевич ушел. Он всегда говорит, что я паникую...

— Знаешь, мама!— Сережка встал так резко, что стул едва не упал, но о чем Сережка заговорил, Горик уже не слышал.

Он проскользнул в коридор, оттуда в детскую, где было темно и раздавалось заветное жужжание: Женька забавлялась фонариком. Горик подбежал к ней:

— Давай!

Она спрятала руку за спину.

— А карандаш?

— Сейчас дам... Есть же люди!— Он чуть не задохнулся от возмущения: так не верить родному брату! Нашарил в потемках — а зажигать свет не хотелось, чтобы не нарушать очарования жужжащей и светящей добычи, и Женька тоже не зажигала и продолжала жужжать и метать по стенам зигзаги луча — свой валявшийся на полу портфель, нащупал под тетрадками, на дне, металлический карандаш и вытащил его безо всякого сожаления.— На! — сказал он.— Давай сюда и спасибо.

— А что сказать, если он завтра попросит?

— Скажи, забыла в школе.

Она убежала, а Горик постоял немного в темноте, пожужжал, пометал лучиком.

Потом все испортил Марат, это трепло и женский угодник: протрепался Кате Флоринской и даже позвал ее пойти вместе в пещеры. Леня был ошарашен, когда Катя вдруг подошла к нему и спросила, можно ли ей взять с собой старшего брата. Ничего еще не поняв, Леня ответил: «Ни в коем случае!» Потом, поняв, он рассвирепел. «Какой же я осел! Все вы трепачи и ненадежные люди,— говорил он.— Вы трусливы, как зайцы, и блудливы, как кошки!» Леня терпеть не мог женщин.

Никогда ни к одной девчонке он не обращался с вопросом, они были для него как пустое место, а если какая-нибудь девчонка случайно спрашивала что-нибудь у Лени, он напыживался, каменел и цедил сквозь зубы невнятное.

Как-то они гуляли с Гориком на дворе, и Карась предложил поклясться друг другу в том, что они никогда не станут иметь дело с девчонками. Поклялись. Горик отнесся к клятве легко. Он не имел дел с девчонками, такие дела и не предполагались, так что никакого урона себе он этой клятвой не наносил, и вообще ни малейшего значения для жизни Горика клятва иметь не могла: просто он согласился на нее, чтобы сделать товарищу приятное. Но однажды Леня дал ему почитать свой научно-фантастический роман «Пещерный клад»— три толстых тетради в ледериновых переплетах, исписанные мелкими, без помарок, чернильными строчечками,— Горик по неосторожности показал роман Женьке, она не смогла прочесть больше двух страниц, но Леня все равно страшно оскорбился, назвал Горика предателем и клятвопреступником и не разговаривал с ним несколько дней.

Обозлившись и теперь, Леня заявил, что поход откладывается на неопределенное время: до улучшения погоды. Сказал, что из-за оттепели нельзя подойти к входу в пещеру, все затопило. Может, так и было. Тянулась мутная, тревожная зима: то холода, то метели, то сырость.

Вдруг, после выходного, Леня на первом уроке подсел к Горику за парту и показал левую ладонь, искромсанную ужасной раной: как будто кто-то железным гребешком содрал кожу. Почти вся ладонь от того места, где щупают пульс, до верхней поперечной складки была намазана зеленкой.

— Молчи, понял?— зашептал Леня.— Я вчера в пещеру лазил. Один. Ух, там красота, елки-палки! Тепло-тепло! Просто жутко тепло, градусов шестнадцать по Цельсию, я весь потный вылез. До второго зала дошел, оставил записку — назад. А это я рукавицу потерял и в первом зале, когда прыгал, сорвался...

Горик слушал потрясенно.

— Как же ты... один?

— А что? Одному здóрово. Ты молчи. Никому!.. Мы с тобой вдвоем — понял?— в следующий выходной...

На перемене Вовка, заподозрив что-то, подкатился к Горику и стал выпытывать, что ему Карась шептал.

— Да так, ничего особенного.

— Ничего особенного? А чего ж ты глаза вытаращил? Я видел...

Было неприятно врать. Главное, Горик не понимал смысла: если уж наказывать, то Скамейкина, а Сапог ни при чем.

Оттепель сменилась стужей. Когда шли по набережной в школу, синяя морозная мгла вставала над Кремлем, и на гранитном парапете лежал пушистый и толстый утренний слой снега, который хорошо было сбивать палкой, портфелем или просто варежкой.

Катя Флоринская спросила у Горика: отчего Леня Карась так ее ненавидит? Горик в смущении — Катя его чем-то томила, она была новенькая, загадочная — вынужден был сказать, что Леня вообще относится к женщинам отрицательно. Горику хотелось рассказать Кате все и позвать с собой в следующее воскресенье — но чтоб без Марата, без никого, вдвоем,— но он, конечно, ничего не сказал и только смотрел, усмехаясь криво и нагло, на Катю. Она была очень огорчена. Они стояли в среднем дворе, рядом с задним служебным входом в гастроном, возле которого всегда лежали горы деревянных ящиков, грязная бумага, куски картона. Горик держал двумя руками портфель и стукал по нему коленями, то одним, то другим. Потом они разошлись. Горик пошел в свой седьмой подъезд, Катя в свой десятый.

А Марат Ремейкин-Скамейкин погибал у всех на глазах. Он носил заграничный Катин ранец, держа его неуклюже за лямки, что выглядело глупо, потому что ни один дурак так ранцы не носит. Потеряв всякую совесть, он ждал Катю утром у подъезда. Он затеял драку из-за Кати с одним гигантом из седьмого класса, который стал приставать к Кате в раздевалке, и пришлось вмешиваться, его спасать. (Гиганта втроем повалили на пол и чуть не задушили под ворохом пальто.) Все это было бесстыдно и унизительно. И когда Леня сказал Горику, что Марат должен быть как разложенец исключен из членов ОИППХа, Горик радостно согласился. Он не вполне точно представлял себе значение слова «разложенец», в его сознании возникла отвратительная картина: темно-коричневая, насквозь прогнившая и жидкая от гнилости груша.

Чем ближе подступал назначенный Леней срок — выходной, тем сильней становилось Гориково волнение, которое надо было скрывать. Ночь на четверг он почти не спал. С одной стороны, его преследовали картины ужасной смерти в пещерах и подземельях, приходившие на память из книг Гюго, Дюма, Густава Эмара, но силою воли он побеждал страх и был, в сущности, готов на все; с другой же стороны, еще более мучительной, чем страх, была необходимость соблюдения тайны, чего требовал Леня. Это была совсем садистская пытка: погибнуть он соглашался, но погибнуть в безвестности, так, чтобы даже мама не знала, где и как он погиб! Несколько раз среди ночи Горик решал встать, пойти к кабинету, вызвать маму и кое в чем ей признаться, кое на что намекнуть. Но окончательной решимости смалодушничать каждый раз не хватало.

В школу Горик шел с головной болью, на уроках сидел в отупении, плохо соображая. В другую ночь Горик заснул быстро, лишь только лег, но сон был тяжелый, снилась какая-то река, плоты возле берега, он плавал рядом — на глубоком месте, где «с ручками», и его затягивало холодной струей под плоты, забивало все дальше, вглубь, в темноту.

В столовой поздно сидели, пили чай, вдруг увидели: Горик босой, в ночной рубашке вышел из детской и, протягивая руки и шаря ими в воздухе, как шарят в потемках, зашлепал через всю столовую к креслу. Глаза были закрыты, он спал. Все перепугались, отец схватил Горика на руки — тот не просыпался,— понес в детскую, уложил. Мама так встревожилась, что не хотела Горика пускать на другой день в школу. Но все же пустила. Горик ничего наутро не помнил и очень удивился, когда ему рассказали. И немедленно, по своему обыкновению, стал гордиться: рассказывал всем в школе, что ходил ночью по квартире, как настоящий лунатик.

Мама сказала: «Он очень перенервничал с пушкинским юбилеем».

Бабушка сказала: «Он слишком много читает. Надо давать ему не больше одной книги в неделю. А он их глотает как сумасшедший».

Отец сказал: «Он растет. В этом все дело. И не устраивайте панику».

Никто не знал, что с ним происходит. И он крепился — никому ничего. Но тут, как на грех, явились дядя Миша с Валеркой и остались ночевать. Валерка весь вечер хвалился, рассказывая, какие мать подарила ему финские прыжковые лыжи и как он ездил с ребятами на одну далекую станцию по Казанской дороге — прыгать с трамплина. И как наврал отцу, будто ходил на лыжную экскурсию с классом, а если б отец узнал правду, он бы дал такого ремня, что будь здоров, и переломал бы лыжи — он и так эти лыжи ненавидит потому, что их подарила мать, даже требовал, чтоб Валерка от них отказался. Нашел идиотика — отказываться от финских прыжковых лыж! Слушать Валеркину похвальбу было непереносимо. Горик терпел, боролся с собой долго, но, когда уже легли спать, не вынес и открыл Валерке все. Тот сразу завял со своими прыжковыми лыжами. И начал канючить, чтоб Горик взял его с собой в пещеру. Горик пообещал.

На душе Горика стало легче: теперь было кому в случае чего рассказать маме о том, как и где погиб ее сын, мужественный, сдержанный и очень молчаливый человек.

Когда он вернулся из школы на другой день, Валерки уже не было, его увезли куда-то к матери или к тетке, но дядя Миша остался. И первое, что дядя Миша сказал — лукаво и тихонько, на ухо Горику,— было:

— Ну, браток, будешь сегодня ответ держать перед батькой!

У Горика даже в животе похолодело. Неужели Валерка, гад, протрепался? Мама три дня назад уехала в командировку в совхоз, отец был на работе, бабушка тоже. Засунув пальцы под ремень своего широкого блестящего пояса, дядя Миша расхаживал по комнате и загадочно посматривал на Горика, ничего не говоря. Он ждал, что Горик сам все выложит. Но Горик молчал. Он помнил, как однажды учил Леня: ни в чем не признаваться и все отрицать.

— Вот что, Игорь Николаевич,— сказал дядя Миша,— все твои злоумышления стали нам известны. Отец уже звонил мамаше этого вашего героя — как его? — который все закаляется, ходит с голыми коленками до декабря месяца, чтоб схватить костный туберкулез.

— Лёне? — ужасаясь, вскрикнул Горик.

— Может быть. Он какой-то больной. Отец говорит, что у него припадки. Как же можно ходить с припадочным в пещеры? А тем более пускать его туда одного? Ну? Ты же взрослый мужик, должен соображать. Я всегда считал, Игорь Николаевич, что ты мужик с головой, не то что мой обормот...

— Уж, во всяком случае, я не предатель! — пробормотал Горик дрожащим голосом.

— Хочешь сказать, что Валерий тебя предал? Верно, но ты предал своего Леню, разболтал Валерке. Так что хороши оба. Но дело-то вот в чем: мать этого Лени... Кто она такая?

— Обыкновенная женщина. В типографии работает.

— А отец?

— Отец с ними не живет. Он военный. Комбриг, по-моему. Он на Кавказе где-то.

— Комбриг? Как фамилия?

— Крастынь.

— Одного Крастыня я знал по Дальнему Востоку. Ну, неважно. Мать, странная особа, стала смеяться в телефон, просто заливалась хохотом — отец рассказывал — и сказала, что ее Ленька все брешет, не верьте ему, он вообще, говорит, фантазер, мечтатель, и пороть его некому. Ни в какие пещеры он не лазил и не полезет, а руку поранил — в кино хотел попасть без билета, перелезал через стену у вас тут, на заднем дворе, и рухнулся. Отца, милый друг, возмутило то, что ты от всех втайне, молчком-молчком, собирался ехать куда-то на электричке.

Горик слушал остолбенело, потом пошел тихо в детскую, бросил на пол портфель и лег на свою кровать.

Вскоре пришла с работы бабушка, явился Сережка, пришла Женька с пластики, приехала мама, продрогшая, усталая, в заиндевелом брезентовом плаще поверх полушубка, с рюкзаком, где обязательно бывали какие-нибудь подарки — на сей раз деревянные игрушки, купленные в одном забытом богом городке на базаре, и, как всегда после таких отлучек из дома, мама была очень веселая. Она сразу побежала принимать ванну. Была как раз пятница, день горячей воды.

Дядя Миша как благородный человек ничего не рассказал ни маме, ни бабушке. Все ждали Николая Григорьевича, он почему-то задерживался. Горик, полежав немного с видом человека в полном отчаянии и вызвав этим приятное волнение у Женьки (она подходила несколько раз и спрашивала с испугом: «Что с тобой?» — но он молчал, да и, по совести говоря, он сам толком не знал, что с ним), затем с бешеной энергией взялся готовить уроки: сделал русский, примеры, четыре задачки, нарисовал контурную карту, а отца все не было. Дядя Миша тоже нетерпеливо ждал отца и даже поругивался: «Вот чертушка, куда он запропал?» Отец должен был сегодня увидеть Орджоникидзе и узнать у него про рукопись дяди Миши. Разговоров об этой рукописи было много. Называлась она «Ожидание боя». О будущей войне. Бабушка и мама говорили, что рукопись очень интересная, Сережка сказал, что кое с чем он не согласен, а отец хотя и хвалил рукопись, но сказал маме — Горик случайно услышал,— что Михаил занимается не своим делом. Они с дядей Мишей однажды поссорились, дядя Миша кричал: «Твое дело отдать, а что ты там думаешь, меня не интересует!» От того, что скажет Орджоникидзе, зависело многое: напечатают ли рукопись, вернут ли дядю Мишу на работу в военную академию и пустят ли его наконец в Испанию, куда он давно и безуспешно стремился.

Поэтому дядя Миша нервничал, ожидая отца. Кроме того, он хотел вернуться сегодня же в Кратово и боялся опоздать на последнюю электричку.

Вместо отца неожиданно приехал Гриша, мамин брат, живший в Коломне и работавший на Коломенском заводе инженером, со своей женой Зоей. Гриша рассказал, что как раз вчера он был с заводской делегацией у Орджоникидзе, приглашали Серго на конференцию дизелистов в Коломну, но Серго поехать не сможет — конференция начнется завтра, он передал письменное приветствие. Гриша вытряс из портфеля листок бумаги, всем показывал: «Поздравляю дизелистов Коломзавода! Боритесь за 240 тысяч лошадиных сил в год!»

— Мы напечатаем типографским способом,— говорил Гриша,— здесь будет маленький портретик Серго, и раздадим всем делегатам как подарок...

Сережка и Гриша сели на диване играть в шахматы. Горик пристроился смотреть. Дядя Миша тоже подходил иногда, смотрел секунду и командирским тоном приказывал:

— Офицера гони! Бей турой! Уводить королеву,

уводить к чертовой бабушке! — Он тыкал пальцем в доску, хватал фигуры, переставлял.

Сережка, презрительно усмехаясь, но не говоря ни слова, ставил фигуры на место, и Гриша своим деликатным, тонким голосом просил:

— Михаил Григорьевич, ради бога...

Дядя Миша играл в шахматы очень плохо. Наверное, хуже всех. Но он любил вмешиваться и давать советы... Сережка наконец не выдержал и сказал вежливо, но ехидно:

— Дядя Миша, мы сейчас доиграем, а ты потом спокойно сыграешь с бабушкой, ладно?

Бабушка играла ничуть не хуже дяди Миши, но дядя Миша взъярился:

— Ах ты щенок! Наглец! Да я тебя в матче изничтожу, сотру в порошок! Котлету из тебя...

Сережка тут же предложил сыграть на деньги матч из десяти партий. Он частенько таким образом «доил» дядю Мишу, но дядя Миша почему-то упорно бросался с ним играть и с возмущением отвергал фору — а Сережка предлагал даже ладью. Они успели сыграть пять партий, дядя Миша все проиграл, и в это время позвонил отец и сказал, что находится на пути домой. Это значило, что он где-то застрял, к кому-то зашел. Может быть, даже здесь, в доме.

Через полчаса он приехал, вошел в шубе и в шапке в столовую. Лицо у него было серое, какое-то слепое, ни на кого не глядя, он сказал:

— Серго умер.

Бабушка вскрикнула. Все остальные молча смотрели на отца, он повторил:

— Серго умер. Четыре часа назад. Сказали, что от паралича сердца.

Горика впервые в жизни болезненно и мгновенно, как током, пронзило сострадание, но не к умершему Серго, а к отцу, который показался Горику вдруг старым, слабым, и к бабушке, она плакала, не стыдясь слез, и к дяде Мише, который как-то отчужденно застыл на диване и долго, в то время как все разговаривали, молча глядел в окно. Было непонятное и пугающее в том, как подействовала на всех смерть Серго: он ведь не был ни родственником, ни близким другом, как, например, Давид Шварц. Правда, отец рассказывал, что сдружился с Серго на Кавказском фронте, где они оба были членами Реввоенсовета. Потом их пути разошлись. Серго стремительно выдвинулся, стал одним из вождей страны, а Николай Григорьевич, постепенно снижаясь, превратился в обыкновенного ответственного работника, каких тысячи. Обратиться к Серго с просьбой было для Николая Григорьевича делом не очень простым и даже не очень приятным. И все же он знал, что когда-нибудь, в «день икс», он сможет пойти к нему — не с рукописью Михаила, не с просьбой поддержать на Политбюро, а с каким-то последним, смертельно важным вопросом, на который Серго ответит, непременно ответит всю правду, какую будет знать. Но не «день икс», а смерть сравняла их и сблизила снова.

Три дня больше ни о чем — только о Серго, о Серго. Бабушка с красным, измятым от слез лицом читала газеты. «Обострили его болезнь самым гнусным предательством... Доконали нашего Серго... Пусть же вечное проклятье...» В понедельник был траурный день, не ходили в школу, а у Горика как раз в этот день обнаружилась ангина, и он очень жалел, что ангина пропала зря, без пользы. Снова приехал дядя Миша с Валеркой. Валерку не пускали в детскую, чтоб не заразился, и он, приоткрыв дверь, показывал разные рожи, изображал Петрушку, а дядя Миша с отцом опять поругались, мама их успокаивала, дядя Миша хватал Валерку за руку, и они уходили, хлопала дверь, отец кричал, они возвращались. И зима все тянулась, река лежала под снегом, а канава возле «Ударника» не замерзала, над черной водой всегда клубился пар.

VI

Завертели морозы, и в заготовительном цехе от холода — совсем пропа́сть. Колька бежит к горну, накаляет там бракованную матрицу. Раскалив ее добела, притаскивает на крюке и бросает на стан, и все трое снимают рукавицы и греют руки. Если в цеху в это время показывается Колесников или, еще хуже, Чума, Колька крюком быстро спихивает матрицу на пол, и они снова принимаются волочить, с жалостью поглядывая на матрицу, которая шипит на сыром мазутном полу и бесполезно тратит свой жар.

Вообще-то насчет огня в «заготовке» хорошо, вольно. И погреться, и покурить — всегда пожалуйста, горн рядом, не то что в других цехах. Когда прикурить, например, бегут к горну, выволакивают клещами из огня какую-нибудь раскаленную штуку, матрицу или болт, хоть сто человек прикуривай. Теплынь у горна! Молотобойцы работают в одних маечках, и то все мокрые, а волочильщики в ватниках зубами стучат.

Молотобойцев было трое. Одного, молодого и крепкого, взяли недавно в армию, и двое оставшихся — пожилые мужики, оба из Белоруссии, попавшие в Москву как беженцы,— не справляются, кузнец дядя Вася орет на них, называет «филонами». Начальник цеха обещал перевести в молотобойцы одного разнорабочего, но пока что Чума то и дело просит Игоря или Кольку подсобить кузнецам. Колька нарочно бьет кувалдой слабо и неловко, чтоб разозлить дядю Васю и чтоб тот его прогнал, и Колька садится спиной к печке и покуривает. А Игоря подводит его непобедимое тщеславие, его давнишняя тяга гордиться все равно чем и перед кем. Ему хочется, чтобы дядя Вася, белорусы, Чума, грузчицы — все видели бы и поражались тому, как лихо он машет кувалдой, с какой силой наносит удар. Сила у Игоря, конечно, есть, но не такая уж большая, чтобы ей поражаться.

Дядя Вася вынимает из горна трубу с пылающим, раскаленным концом и кладет этот конец на наковальню, а Игорь должен несколькими ударами размозжить конец, превратить его в узенький, плоский хвостик, способный проткнуться в отверстие матрицы и удобный для того, чтобы его схватила зубами тележка. Вот и все дела. Игорь со зверским выражением лица высоко вскидывает кувалду и лупит ею с такой яростью, что дядя Вася морщится: «Легше, легше». Белорусы и вовсе не смотрят на старания Игоря. А сам он через четверть часа чувствует, что выдохся, и недоумевает: как же эти костлявые мужички, у которых и бицепсов не видно, машут кувалдой по двенадцать часов в день?

В ночную смену, если сядешь у печки курить, можно и заснуть ненароком — тепло сморит. Минуту или две дремлет Игорь, думая во сне о чем-то цветном, ярком, чего никогда не было, о чем-то похожем на лесную лужайку, где растут маслята, где он сам лежит в трусах на старом, разогревшемся на солнце тканевом одеяле, сквозь которое покалывают сосновые иглы, и читает книгу, и постепенно сникает в дреме, оглушенный тишиной, солнцем, лесом, и вдруг — точно что-то стреляет в нем — просыпается. С треском лопнула в огне дровина. Махорочная самокрутка еще тлеет в руке.

Ползут профиля, скрипит гнущаяся сталь, щелкает зубами тележка, дерг — вперед, дерг — назад. И медленно, долго, сырой самокруткой тлеет ночь...

Колька третий день не работает: намастачил себе бюллетень, расковырял зубилом болячку на правой руке. Сидит с утра на койке в общежитии и играет в карты, в очко или в «три листика», с такими же, как он, «больными» прохиндеями. Вместо Кольки Чума поставил на волочильный стан подсобника-узбека по прозвищу Урюк. Это молчаливый, покладистый и здоровенный мужик. Никто про него толком ничего не знает. «Эй, Урюк! Почем урюк?» — кричат ему мальчишки во дворе. Урюк молчит, не слышит. Лет ему пятьдесят, а то шестьдесят или больше. «Билизован...» — говорит он про себя. У Игоря всегда тоскливо сжималось сердце, когда он случайно издали замечал Урюка, который брел среди женщин-грузчиц, отставая от них, углубленный в какие-то думы, нелепый в своем халате поверх ватника, в солдатских сапогах и в черной бараньей папахе,— ноги он ставил носками в стороны, смотрел вниз, руки слегка растопыривал, отчего казалось, что он готов сейчас же взяться за любую работу. И правда, он был безответен, помыкали им все — и грузчицы, и молотобойцы, заставлявшие его возить дрова к печи, и даже Колька, который кричал тоном начальника: «Эй, Урюк, оттащи эвон-то отсюдова!» Урюк покорно оттаскивал «эвон-то».

Теперь он так же покорно, молча и легко переносит трубы от обжигальной печи к стану и потом тащит готовые профили к воротам, где грузчицы громоздят их на тележки.

За два дня Урюк сказал с Игорем, может быть, десять слов. На третий день, вернее, на третью ночь — всю неделю Игорь работает в ночную — собираются в полночь идти в столовую. Игорь ладонью сшибает вниз рубильник, выключает стан, Настя поспешно трет ладони нитяными концами, сбрасывает спецовку — они торопятся, чтобы, вернувшись после еды, хоть четверть часа посидеть в покое, покурить. Урюк никуда не торопится: садится к печи, заворачивается в халат и, похоже, намерен кемарить.

— Ты что? — удивляется Игорь.— В столовую не пойдешь?

— Йок,— мотает головой Урюк.

— Чего ж так? — зевая, говорит Настя.

И они с Игорем уходят.

Урюк не идет в столовую и в последующую ночь, и в третью. Пока Игорь и Настя хлебают суп из перловки и едят картофельные котлеты, жаренные на хлопковом масле, Урюк дремлет у печи. Они возвращаются, будят его, Игорь включает рубильник — и ползут профиля, скрипит сталь, щелкает зубами тележка...

Наконец наступает такое утро, когда Урюк не хочет идти никуда — ни в столовую, ни домой в общежитие. Он садится к печи и говорит, что будет тут спать до вечера. В общежитии, говорит он, холодно, а тут тепло.

— Ишь, надумал!..— зевая, говорит Настя и уходит. У нее двое детей и старуха мать, ей некогда разговаривать.

Игорь садится рядом с Урюком, прислоняется к кирпичной кладке печи, ощущая спиной широкое и не очень жаркое, как раз такое, как нужно, расслабляющее нежное тепло.

— Что у тебя случилось? — спрашивает Игорь.

Урюк бормочет невнятное.

— Слушай, я тебе принес тут для смеха...

Игорь роется в карманах брюк, в ватнике: ищет засохшую урючинку, которую вчера обнаружил в своем ташкентском пиджаке и специально сберег, чтоб показать Урюку. Урюку, наверно, будет очень приятно увидеть урюк. Вроде привета с родины. Такое маленькое, твердое, почти окостенелое ядрышко,— оно проскочило сквозь дырку в кармане и застряло под подкладкой. Это, видно, когда Игорь возвращался с Янги-Юльской стройки, в конце августа, когда бежал оттуда, услышав, что в Ташкенте вербуют молодежь на московские заводы,— а там в августе стояла немыслимая жара, ночью в палатках духота не спадала, свистели фаланги, они набежали со всей степи, почуяв гниющие остатки мяса, хотя эти остатки закапывали в песок; но ни духота, ни фаланги не мешали сну, Игорь спал там мертвецки, без сновидений, как никогда прежде; от многочасового махания кетменем ныли спина и руки, он ведь должен был демонстрировать свою силу, быть «пальваном», богатырем, и однажды, распалясь, он махнул не глядя, и какой-то дурак подвернулся под кетмень — один парень из соседней школы, и кетмень зацепил его по кумполу, у Игоря от ужаса подкосились ноги, а парень остался лежать на песчаном откосе, его унесли на носилках, но все кончилось хорошо, он выжил; одну девчонку ночью утащили в степь дезертиры, и она чуть не умерла, ее нашли без сознания, всю разодранную, точно ее трепали собаки, это была толстая еврейская девушка, эвакуированная из Одессы, и наутро все вооружились кто как мог и побежали в степь искать дезертиров, чтоб отомстить, но никого не нашли; и все-таки там было ничего, там было сытно, давали баранье мясо и плов, густой плов, иногда мясной, а иногда бухарский, с абрикосами; абрикосов там было завались, но виноград еще не поспел, и когда Игорь бежал оттуда с одним малым, тоже москвичом, они шли целый день степью, к вечеру добрались до колхозного сада и наелись там абрикосов и яблок, как удавы, набили животы, не могли двигаться,— урючинка под подкладкой осталась, наверно, с того ужина в саду; вечером, когда уже гасло небо, запели лягушки.

— Вот! — говорит Игорь, радостно протягивая ладонь, на которой лежит превратившаяся в косточку урючинка.— Видал? Возьми!

Бородатый узбек берет урючинку, смотрит на нее равнодушно и бросает на пол.

...Бабушка была очень разгневана, когда узнала, что он ушел с канала самовольно. «Как! Стройку еще не закончили, а ты сбежал! Когда весь народ напрягает силы...» Она даже хотела пойти в школу и пожаловаться директору, совсем с ума сошла. А что Игорю школа? Он ее закончил и расплевался с ней. Директор там был болван, занятый только своим садом и торговлей на базаре. Это верно, он ненавидел эвакуированных и мог от ненависти сделать любую пакость, но тогда, в августе, он не имел уже никакой власти над Игорем. Игорь мог сказать ему все, что накипело, и несколько раз его подмывало высказаться на улице, когда они встречались нос к носу, но он себя сдерживал: боялся, что тот будет мстить Жене, ей предстояло еще учиться в восьмом. И вот к такому человеку старуха собиралась пойти жаловаться. Она просто рехнулась. Ей не хотелось, чтобы он уезжал в Москву, в этом было все дело. С нею становилось все труднее, особенно с тех пор, как она взяла к себе в комнату Давида Шварца и другая старуха, жившая в этой же комнате, протестовала.

Эта другая старуха, Синякова, тоже с дореволюционным стажем, была отвратительная особа. Она все время пыжилась, гордилась какими-то заслугами и к другим старикам, в том числе и к бабушке, и к Давиду Шварцу, относилась с высокомерным презрением. А бабушка рассказывала, что когда-то, когда бабушка работала в Секретариате, эта женщина перед нею заискивала, а Давид Шварц в двадцать каком-то году спас ее во время чистки от исключения. Но теперь бабушка была обыкновенной несчастной старухой, жившей на пенсию и бедствовавшей, как другие, а Давид Шварц из грозного, всесоюзно известного судии превратился в больного, полупомешанного старичка, и Синякова могла презирать их и издеваться над ними. Она называла их «оппортунистами» и то и дело пускала ехидные замечания вроде: «Это вам не Дом правительства», «Это вам не Серебряный Бор». Однажды колхозники привезли в подарок мед. Синяковой почему-то не досталось, и она побежала в райком с жалобой: почему мед получили оппортунисты, а она, кристальный член партии, ни разу не подписавшая ни одной оппозиционной платформы...

Иногда она втравляла бабушку в политические споры. Делала это хитро: начинала тихонько, издалека, постепенно наглела, говорила подлости, ложь, и бабушка, не выдержав, вступала с ней в перепалку. Последним торжествующим доводом Синяковой было: «Вот я здесь, я честный человек. А где твой зять? Где твоя дочь?» Она была толстая, большая, с красным задубенелым лицом и синенькими глазками-щелочками. И без левой руки. Говорила, что потеряла руку на гражданской войне. Но Игорь ей не верил.

Бабушка говорила про нее, что она случайный человек в партии. Несмотря на то что безрукая, она умела и любила драться. Как-то она подралась с одним стариком возле титана: то ли она хотела получить кипяток без очереди, то ли он стремился к тому же.

Она била его чайником по спине и кричала: «Ты бундовец! Я знаю, что ты бундовец!» Давида Шварца она тоже называла бундовцем, хотя бабушка говорила, что это смехотворная ложь, Шварц никогда бундовцем не был и, наоборот, всегда резко критиковал бундовцев. Однажды замахнулась на бабушку. Женя как раз входила в комнату и, схватив с подоконника ножницы, подскочила к громадной старухе: «Если вы хоть пальцем тронете мою бабушку, я вам проколю живот!» Синякова долго потом разорялась, грозила милицией, называла Женю «вражьей кровью», но все-таки Женя оказалась единственным человеком в комнате, а может быть, и в поселке, кого она побаивалась. Каким-то чутьем она чуяла, что Женя и правда может кольнуть ножницами в живот. Игорь-то знал, что может: Женя отчаянная, на нее «находит», как на Леню Карася.

Давида Шварца Синякова ненавидела особенно злобно. Наверно, как раз потому, что когда-то он ей сделал добро. Она старалась выжить его из комнаты: говорила про него и про бабушку гадости, смеялась над его жалким видом, нарочно открывала окно, чтоб его простудить. Бабушка больше всего страдала из-за этих синяковских издевательств над Шварцем, поэтому вспыхивали скандалы с криками и взаимными угрозами: «Ты ответишь за свои слова!», «Я подам на тебя в КПК!» Игорь не мог слышать криков, не мог видеть белого лица бабушки. Он уходил. Если б Синякова была мужчиной, он бы ударил ее. Но со старухой он не знал что делать.

На крики сползались другие старики и старухи, начинались разбирательство, пересуды, товарищеские укоризны и увещевания, тем более долгие и любовно-тщательные, что всем этим старикам и старухам делать было абсолютно нечего. Синякова твердила свое: «Я хочу, чтобы этого аморального человека убрали из комнаты!» Аморальность Давида Шварца заключалась в том, что он объявил, что не будет ни мыться, ни бриться «до возвращения в Москву»: в его больном сознании тут была какая-то связь с зароком его молодости, когда он объявлял голодовки в тюрьмах или отказывался отвечать следователю. Это был его ответ войне, фашистам, эвакуации, невзгодам и ужасам здешней жизни, своему унизительному положению, которое он не понимал в полной мере, но, наверное, ощущал, как ощущают погоду, перемену давления. Заставить Шварца помыться могла одна бабушка, и то ей удавалось это с трудом и не всегда. Кроме бабушки, он никому не был нужен. Единственная сестра Давида Шварца умерла перед войной, приемный сын Валька был неизвестно где, то ли в военном училище, то ли на фронте, ничего не писал, а старушка Василиса Евгеньевна осталась в Москве и тоже ничего не писала. И бабушка не могла отпустить его из своей комнаты, как бы ни ярилась Синякова, потому что знала, что без нее он погибнет.

Давид Шварц не замечал, не видел и не слышал, какие страсти бушевали вокруг него. Разбирательство его «дела» в присутствии нескольких крикливых стариков происходило иногда прямо над его головой, но он безучастно и молча лежал на койке и смотрел на спорящих так, точно они были на другой планете. Мозг его был занят каким-то упорным размышлением. Внезапно его лицо могло осветиться отблеском другой, *здешней* мысли, он вдруг хмурился, садился на койке и вскрикивал сурово и гневно, как когда-то: «Перестаньте шуметь! Идиоты!» — но прежнее размышление сейчас же одолевало его, он вновь погружался в полусон, ложился навзничь и смотрел на крикунов издалека. Старик очень страдал от жары, сбрасывал с себя одежду и почти весь день проводил в кальсонах. Мог в кальсонах пойти в столовую. Игорь сам дважды перехватывал его на дороге и силою тащил в дом. Бабушка плакала: «Если б ты знал, какой это был человек! Какой ум!» Она считала, что человека уже нет, осталась лишь никчемная, неопрятная оболочка. И все-таки бабушка любила и нестерпимо жалела Давида Шварца. Иногда Игорю казалось, что она любит старика больше, чем его, Игоря, и даже больше, чем Женю.

На Шварца бабушка никогда не сердилась, а Игорь и Женя ее часто раздражали, она ругала их из-за пустяком, один раз даже ударила Игоря по лицу. С легкостью она могла назвать Игоря негодяем, лгуном, дрянцом. Особенно быстро воспламенялось ее раздражение после какого-нибудь разговора с Синяковой. Игорь так и знал: если утром была ссора с Синяковой, значит, днем бабушка непременно начнет цепляться к нему и к Жене. С Синяковой она сдерживалась изо всех сил, зато с ними распускала нервы вовсю. Нет, то были не истерики, то были злые несправедливости. Правда, бабушка никогда не терзала Игоря и Женю при Синяковой. При «этой бандитке» семья должна была выглядеть сплоченной и дружной.

Среди стариков были и неплохие люди. Некоторые сочувствовали бабушке в ее борьбе с Синяковой, другие жалели Давида Шварца, навещали его, приносили ему фрукты, орехи: он очень любил грецкие орехи. Одна старушонка как-то подошла к Игорю, когда он сидел в одиночестве на берегу Боз-су, и тихо сказала: «А я твоего папу знала по Кавказскому фронту. Я его очень уважала. Он был настоящий большевик». И, не дожидаясь ответа, пугливо оглянувшись, она ушла и больше никогда не подходила к Игорю и даже не здоровалась с ним.

Почти все старики считали, что с Давидом Шварцем дело окончательно плохо. За три года перед началом войны его уже сажали в сумасшедший дом, продержали там несколько месяцев и выпустили, но бабушка говорила, что он «уже не тот». Ему даже дали работу: научным сотрудником в каком-то этнографическом музее. Игорь помнил тогдашние разговоры. Одни негодовали: «Это издевательство — засунуть Давида Шварца в музей!» — другие, и среди них бабушка, возражали: «Наоборот, это акт гуманности. Ему дали работу, чтобы он почувствовал себя человеком. Работа его вылечит». Бабушка и теперь верила в то, что его что-то вылечит. «Давиду надо вернуться в Москву,— говорила она.— Как только он вернется, он выздоровеет».

Иногда Игорю казалось, что старик безнадежен, но иногда он случайно ловил осмысленный, сосредоточенный и глубокий взгляд его выпуклых глаз. Это бывало, когда Шварц «работал», то есть, лежа на койке, писал на длинных листах бумаги какие-то бесконечные ряды цифр,— и Игорю на мгновение мерещилось, что старик придуривается, обманывает всех. Но в следующее мгновение он понимал, что это пустая надежда. Бумаги, испещренные цифровыми строчками, Шварц прятал под подушку, но часто они оставались лежать на постели, валялись на полу, и бабушка, Игорь и Женя всегда их подбирали, а Синякова, конечно, рвала их и жгла. Некоторые листки она садистски накалывала в уборной на гвоздь. Что значили эти цифры, понять никто не мог. Бабушка много раз спрашивала у Шварца, и ласково, и очень строго, и неожиданно, чтоб застать врасплох: «Давид, что ты пишешь?» Он отвечал сердито: «Это тебя не касается». И все же, зная, что он не в себе, бабушка верила, что в его записях кроется что-то важное. Она думала, что он пишет старым подпольным шифром свои воспоминания, и поэтому старалась сохранять бумажки, собирала их и прятала в чемодан. Все эти бумажки пропали вместе с чемоданом, который исчез у Игоря на глазах на Куйбышевском перроне.

— Ну что ж ты? — говорит Игорь и выпрямляется. Он чувствует, что спина сильно нагрелась.— Почему не идешь домой?

— Ай! — Урюк машет рукой.— Далекий дорог домой...

«Тут в самом деле можно остаться и спать»,— думает Игорь и вновь откидывается спиной к печке, закрывает глаза. Он видит речку Боз-су, желтую от ила, висячий выгнутый мостик, который скрипит и шатается и где вечерами подкарауливают людей бандиты. Поздним вечером он провожает молодую женщину, врачиху, которая приезжала к бабушке делать уколы, они осторожно спускаются по вырубленным в каменистой земле ступеням, Игорь придерживает молодую женщину за локоть, чтоб она не споткнулась, и кто-то вдруг говорит из темноты: «Киргиз, остановись!» Страх горячей волной обдает все внутри. Игорь знает, что означает этот голос — это сигнал кому-то стоящему на другом берегу реки,— но он твердыми шагами ведет женщину через мостик, который скрипит и гнется, кругом тьма, они переходят на противоположный берег и поднимаются по каменистым ступеням наверх. Теперь они спасены. Вдали видны фонари и вагон трамвая на конечной остановке. «Ты меня выручил. Спасибо!» — говорит женщина и, неожиданно обняв его голову, целует в губы. Он ощущает мягкий рот, раздвинутые губы, их какой-то овощной, баклажанный вкус. Она уходит. Он не может опомниться, это первый поцелуй в его жизни, и теперь он знает, что поцелуй имеет овощной, баклажанный вкус. Обратно он бежит вприпрыжку, раскачивается на мосту, насвистывает, взлетая по ступеням наверх, и его никто не трогает. А еще выше между двумя берегами протянулся деревянный желоб, в нем течет арычная вода, и некоторые смельчаки, кому лень спускаться вниз к мосту, перебираются через речку по желобу.

Берега речки поросли джидой и орехом. Когда передвигаешься боком по балке, поддерживающей желоб, делаешь трясущимися ногами мелкие шажки и, согнувшись, цепляешься за желоб руками — внизу жирной листвой зеленеет джида, серебристый орех, а вода то коричневая, как глина, то слепит глаза солнечным блеском, смотреть вниз нельзя, надо смотреть на балку или на свои руки, держащиеся за желоб. Впервые пройдя по желобу, Игорь испытывает гордость собой: молодец, не струхнул! Бабушке и Женьке он, конечно, не рассказывает об этом подвиге. Зачем пугать людей? И вот дождливой зимой он бежит из школы и видит: по желобу ползет бабушка. В ее руке бидон. Она ходила за молоком. Она переступает по балке очень медленно, едва-едва. Дождавшись, когда наконец она благополучно добирается до берега, он кричит в ярости: «Что ты делаешь? С ума сошла! Не смей этого делать никогда больше!» Бабушка сконфужена, она бормочет насчет мокрой погоды, скользких ступенек и того, что с ее сердцем подниматься по ступенькам трудно...

О чем-то долго говорит Урюк. Игорь вникает в конец его речи. Что он тут делает? Откуда он? Такие мужики стоят на базаре с мешками орехов, с сушеными дынями, с яйцами, луком и качают каменными бородами: «Йок! Нет!»

— ...Сколько тысяч людей нет издес, все на меня не глядят, а только скажут: «Урюк! Урюк идет! — скажут.— Грязный,— скажут,— черт! Зачем,— скажут,— пришел сюда?» Меня билизовали! Зачем пришел? Билизовали, я пришел...

— Да ты пойми: тебя раньше дразнили мальчишки, а теперь просто зовут так! Вчера Колесников начальнику говорит: Урюк, мол, здорово работает, две нормы вытянул. А начальник секретарю: «Впиши Урюку премиальные в этот месяц. И ботинки выдайте, пару». Ну что они, дразнили тебя?

— Билизовали меня. Я работать ишел. Конечно, слов не знаю...

— Почему домой-то не идешь, ядрена-матрена?

На базаре, куда можно удрать из школы, где месят ногами февральскую грязь, где инвалиды без ног, в костылях, в тележках торгуют махоркой, показывают фокусы на чемоданах, хрипят и поют, где меняют ношеное белье на сахар, где старые еврейки продают старые покрывала с обсыпавшейся позолотой, где бродят воры, недавние басмачи, выздоравливающие из соседнего госпиталя, голодные девочки, несчастные женщины, нищенски одетые спекулянты, пожилые обтертые франты в шубах дореволюционного покроя и без копейки денег в карманах, где можно продать залатанные галоши, что Игорю удается к концу дня, и он ходит с сорока рублями по рядам, не зная, что купить, пока один старый узбек, сидящий под навесом, не зовет его: «Эй, бача, поди сюда! Дыню хочешь? Ай, сладкий, возьми!» Он протягивает тяжелый моток прекрасной сушеной дыни. Ее можно нарезать маленькими кусочками и пить с нею чай долго, недели две. «Сколько стоит?» — «Возьми, ешь...» — говорит старый узбек, и его глаза становятся прозрачными, как у кошки, рот растягивается в улыбке, и видны несколько черных зубов. «Бача!» — говорит узбек и обнимает своей ладонью Игореву ногу выше колена. Игорь бьет куда-то ногой, продавец дыни вскрикивает, валится на бок. Игорь бежит, ему кричат вслед: «Ур! Ур!» — как кричат, когда ловят и бьют воров до смерти. Не надо было бежать. Надо было идти с достоинством, как человек, которого оскорбили. Но тогда бы все эти продавцы дынь...

Проиграл обеденную карточку. Играл в карты в общежитии и проиграл карточку. Ай, ничего, осталось пять дней, начнется другой месяц, другая карточка.

— Во что играл-то? В «три листика»?

— Не знаю,— говорит Урюк.— Колька играл.

— Как же ты, глупый ты человек, берешься играть в игру, в которую нельзя выиграть? Ведь в «три листика» играют у вас в Ташкенте на базаре!

Урюк не был в Ташкенте на базаре. Он и в самом Ташкенте не был, только видел в окно вагона.

Игорь идет на второй этаж к начальнику цеха. Надо спасать человека: какой день без обеда! Авдейчику некогда разговаривать о мелких подробностях жизни подсобников, проживающих в общежитии, он шлет Игоря к комсоргу Вале Котляр, в инструментальный цех. Комсомольская организация тут общая, потому что цеха соседние, в одном корпусе, только в инструментальном комсомольцев человек сорок, а в «заготовке» всего-то, может, пяток ребят в группе слесарей, где пилят матрицы. Валя Котляр — технолог. Она очень маленького роста, как гномик, белые кудряшки, пронзительный голос, сапоги и ватник делают ее крохотную фигурку квадратной. Вся история с картами ее возмущает, но помогать Урюку ей неохота.

— Дураков не навыручаешься! У нас тут заботы поважней. В нашем же цехе три парня — представляешь, гады? — производство открыли. Ножи делать. Как в Америке. И торговали на Тишинке. Ну, зажигалки — ладно, ну, мундштуки наборные — ладно, но чтоб такие финяры в ночную смену точить из напильников...

И все-таки они идут в общежитие. Для подмоги Валя берет одного здорового малого из цеха.

— Что-то я тебя первый раз вижу,— вдруг подозрительно говорит Валя Игорю.— Ты где на учете?

Игорь объясняет, что нигде не на учете, потому что не комсомолец, а работает он трубоволочильщиком.

— Готовься. Будем принимать,— еще более внезапно заявляет Валя.— Такие люди нам нужны. Собираешься вступать в ряды?

— Конечно! Чего ж...— Игорь пожимает плечами.

Он и раньше думал о вступлении в комсомол, думал часто и много, но каждый раз не до конца, не хватает решимости. То, что он ответил Вале так спокойно и будто бы равнодушно, было неправдой. Он весь напрягся, услышав внезапное предложение. И — снова не до конца, снова решение откладывается на «потом», на «когда-нибудь», когда отступать — перед собственным малодушием — будет некуда.

Колька сидит на полу в окружении пацанов и кого-то обманывает в «три листика».

— Это кто же набрехал? — орет Колька и сверлит Урюка благородно-гневным, испепеляющим взором.

Ни о какой обеденной карточке он, конечно, понятия не имеет. У него и своей-то нет. Украли, должно быть, сволочи, жулики, прямо из штанов увели. В столовой, должно быть. Он, когда обед ест, совсем дурной бывает, как глухарь, ничего не слышит, не замечает, особенно когда первое ест, суп, например, с клецками или щи мясные. Когда второе дают, он уже ничего, отошел, а когда первое — свободно могли увести.

— Нате! Обыщите!

Летят из тумбочки какие-то тряпки, железки, обломок абразивного камня, куски проволоки, выворачиваются с руганью карманы, взлетает одеяло, под которым серый в пятнах матрац.

— Вот! Вот! Нате! Глядите! Зачем же ты набрехал, черт нехороший?

Урюк ничего не отвечает и как будто не понимает смысла всей этой сцены и Колькиных криков.

— Он сказал правду! — говорит Игорь, с отвращением чувствуя, что у него дрожит голос.

— А ты молчи. С тобой потом...— отвечает Колька не глядя.

— Ай...— говорит Урюк.

Он ложится на койку и поворачивается лицом к стене.

— Еще раз увидим карты,— говорит Валя, пистолетиком наставив на Кольку детский указательный палец,— выселим из общежития, так и знай!

— Напугали! Мне и так весной — ту-ту, ать-два...

Черед два дня Игорь получает зарплату, большую, «под расчет»: шестьсот двадцать рублей. Никогда еще Игорь не получал сразу так много денег. В Ташкенте, когда работал на чугунолитейном заводе, выработал однажды семьсот три рубля — но за целый месяц. А тут шестьсот двадцать за две недели! В возбуждении Игорь почти бежит по переулку, обдумывая, как потратить эти деньги, что купить. Необходимых вещей много: надо, первое, варежки на рынке достать, а то в заводских, казенных срам же ходить, сколько можно, в метро и троллейбусах руку из кармана не вытащишь; во-вторых, носки порвались, тоже на рынке есть, вязаные, по шестьдесят рублей пара на Минаевском. Четыреста тугриков тете Дине дать, на «прокорм». Маринке — меду раздобыть, тоже на Минаевском видел, сто рублей стеклянная банка. Целую банку взять. Что еще? Вроде ничего больше. Расческу еще, а то потерял. Хотя расческу необязательно, можно и самому сделать. Ребята из алюминия отличные делают, тонкой ножовочкой. В книжный магазинчик бы заглянуть, чего-нибудь из книг прихватить с получки. По истории искусств, например. Собрание картин Третьяковской галереи, альбом — ценная вещь! Еще в одном магазине была ценнейшая книга: «История гипнотизма».

В конце заводского забора, на углу, где переулок раздваивается: направо — к метро, налево — к общежитию, к Бутырскому валу, висит на доске газета, и Игорь останавливается, чтобы прочитать, что идет в кино. Уже порядочно рассвело, и, приблизив к стеклу лицо, напрягаясь, можно читать. Сзади с глухим говором, шумом, топоча по деревянному настилу тротуара, бежит к метро ночная смена. В «Москве» идет американская комедия «Три мушкетера», в «Центральном» — «Маскарад». Но уж в «Новости дня», на бульвар, Игорь пойдет непременно! А что, если прямо на рынок за медом, да и табаку купить, а оттуда — домой, спать? Английское наступление в Ливии. Бои на подступах к Бизерте. Потребление 20—30 граммов сухих дрожжей в сутки обеспечивает требуемое питание белками здорового человека. 1 кг пищевых дрожжей дает 4250 калорий, жирного мяса — 1720 калорий. Технология производства дрожжей очень несложна...

Внезапная вялость охватывает Игоря. Он переходит на другую сторону переулка, где безлюдно и можно идти медленно. Никуда не хочется спешить, ни в кино, ни на рынок, ни домой. Если бы он мог домой! Но там, куда он придет через час, там нет его дома. Там — добрые люди, сердечные люди, там их дом, а его дом где-то в другом месте. Нет, и не там, где стоит под замком нежилая комната с замороженными книгами, и не там, за четыре тысячи километров, где в обмазанном глиной бараке живут старушка и девочка, они ненавидят этот барак, они видят во сне свое бегство оттуда. И не там, где высится пустая громада, мерцающая сотнями крепостных стен. Есть ли у него дом на земле? В степи, где зной, где стужа, где он никогда не был, есть маленький дом, охраняемый пулеметами, где мается родная душа. Так, может быть,— там? Никуда не хочется идти, и он останавливается и стоит, прислонясь к забору. Белеет снег на крышах. За кирпичной стеной, в которую упирается переулок, видны черные коробки складов, за ними какие-то дома, трубы, дым в сером рассветном небе, дальше — невидимая, скрытая домами, линия окружной дороги, выходящая к пригородному перрону Белорусского вокзала, и снова, за Бутырским валом, дома, трубы, дымы, бесконечный город. Пустынный город, где нет одного-единственного дома, нет даже маленькой комнаты, необходимой для жизни.

Мимо кирпичной стены дорога ведет к общежитию. Валя Котляр рассказала про Кольку и других ребят из общежития: их называют «витебские», они из детдома, из Витебской области. Все они круглые сироты, и Колька такой же. Детдом попал под бомбежку в первые же дни, воспитатели погибли. Ребят кое-кого сумели эвакуировать. Они говорят: «Мы второй раз потеряли родителей».

А если до Кольки добежать? Проведать дурачка? Он до сих пор на бюллетене, теперь Колька заболел по-настоящему. Никакой вражды и неприязни к нему Игорь не испытывает. Глупо все вышло с картами, с допросом. Валя схватила карты, стала рвать. Колька на нее с кулаками. Игорь и тот парень, из инструментального,— на Кольку, помяли его. И куда он, тщедушный, бросается? Дружки его стояли, смотрели, никто не двинулся. Может, были в проигрыше и не возражали, чтоб игра прекратилась. А Урюк как лежал лицом к стене, так и не повернулся. И вот, когда возвращались переулком, Валя рассказала про детдом, и все вдруг перевернулось в душе у Игоря. Валя тогда сказала: «Ты молодец, правильно действовал! Ты из какой вообще семьи? Какого происхождения?» «Как это какого происхождения?» — спросил Игорь. Смысл вопроса он примерно понял, но хотелось понять точнее. Кроме того, было почему-то приятно выглядеть сероватым, не очень понятливым. «Ну, твои родители кто: из рабочих или из интеллигентов, из служащих?» — «Из интеллигентов. То есть, вернее, из служащих. Но вообще-то отец был рабочим...» Валя сказала: «Такие люди нам нужны. Готовься, будем принимать!»

Игорь быстро пересекает заснеженную мостовую, доходит до кирпичной стены и поворачивает налево. Дорога к общежитию идет мимо заднего заводского двора. Выходят трое ребят из-за угла. Вырастают как три дерева перед самым лицом. Один берет Игоря за шарф и молча легонько тянет в сторону, в переулок. Игорь послушно делает шаг за ним. Сопротивляться значило бы проявить трусость. Они хотят с ним драться и выбирают для этого проулок, где темновато, никто не увидит, и он шагает за ними, ибо гордость не позволяет ни сопротивляться, ни кричать, ни бежать. Он поспешно срывает очки, прячет в карман брюк: первое дело перед дракой. Вот только непонятно: кто такие и за что хотят бить? Парень, держащий Игоря за шарф, приближает свое лицо к лицу Игоря — оно какое-то косое, бледное, один глаз зеленоватый, другой голубой — и говорит, не разжимая зубов: «Зачем на Колю Колыванова стучал, сука? За стук что бывает — знаешь? — И неизвестно кому приказывает: — Заряжай!» Из-за спины парня вылетает кулак, и боль вонзается в середину лица, очень сильная боль — как будто с размаху ударили в лицо поленом. Игорь опрокидывается назад, рвется, пытаясь оттолкнуть того, кто держит его за шарф, держит крепко, пригибая голову вниз, но новый удар с другой стороны валит Игоря на колени, шарф сам собою разматывается, и Игорь, почувствовав на секунду освобождение, успевает вскочить и ответить ударом. Он бьет куда попало, и его бьют в шесть кулаков, в ухо, в живот, он согнулся, почему-то он все еще стоит на ногах, он видит красные кулаки и понимает, что это его кровь. «Запомнишь, сука! Вынимай из него гроши!» Кто-то сзади со спины срывает пальто. Шапка уже сбита. Повалили на снег, один стискивает голову, другие ломают руки, роются в ватнике, выворачивают карманы. Внезапно оглушительно зарокотало рядом наверху.

— В последний час! — гремит радио.— Успешное... наступление... наших войск... в районе Сталинграда!

Все четверо застывают на мгновение. Тот, кто ломал Игоревы руки, не разжимает своих, а кто стискивал голову — навалился на Игорево лицо животом, чтоб Игорь не вывернулся. И — замерли, слушают.

— На днях наши войска, расположенные на подступах к Сталинграду, перешли в наступление против немецко-фашистских войск. Наступление началось в двух направлениях: с северо-запада и с юга от Сталинграда. Прорвав оборонительные линии противника протяжением 30 километров на северо-западе, в районе города Серафимович...

Кто-то, сидевший на Игоревых ногах, поднимается, и двое других тоже поднимаются и молча, не посмотрев на лежащего с окровавленной рожей Игоря, уходят. Игорь садится спиной к кирпичной стене, первым делом осторожно, со страхом сует руку в брючный карман за очками — целы, не разбились! — прикладывает снег к губам, к глазам и слушает. И ему радостно, его радость огромна, он счастлив. Он встает на непрочных ногах, чтобы быть ближе к репродуктору, который там, на столбе.

— За три дня напряженных боев,— читает полным блаженства голосом диктор,— преодолевая сопротивление противника, продвинулись на 60—70 километров... Нашими войсками заняты город Калач, станица Кривомузгинская... Тринадцать тысяч пленных... триста шестьдесят орудий...

А день совсем белый, снежный, переулок пуст. Вдали стоит человек и тоже слушает или, может быть, смотрит на Игоря. Никогда раньше Игорь не испытывал этого странного ощущения: он счастлив, напряженно, бесконечно и истинно счастлив, но это его чувство существует как бы отдельно, как бы *вне его и помимо его*; это чувство живет самостоятельной жизнью, оно зримо, его можно увидеть, как можно увидеть, например, облачко от дыхания на морозе, и оно не имеет никакого отношения к человеку в разорванном пальто, который идет, пошатываясь, и выплевывает изо рта кровь.

Подарки надо делать небрежно, мимоходом и, главное, никак не обнаруживая приятного возбуждения и гордости самим собой, которые при этом испытываешь. Надо не спеша раздеться, спросить: «Ну, как вы тут?» — помыться, отчистить тщательно руки, кое-где пемзой, выковырять ножницами мазут из-под ногтей, походить немного по комнате, можно выпить чашку чаю или желудевого кофе, выкурить самокрутку и потом уж невзначай сказать: «Да! Я тут принес какую-то ерунду...» Пойти в прихожую, где остались лежать как бы забытые на сундуке, под газетой, банка меда, бумажный фунтик с тремястами граммами риса и толстые вязаные носки для бабушки Веры, которая жалуется, что у нее мерзнут ноги. Все это сгрести и положить в комнате на стол со словами: «Штучки-дрючки с нашей получки!» — а самому сесть в сторону и, дымя самокруткой, углубиться в газету.

Рис куплен для тети Дины: врач прописал ей рисовый отвар.

Бабушка Вера обрадованно укоряет Игоря в том, что он мот, но сейчас же влезает в носки и шлепает в них туда-сюда, как в новых туфлях. Выходит из своей комнаты Марина, успевает сказать: «Боже, какая роскошная жизнь...» — и застывает, с ужасом глядя на Игоря. Он прикладывает палец к губам. Бабушка совсем почти потеряла зрение и, слава богу, не видит его рожи. А рожа у него действительно страшная, в кровоподтеках, рот в запекшейся крови, сам испугался, увидев себя в ванной в зеркале. Правда, благодаря этой роже на рынке он заслужил снисхождение: одна старушка уступила носки всего за четыре рубля, а банку меда он купил за восемь.

— Что с тобой? — шепчет Марина и тянет Игоря в свою комнату.

Они садятся на постель, неряшливо прикрытую одеялом. Игорь рассказывает, привалившись спиной к стене, нога на ногу, в зубах самокрутка:

— Ну, я ему дал апперкотом... Он мне прямой правой... Я ушел нырком... Тут они дали серию, я закрылся...

В комнате Марины всегда душно, пахнет лекарствами. Светомаскировочную черную штору Марина никогда не поднимает — зачем поднимать, если окно выходит в узкий, щелевидный двор, неба не видно, напротив стена другого дома, настолько близкая, что при желании ее можно достать, вытянув руку с длинной палкой, например со шваброй,— и в комнате Марины не гаснет электричество, маленький ночничок над изголовьем. «Жил на свете рыцарь бедный,— говорит Марина и притрагивается ладонью к его щеке, губам.— С виду сумрачный и бледный...» Возле губ ее ладонь задерживается, едва касаясь, как бы ожидая чего-то. Он умолкает и сидит, закрыв глаза, погруженный в ощущение этой близкой и легкой, пахнущей лекарством ладони. Когда через несколько секунд он открывает глаза, он видит лицо Марины рядом со своим, совсем близко, и слышит ее испуганный шепот.

— Мой бедный изувеченный брат... Ложись сейчас же и отдыхай...

Смеется она или вправду жалеет? Она внимательно разглядывает его синяки под глазами и требует, чтобы он снял очки. Он снимает. Тушит самокрутку в пепельнице. Губами она притрагивается к одному синяку, к другому. Слышно, как по коридору шлепает бабушка Вера. Остановившись на пороге комнаты, старушка спрашивает:

— Горик, почему ты не идешь отдыхать?

— Он спит! — шепчет Марина.— Здесь ему спокойней, пусть спит...

Марина не отодвигается от Игоря, наоборот, прижимается к нему, она лежит на животе поперек постели, свесив ноги, и тянется губами к его синякам. Нет, это не поцелуи, это нежные целительные прикосновения. У Марины очень доброе сердце. Она любит Игоря, как старшая сестра, и сейчас, видно, очень сильно ему сострадает. Но все-таки хорошо, что бабушка Вера ничего не видит. Со стороны можно подумать, что Марина его целует, а она просто дышит, дует, холодит его воспаленную кожу. Ее губы касаются его распухших, израненных губ, на мгновение прижимаются к ним. Бабушка Вера шлепает назад, к себе.

— Тебе не больно? Не неприятно? — осведомляется Марина.

Он качает головой. Нет, конечно, ему не больно и совсем не неприятно, даже наоборот — ему приятно, необыкновенно и удивительно приятно, но признаваться в таких вещах не мужское дело. Поэтому, покачав головой, он замирает и на всякий случай закрывает глаза.

Марина уходит, постелив ему постель и выключив ночник. Он дышит запахом ее подушки, пахнущей ее лицом, ее волосами. И, лежа в темноте, думает о ней: «Какая странная! Ей ничего не стоит обнять человека, прижаться к нему, даже поцеловать его и тут же улетучиться, исчезнуть, забыть обо всем». Из соседней комнаты слышен ее капризный голос: «Бабушка, опять ты куда-то задевала игольницу!» Она считает его мальчиком, в этом все дело. Конечно, она старше его на пять лет, ей, слава богу, уже двадцать два, у нее есть жених, военный инженер, который служит на Севере, и есть два поклонника, они навещают ее, приносят подарки, особенно усердствует один, майор, толстенький, с бараньей прической, всегда от него пахнет одеколоном, а другой — какой-то занюханный студентик, хромой, с палкой, зовут Яшей, Марина относится к нему гораздо лучше, чем к майору, жалеет его, считает очень талантливым и несчастным и всегда норовит его покормить. Но ведь он, Игорь, тоже не мальчик! Слава богу, он каждый день слышит от Кольки такие истории, что закачаешься. Через две недели ему исполнится семнадцать. Правой рукой он выжимает квадратную двадцатикилограммовую гирю четырнадцать раз. Если она еще раз попробует к нему прижаться — она вообще-то не в его вкусе, ему не нравятся такие худые длинные лица с большими носами,— но если она еще раз попробует, он ее обнимет так, что у нее косточки затрещат. Оттого что он отчетливо себе представляет, как это произойдет, его бросает вдруг в жар и он начинает ворочаться под одеялом, никак не находя удобного положения: на правом боку не может лежать, потому что болит ребро, на левом — потому что подушка прикасается к кровоподтеку под глазом. Наконец он укладывается на спине. Когда-то мама приходила в детскую и, если он лежал навзничь, поворачивала его на бок: при лежании на спине нагревается мозжечок и могут сниться кошмары. Но теперь он так устает, что не до кошмаров. Все стремительней, радостней он летит в сон. Последняя мысль, пронизывающая эту радость, эту стремительность, вот какая: прорвали фронт под Сталинградом, освободили Калач, тринадцать тысяч пленных.

Просыпается неизвестно когда: вокруг тишина, мрак. Может быть, уже поздний вечер, может быть — полдень. Все тело болит, ноют плечи, спина. Игорь делает два шага, и его шатает, вот чертовщина! Значит, не выспался, спал очень мало, сейчас не больше часу дня. Бабушка Вера сидит у стола и, глядя в лупу, разбирает на клеенке рис. Тетя Дина еще не пришла со службы. Марина в институте, сегодня там вечерняя лекция. Четверть седьмого.

— Горик, тебе письмо. Спал, спал и вы́спал...

Из Ташкента, от бабушки. Ее остроугольный почерк на самодельном конверте из тетрадочной обложки: «Баюкову Игорю Николаевичу». Как всегда, бабушка пишет чрезвычайно сухо и конспиративно! «Хлопоты о том, о чем мы мечтаем, пока ни к чему не привели. Говорят, это будет не раньше, чем через полгода. Причина, из-за которой я начала хлопоты, по-прежнему остается... Он перенес грипп, здесь некоторые болели...» Читай так: приезд в Москву откладывается. Здоровье Давида Шварца по-прежнему плохо. Там была тяжелая эпидемия гриппа. (Бабушка писала в ЦК о том, что Шварцу для поправления здоровья необходимо вернуться в Москву, а она, близкий и единственный друг, должна его сопровождать.) «Я работаю сейчас надомницей для артели, вяжу сети, работа ответственная, оборонного значения... Мы слушали по радио речь товарища Сталина 6 ноября и завидовали вам, что вы в Москве». (Чему завидовать? Мы тоже слушали по радио.) «Замечательно сказано о том, что фашистским палачам не уйти от возмездия... Во втором ящике стола справа должна быть черная папка, там лежит Женечкина метрика, Васины облигации, спрячь их... Нет ли новых известий от Васи? Напиши немедленно, есть ли, а то мы волнуемся, последнее письмо от него было в августе...»

Под «Васей» бабушка шифрует маму. От мамы действительно писем нет давно. Ей разрешается писать раз в месяц, но вот уже три с половиной месяца от нее ни слуху ни духу. Но бабушка Вера считает, что было бы странно, если бы во время войны письма из лагеря доставлялись бесперебойно.

— Представляю, в каком волнении Нюта! — говорит бабушка Вера.— Но по письму не скажешь, правда же? Какой характер! Не устаю изумляться...

Бабушка Вера всегда говорит о своей двоюродной сестре с почтительным восхищением, но где-то в глубине таится оттенок тончайшей и привычной насмешки. «Это не человек, это какой-то железный шкаф. Когда случилось несчастье с твоей мамой, она полтора месяца скрывала от нас — от меня и от Дины, близких людей, говорила, что Лиза в командировке. Зачем это было нужно, ты не знаешь? Мы же не Гринберги, не Володичевы, которые стали переходить на другую сторону улицы и отворачивались, когда встречали Нюту в магазине. Мы же родные люди. А когда у Гриши, твоего дяди, открылся туберкулез и его отправили в санаторий — и это было всем известно,— она уверяла нас, что он уехал на практику...»

Бабушка Вера любит разговаривать о той, другой бабушке, перебирать прошлое, молодость, их совместную жизнь в Петербурге и Ростове, их мужей, которые были дружны между собой и погибли почти одновременно в годы революции. Игорю слушать интересно, хотя он понимает, что все эти сведения бесполезны, ненужны. Его родная бабушка никогда ни о чем не вспоминает. Однажды она сказала нечто, поразившее Игоря: «Я не помню, как мое настоящее имя и настоящая фамилия. И меня это не интересует». Вот уже сорок лет она живет под именем, полученным в подполье — Анна Генриховна Вирская,— и даже ее сестра, бабушка Вера, зовет ее Нютой.

— Нюта вяжет сети! Господи помилуй! Во-первых, бедные сети... Во-вторых, бедная Нюта: она совсем отвыкла от физической работы... Ведь в последние годы она работала в этом, как его, Секретариате, кажется? Да, да, она была большой человек, ответственный работник. И я гордилась: моя кузина — такая важная персона! А? Очень гордилась, да, да!

Бабушка Вера смеется, кивая подслеповатой головкой. В ее сочувствии, ее смехе Игорь угадывает тень давнишней, теперь уже исчезнувшей, тайной сестринской зависти. И ему делается слегка неприятно.

— Я Нюту всегда любила. Мы были очень близки в юности. Но наши жизни так складывались, что почти никогда мы не были одновременно в равном положении... Когда я была здесь, она была там. Когда я оказывалась там, она поднималась сюда.— Бабушка Вера, продолжая улыбаться оттого, что рассказыванье доставляет ей удовольствие, показывает движениями рук какие-то символические «там» и «здесь».— Это, конечно, осложняло отношения. Но я все равно любила Нюту, уважала как человека, как оригинальную личность, хотя не понимала ее увлечений. Я была совсем далека от политики. А мой муж Александр Ионович, наоборот, был человек очень живой, бурный, с общественным темпераментом, как полагается адвокату. Он был тоже социаль-демократ, но какого-то особого толка, я точно не знаю. После февраля он работал, например, в комиссии Временного правительства по разоблачению провокаторов. Мы жили много лет на Литейном. У нас была прекрасная квартира из семи комнат. Помню, твоя бабушка пришла ко мне году, например, в двенадцатом, в ноябре мы как раз собирались с Александром Ионовичем в Париж, мы ездили туда чуть ли не каждую зиму,— просила помочь каким-то двум товарищам. Она была так плохо одета, такая несчастная, худенькая. Мне стало ее безумно жалко, как сейчас помню. На губе ее был фурункул.

Я хотела ее покормить, оставить дома, но она отказалась. Александр Ионович чем-то помог. Он был благороднейший человек. И знаешь, Горик, мне на всю жизнь врезалось, как боль, это воспоминание: Нюта уходит ночью, в дождь куда-то на вокзал, а я остаюсь в теплой квартире с чемоданами для Парижа...

По ее кивающему, в слепой улыбке личику никак не скажешь, чтобы она испытывала сейчас боль от этого воспоминания. Наоборот, вспоминать ей, кажется, очень приятно, и она даже отложила лупу и перестала перебирать рис, чтобы полностью отдаться приятному переживанию.

— А потом роли переменились, двадцатый год, Александр Ионович застрял в Новороссийске, не успев эвакуироваться,— он не служил в Добровольческой армии, но отступал с ними, он был человек глубоко штатский,— а я была в Ростове, получила от него трагическое известие, что ему грозит расстрел, помчалась к Нюте, она работала в политотделе фронта, умоляла ее, рыдала, и она, конечно, сделала все, что могла. Пошла к твоему отцу, Николай Григорьевич дал телеграмму, и Александра Ионовича спасли. Тогда в Новороссийске из тех «добровольцев» отобрали для работы в советских органах большую группу юристов — кто соглашался честно работать. Николай Григорьевич был человек гуманный, умел людям верить. Александр Ионович работал с ним очень хорошо, кажется в трибунале фронта, не помню точно где, на Большой Садовой. И вот какой-то большой мятеж, Александра Ионовича послали на разбор дела, он, конечно, хотел разбирать по совести, но его обвинили, что он потворствует, что он, знаешь ли, спец не пролетарского происхождения, отстранили от работы и грозили всякими карами, и тогда он бежал в Крым. К своему брату, профессору. Конечно, он совершил ошибку. Не надо было бежать. Я осталась с детьми в Ростове совершенно без средств. Но с ним поступили жестоко. После взятия Крыма он был расстрелян, его брат тоже. Твой отец ничего не мог сделать, а Нюта, когда я пришла к ней, сказала: «Если бы мой сын Гриша совершил дезертирство, я бы не задумываясь отдала такой же приказ. Другое дело, когда людей расстреливают по ошибке — это трагедия». Я запомнила фразу: «Это трагедия». А то, что было с Александром Ионовичем,— н е трагедия. Я понимаю, она говорила о муже, твоем дедушке, который погиб несчастной смертью незадолго до этого в Баку. Его расстреляли совсем уж ни за что, он давно отошел от политики, работал инженером на нефтяных промыслах. Он был изумительный человек, необыкновенной доброты, бескорыстия. Я всегда жалела, что Нюта с ним разошлась. Александр Ионович дружил с ним году в пятом, в шестом, до его отъезда в Баку, и, помню, говорил мне: «Андриан Павлович — истинный революционер, он мухи не обидит». А? — Бабушка Вера щурит темные водянистые глазки, пытаясь всмотреться в лицо Игоря и понять, какое впечатление произвели на него эти слова.— Как тебе нравится такое определение? Немножко оригинальное, не правда ли? Александр Ионович был большой шутник, должна тебе сказать... В двадцатом году мы очень бедствовали, Нюта нам помогала... А пять лет назад поздно ночью она пришла ко мне и сказала: «Вера, если что-то со мной случится, обещай, что не оставишь Горика и Женечку...» И знаешь, опять мне стало ее безумно жаль, когда она уходила. Тоже, кстати, шел дождь. Она была такая старенькая, в старом пальто. У нее не было зонта. Я дала ей свой зонт...

Палец бабушки Веры передвигает по клеенке в кучку белого риса черную порченую рисинку. Значит, и в лупу старушка ничего не видит.

— Перестань напрягать зрение,— говорит Игорь. Непонятно почему он испытывает легкое раздражение.— Дай-ка я переберу!

Он делает резкое движение к столу. Бабушка Вера испуганно прикрывает кучки риса ладонями.

— Нет, нет! Я сама!

— Но ты должна дать отдых глазам. Чем бабушку жалеть, ты бы себя пожалела, свои глаза.

— Это моя работа. Я сама...

— Зачем делать бессмысленную работу? Какой-то сизифов труд...— говорит он горячась.— Сизифов труд при помощи лупы! — Он умолкает, запнувшись.

Бабушка Вера тоже молчит. Она молчит долго. Игорь понимает, что старушка обижена. Слишком грубо: бессмысленная работа, сизифов труд! Пусть делает это единственное, что она может делать, и пусть ей кажется, что это важно. Игорь ерзает на стуле и даже вспотел: ему стыдно и хочется загладить грубость. Но слова для заглаживания никак не подбираются, и он продолжает молчать, угрюмо насупившись. Хлопнула входная дверь, кто-то протопал по коридору, щелкнул замок соседней комнаты. Судя по топанью — Бочкин. Очень медленно от одной кучки риса к другой бабушка Вера перетаскивает пальцем по рисинке. Лицо ее с приставленной к глазу лупой низкой опущено. Игорь видит ее зеленоватое темя, белые волосы. Вдруг вспоминается, что когда-то в детстве он лазил в пещеры и видел там, под землей, белую траву.

— Сизиф был рабом? — неожиданно спрашивает бабушка Вера.

— Кто? Сизиф? Сначала царем, потом рабом. Где-то в подземном мире...

— Как всякий человек. Сначала он царь, потом раб. Старость — это рабство...— Она молчит, наклоняет голову ниже.— Особенно такая бесполезная старость, как моя. Зачем я живу? Кому от этого польза, от моего прозябания?

— Ну что ты говоришь!

— Мне самой? Давно уже нет. Моим близким? Я ничего не могу. Только ем их хлеб и раздражаю разговорами... Я раздражаю себя саму — тем, что я беспомощна, безглаза...

— Тебя же все любят, баба Вера!

— Я знаю...— Она кивает, кивает, не может остановиться. Медленно ползет по клеенке ее коротенький костяной палец.— Может быть, для них я и живу.

И еще разговор с бабушкой Верой. Тоже вечером, и тоже они вдвоем в комнате. Игорь только что отужинал — съел тарелку супа, выпил чашку кофе — и лежит на диване с газетой.

Бабушка Вера, присев рядом с ним на диван, обращается с неожиданной просьбой: поговорить с Мариной насчет ее поведения.

— Она тебя уважает. Не знаю уж за что...— Бабушка Вера шутливо постукивает его легоньким кулачком в бок.— Может быть, просто потому, что никого другого в семье она уважать не привыкла. А ты какой-никакой мужчина... Ты должен ей сказать... Приведи примеры из истории, литературы... Ты же любишь литературу...

Игорь морщит лоб. О чем сказать? Какие примеры?

— Что в течение тысячелетий главной добродетелью женщины,— шепчет бабушка Вера,— считалась ее верность жениху, который воюет... Володя пишет нежные письма, высылает деньги... А тут — этот Яша, этот Всеволод Васильевич... Я не могу понять... Меня, конечно, не спрашивают... Кто я такая?

— Но мне неудобно,— говорит Игорь.— Это уж ваше с тетей Диной дело.

— Мы с тетей Диной бессильны. Я давно не имею права голоса, а Дину она просто не уважает. Да, да! Она ее не слушает. Она ее жалеет, конечно, и любит как мать, но уважения нет. Когда Дина как-то попробовала что-то сказать, она ее обрезала: «Мама, ты отказалась от живого мужа, так что не учи меня благородному поведению». Вот видишь! Я не оправдываю Дины. Она поступила против совести. Но, во-первых, она думала о той же Марине, о ее судьбе. И, во-вторых, Дина и Павел Иванович жили недружно еще до того, как все это случилось... Я знаю, что пережила твоя мама. Знаю, что в Наркомземе от нее требовали, чтобы она отказалась... И Нюта, между прочим, при всей ее твердости говорила Лизе: «Коля бы тебя не похвалил. Ты должна спасать детей. А то, что ты подпишешь какую-то бумажку, это сущая чепуха, вздор, Коля поймет, все поймут». Но Лиза не смогла...

Игорь думает: она не смогла стать другой. Превратиться в другого человека. Он видит давнее лето на даче, приезд тети Дины с высоким усатым человеком, Павлом Ивановичем, отец боролся с ним на Габайском пляже, стояла августовская жара, туда приехали на двух лодках, по пути соревновались, какая лодка быстрее, и Игорь сидел на руле. И в тот день отец уронил в воду очки, и мама долго ныряла, пока не нашла их на дне.

— Ты говоришь: поймут. Но ведь Марина не захотела понять тетю Дину. Хотя сделано было ради нее..

— Я этого не говорила! Это сказала Нюта. Правда, я не уверена в том, что она сказала это только лишь..

— Ну?

— Ну, ты же знаешь свою бабушку. Она не похожа на обычных людей. Прежде всего, она человек дисциплины...

Бочкин прошел в ванную, гремя там тазами. Зашумела вода. Сейчас он разведет свою гадость: разложит в тазы куски кожи, вытащит банки с кислотой, с ворванью. В ванную не зайдешь.

— Горик, поди, пожалуйста, поставь суп. Скоро Дина придет. И я тебя прошу: ни Марине, ни Дине ни слова, что я... Но ты сам...— Бабушка Вера закрывает лицо ладонями.— Поговори с Маринкой! Она же гибнет! Неужели вы не видите, что девочка гибнет... Ведь ее отчислили из института, она обманывает, не ходит ни на какие...

Бабушка Вера задыхается. Она плачет без слез, как плачут очень старые люди.

Игорь обещает поговорить с Мариной. А что ему остается делать? Но поговорить никак не удается: вечерами ее нет, а утром он уходит слишком рано.

Однажды он просыпается ночью от голода. Может, и не от самого настоящего голода, того, что когтит человека зверским желанием есть что угодно, лишь бы наесться, набить живот. Нет, ему не все равно, что есть и чем набивать живот. Щи из квашеной капусты, например, какими кормят в столовой, он есть бы не стал. Овощную «безлимитку» тоже, пожалуй, не стал бы. Он просыпается от совершенно четкого и могучего, изнутри прущего желания: пожевать кусочек черного хлеба. Хочется тихо встать, подойти на цыпочках к буфету, открыть с максимальной осторожностью, чтоб не разбудить бабушку и тетю Дину, стеклянную дверцу, достать хлебницу и отрезать от вчерашней буханки ломтик толщиной примерно в десять миллиметров. Посыпать солью и запить водой из-под крана. Несколько секунд Игорь лежит недвижно, глядя во мрак и изумляясь этой хлебной причуде, разбудившей его среди ночи.

Сна ни в одном глазу, а желание ощутить во рту знакомую, вязкую кислоту черняшки жжет все сильнее. Но он продолжает лежать. Нет, у него не хватит сил пойти к шкафу и совершить воровство. А что же, как не воровство: под покровом ночи оттяпать кусок от общей буханки? Ну и срам будет, если проснется тетя Дина. Баба-то Вера ничего не услышит, хоть из пушек пали. В том-то и весь ужас, весь стыд, что делается ночью, когда другие спят. Если бы вечером у всех на виду он подошел бы к шкафу и со словами «Что-то я малость того...» спокойно отрезал кусочек хлеба, это было бы вполне прилично и естественно. Но вот ночью, втихаря... Нет, невозможно! В десять вечера было возможно, а сейчас — он дотянулся рукой до будильника, всмотрелся в светящиеся цифры,— в три ночи, совершенно немыслимо. Лучше погибнуть от голода. Представить только: тетя Дина вдруг просыпается, мало ли отчего, кольнуло в боку, и видит, как ее племянник стоит, белея кальсонами, у буфета...

Между тем желание черняшки — ничего больше, никаких пирожных, огурцов, ливерных колбас, ничего, кроме простой черняшки,— становится нестерпимым. Печет внутри так, точно там, в желудке, поставлен горчичник. Бессознательно Игорь начинает примериваться, как побесшумней откинуть одеяло и как спустить левую ногу на пол, чтобы ничего не задеть. Какой все же вздор лезет со сна в голову! Неужели добрые люди, которые любят его как сына, пожалеют ему маленький ломтик хлеба, граммов сорок или пятьдесят? Единственная неловкость: то, что ночью. Но ведь будить среди ночи, чтобы сообщить о своем непобедимом желании пожевать хлебушка, было бы еще большей неловкостью. Было бы просто подлостью, тем более что бабушка мучается бессонницей, засыпает с трудом. А вообще-то в этом доме он главный, так сказать — «немец, хлебник аккуратный, в бумажном колпаке», по рабочей карточке он зашибает семьсот граммов, тетя Дина по служащей зашибает пятьсот, бабушка Вера ничего, и Марина тоже ничего.

Последнее гнусное соображение приходит в голову, когда он уже крадется босиком к буфету. С куском хлеба, посыпанным солью, и стаканом он скользит затем на кухню.

Зажигает свет, наполняет стакан водой, садится на стол — чтоб босые ноги не стояли на холодном полу, а болтались в воздухе — и принимается за трапезу. Мысли его не успевают ни на чем сосредоточиться, переносясь от Кольки, Авдейчика, новых матриц, которые слишком быстро выходят из строя, и криков Чумы по этому поводу (вчера перетягивали всю позавчерашнюю партию профилей, забракованных контролерами; матрицы необычайно быстро «обрюхатели», и никто не заметил), от слухов насчет того, что скоро многих вернут с Урала, будут перестановки в цехах, выдадут ордера на шапки-ушанки к Новому году, от всего заводского, ставшего мучающим и близким,—

к наступлению западнее Ржева, к прорыву фронта, ко вчерашнему митингу в цехе, к Сталинграду и Тулону, где французские моряки взорвали свои корабли, капитаны оставались на мостиках и почти все погибли. И вдруг он явственно слышит, как во входной двери поскрипывает ключ.

Кто-то поворачивает ключ так же медленно и осторожно, как только что действовал он сам, открывая дверцу буфета.

Игорь гасит на кухне свет и на всякий случай вооружается кухонным ножом. Ключ продолжает скрипеть. Наконец дверь отворилась, слышны шепот, топтание на пороге, ставят что-то тяжелое. Голос Марины: «Не надо, пусть здесь...» Еще какая-то возня, тяжелое передвигают по полу, двое шепчутся. «Нет. Нельзя, потому что...» — «Но я прошу!..» — «Иди сюда! Вот сюда, на кухню...»

Они входят на кухню. Зажигается свет. Игорь вжимается в стену, загораживается шкафом, но все же он на виду. В первую секунду он испытывает пронизывающий насквозь и убивающий, как разряд молнии, стыд, но затем ему становится все равно, его чувства убиты, и он погружается в оцепенелое и тупое равнодушие. Он слышит, как Марина вскрикивает, хохочет, он видит, как она падает на табуретку, как на щеках ее возникают красные пятна, из глаз катятся слезы. Он видит кожаную бекешу Всеволода Васильевича, его выпученные голубые глаза и его рот, кричащий: «Идиот! Так пугать женщину!»

Потом Всеволод Васильевич исчезает. Марина сидит на табуретке, а Игорь все еще не может выйти из-за шкафа, потому что тогда он обнаружится весь, с головы до ног. Марина, стискивая руками голову, бормочет что-то насчет «ужасного зрелища», насчет того, что не может видеть «этой гадости», «какой позор» и что-то еще. Он ничего не понимает.

Внезапно она говорит ясным, трезвым голосом:

— Молодые люди и зимой должны носить трусы, но не эту гадость...

Тогда он догадывается, что она пьяна. Она закрывает пальцами глаза и, нетвердо ступая, толкаясь растопыренными локтями в стенки, выбирается из кухни. Из коридора слышно ее бормотанье, она разговаривает сама с собой: «Здесь осторожно, дурочка...

Не споткнись, моя родная... Здесь картошка, мешок картошки, сорок кил...» Он стоит неподвижно, вслушиваясь, сжимая кулаки. Кровь, остановившаяся было, вновь бурлит в жилах и бросает в жар. Он так ненавидит человека с выпученными голубыми глазами, и так любит пьяную девочку, и так униженно ощущает себя, свою ничтожность, что ему хочется — упасть, умереть.

И он наливает в стакан воды, садится на стол, дожевывает свою черняшку. Потом идет по коридору к комнате Марины, открывает без стука дверь и говорит в темноту:

— Маринка, мне нужно с тобой поговорить...

VII

Лыжи оставили у входа, засыпали их для маскировки снегом, сверху наложили ветвей. Первым полез Леня. Очищенное от раскисшего снега, грязи и прошлогодних листьев отверстие было маленьким и невзрачным. Никак не верилось, что эта нора вела в какие-то гигантские катакомбы. Сначала следовало просунуть в отверстие ноги, а потом проталкиваться внутрь всем телом. Леня сказал, что за первым ходом метров через пять-шесть будет обрывчик, с которого удобнее сползать именно так: ногами вперед.

— Адью! — сказал Леня, и его голова в кожаном летчицком шлеме исчезла в черной дыре.

— А Сапог все равно бы тут не пролез бы-бы-бы со своими окороками...— Марат нарочно стучал зубами и трясся, как бы от страха. Но, хотя он дурачился, физиономия у него была на самом деле бледная.

Уползла и его ушанка. Горик просунул ноги в нору и, отталкиваясь руками и локтями, помогая плечами, стал вбуравливаться в тесную и узкую лазейку. Если б не знать, что эта теснота скоро кончится и начнутся просторные ходы и залы, как обещал Леня, можно было бы прийти в отчаяние. Горик двигался чересчур быстро, потому что услышал снизу полупридушенный голос Марата:

— Эй, тихо... Голова...

Ах, вот что! Горик раза два ткнулся ногой во что-то нетвердое, ускользающее. Еще более издалека донесся голос Лени:

— Прыгай!

Марат, видно, спрыгнул. Горик почувствовал, что теснота кончилась, ноги оказались в пустоте над обрывом. Прыгать, не зная истинной высоты, было боязно, и Горик несколько мгновений болтал ногами в воздухе, сдвигаясь вниз по миллиметру и тщетно пытаясь достать носками ботинок дно.

— Да прыгай же! — сказал кто-то, потянув Горика за ногу, и Горик сверзился наземь.

Можно было бы не падать, а просто встать на ноги — земля оказалась рядом, не более чем в полуметре от его ботинок, но от напряжения и дрожи в коленях он не удержался и рухнул.

Все трое зажгли свои свечи и увидели небольшой, с низким потолком, полукруглый зал, из которого чернели провалами два выхода. Зал был замечательно уютный. Он напоминал гостиную с занавешенными окнами. На полу валялись какие-то бумажки, кости, консервные банки и труп маленькой собачки. Собачка умерла, по-видимому, давно, потому что трупик ссохся, превратился почти в скелет, обтянутый темной кожей, и от него не шло никакого дурного запаха. В залике стоял теплый, затхлый, но очень приятный запах песчаниковых стен. Леня уверенно направился к одному из черных провалов, откуда начинался коридор. Теперь было ясно, что Карась сказал правду: он тут старожил. И маме своей он, значит, загнул насчет кино и насчет того, что перелезал будто бы через стену и ободрал кожу на ладонях. Он был тут, факт. А Лину Аркадьевну не захотел пугать. Но как же он, змей-горыныч, смог пойти сюда в одиночку? Ехать поездом из Москвы, идти на лыжах, продираться сквозь этот капкан, калеча себе руки и уничтожая пальто, и все лишь затем, чтобы побыть одному — со свечечкой в руке — в этом гробовом мраке. Это был поступок ужасной силы. Даже мысль о таком поступке приводила в содрогание, и он отбрасывал ее, старался не думать и ничего не спрашивать у Лени, ибо пока еще он мог сомневаться, но как только он узнал бы точно, он не в силах был бы относиться к Лене как прежде, как к обыкновенному человеку. Поэтому лучше было бы думать, что Карась загнул, что он был тут не один, а с кем-то из взрослых, с каким-нибудь, например, профессором, специалистом по изучению пещер. Он не мог, не имел права прийти сюда один. Если б он так поступил, он бы чудовищно и непомерно возвысился надо всеми и одновременно унизил бы всех вокруг.

Коридоры и залы сменялись новыми коридорами и залами. Леня то и дело вынимал из планшетки лист бумаги, что-то отмечал карандашом: составлял план пещеры. Этот план он хотел передать в дар Географическому обществу, за что всех троих, по его расчету, должны были избрать членами общества. И возможно даже — почетными членами. Все это было заманчиво и прекрасно, особенно когда говорилось об этом там, наверху, но теперь Горика томили две вещи. Первая: то, что за довольно длинный отрезок пути Марат положил всего девять или десять бумажных номеров. Леня велел оставлять номера только там, где коридоры разветвлялись, это было, конечно, разумно, но все же иные коридоры были так длинны, изломаны, с такими сложными изгибами, что было бы спокойней класть номера чаще. Таково было мнение Горика, которое он, конечно, не высказывал, чтоб не выглядеть чересчур о с т о р о ж н ы м. Кроме того, то, что Леня велел беречь номера — а их наделали больше ста штук! — говорило о том, что аппетит у Карася разыгрался и он намерен ходить по своей любимой пещере еще часов пять. А Горику казалось, что уже все ясно и можно понемногу подгребать к выходу. Походили, посмотрели, дальше то же самое — еще зал, еще коридор.

Другое, что томило,— мысль о Володьке. От него по таинственному настоянию Лени поход был скрыт, но Сапог мог случайно, по недомыслию или со зла позвонить домой и обнаружить вранье. Горик сказал, что поедет с классом на экскурсию в Горки Ленинские. Скорее всего, Сапог звонить не станет, потому что догадался, что его почему-то отшили: в субботу у него был такой померкший, убитый вид, что даже жаль его стало. Вообще-то Горик считал, что Сапог человек несерьезный, болтун и враль и в секретные дела посвящать его не следует, и поэтому даже обрадовался, когда Леня вдруг заявил, что по особым причинам Сапог должен быть исключен из ОИППХа,— о причинах Леня обещал доложить позднее, когда удостоверится в точности фактов. Он только сказал, что преступления Марата — его беззастенчивая, у всех на виду, б е г о т н я за Катькой Флоринской и то, что он растрепал ей про пещеры,— ничто по сравнению с этими «особыми причинами»! Но в чем конкретно дело, проклятый темнила не сообщил.

Горик на него надулся. «Ладно! Я тебе тоже одну вещь не скажу». Никакой «вещи», разумеется, не было. Была обида, застрявшая в Горике еще с утра, когда Карась вздумал над ним покуражиться. Иногда на Карася находила такая гадость: покуражиться над товарищами.

На первой перемене он подошел к Горику и сказал: «Будем узнавать «крокодилов»!» «Давай!» — охотно согласился Горик, не предполагая подвоха.

«Крокодилами» Леня и Горик называли тех, которые знают лишь то, что проходят в школе, словом — невежд, полузнаек. «Крокодилам» противостоят «осьминоги», люди начитанные, сведущие во многих науках. «Крокодилов» в классе полно, а «осьминогов» — раз, два и обчелся. Леня, Горик и еще человека три, не больше. Распознавать «крокодилов» — премилое дело, увлекательнейшая забава. Вот Горик и подумал, что Карась предлагает ему позабавиться, пощупать кое-кого, задать контрольные вопросики. Леня показал ему какой-то рисунок в книге и спросил: «Что это за цветок?» Горик посмотрел, пожал плечами: «А черт его знает!» — «Не знаешь?» — «Нет».— «Удивительно! Это раффлезия, растет на островах Суматра и Ява. Такую вещь каждый «осьминог» должен знать!» И отошел, посмеиваясь, как бы говоря: «А ты, оказывается, «крокодил», братец!»

Горик, ошарашенный такой низостью, весь урок обдумывал, как отомстить, и на следующей перемене подозвал Леню. «Лень,— сказал он как можно простодушней,— ты не знаешь случайно: кто такие м о р м о н ы?» «Не знаю»,— признался Леня. «Неужели ты не знаешь?» — «Нет».— «Удивительно! Это каждый «крокодил» должен знать. Не говоря уж об «осьминогах». Тут хвастливый профессор все понял, покраснел как рак и, скривив губы, сказал презрительно: «Все с меня слизываешь, хорошая обезьянка!»

И до конца уроков они не разговаривали. Только на обратном пути Карась неожиданно догнал Горика на набережной и сказал сухим тоном: «Ты пока еще член ОИППХа и должен знать, что через три дня мы идем в пещеру». Тут-то Карась и сообщил насчет Сапога, и Горик, который совсем было его простил, вновь надулся. Если б Сапог на другой день подошел к Горику и спросил: «Ребя, за что?» — Горик наверняка потребовал бы от Лени немедленных объяснений, но Сапог не подошел. Сапог притих, ни с кем не разговаривал, вид у него был неимоверно печальный. Похоже, он понимал безнадежность своего положения. Эта покорность судьбе совсем не в его, Сапожном, характере и лишь подтверждала подозрения, что тут дело нечестно. Толстяк что-то за собой знал!

Через час-полтора блужданий по коридорам и залам вышли наконец в Круглый, или Царский, зал. Именно сюда Леня стремился попасть, здесь был обещан привал. Зал был велик, стены и потолок терялись в темноте, три свечки не могли осветить ничего, кроме клочка каменистого пола под ногами, и эта подземельная безграничность была еще тягостней, чем темнота. Посреди зала лежали громадные, плоские камни, один из них приспособили под стол, разложили еду: вареное мясо, яйца, хлеб. Но не было аппетита. Один Леня энергично молотил челюстями и при этом, не умолкая, рассказывал о принципе выработки камня в восемнадцатом веке, когда возникла каменоломня. Пол-Москвы, оказывается, построили из белого камня, который выломали здесь, в этих залах. Затем он сказал, что Царский зал, в котором они сидели, должен быть поблизости от старого главного входа, сейчас заваленного камнями и замурованного, и, стало быть, они ушли очень далеко от той норы. Это сообщение не слишком обрадовало Горика и Марата. Они как бы невзначай поглядели друг на друга, желая что-то сказать, но промолчали. Леня считал, что должны быть где-то другие выходы. Не может быть, чтобы существовал только один выход из такого гигантского лабиринта. Наверняка есть другие, надо их искать.

Марат и Горик продолжали вяло жевать. И вдруг Горик спросил — не хотел спрашивать, вырвалось само собой:

— Карась, а ты верно ходил сюда один?

— Верно,— сказал Леня.

«Зачем же я спрашиваю?» — с отчаянием подумал Горик. У него даже что-то дрогнуло и заболело в груди, когда он услышал: «Верно». Но все было кончено, стрела сидела глубоко в сердце, и чуть качалось ее оперение.

— Для чего же один? — слабым голосом спросил Горик.

— Для того, чтоб проверить себя,— безжалостно отрубил Леня.

В тишине слышалось, как с металлическим хрустом жуют его челюсти.

— Ну, ты вообще...— вздохнул Марат.

— А знаете ли вы, какие пещеры Европы наименее исследованы? — спросил Леня, не замечая ни потрясенности Горика, ни почтительного вздоха.— Испании и Португалии! Как же — это любой «крокодил» обязан знать...

Сейчас он мог хамить и куражиться сколько угодно. Горик был повержен. У него не было сил не то что отвечать, но даже обижаться. Великий человек: он проверил себя! И остался доволен проверкой!

— Я бы тоже хотел проверить себя... когда-нибудь,— робко и завистливо заметил Горик.

— Проще пареной репы. Вообще проверять себя надо не когда-нибудь, не раз в сто лет, а постоянно. Ну, хоть раз в месяц,— сказал Леня.— Можем вместе провериться, если хочешь.

— Давай,— согласился Горик.

— И я с вами! Сапога возьмем, черт с ним,— сказал Марат.— Пусть толстенький себя проверит, ему это не повредит.

Вдруг Леня сообщил ошеломительную новость насчет Сапога: его отец, оказывается, враг народа и германский шпион! Несколько дней назад он был разоблачен и арестован. Горик и Марат ничего подобного не слыхали. Они даже не поверили своим ушам. Но Леня сказал, что узнал точно, ему подтвердила одна женщина, знакомая его матери, портниха тетя Таисия, которая живет в том же подъезде, где Сапожниковы. Новость была страшно интересная: выходит, они знакомы с самым настоящим шпионом! Преотлично знакомы, много раз здоровались за руку, разговаривали о том о сем. Отец Сапога был толстый человек, ходивший в белой рубашке и в подтяжках, которые всегда у него почему-то болтались, не надетые на плечи. Он смотрел на Горика черным неулыбающимся глазом, глупо подмигивал и спрашивал казенным голосом: «Ну-с, что нового на пионерском фронте?» И такой обыкновенный человек с болтающимися подтяжками был германским шпионом! Ни за что не скажешь. Но именно потому, что это было так невероятно, Горик поверил: настоящих шпионов никогда сразу не различишь. Это только в кинофильмах показывают шпионов, которые с первой же минуты бросаются в глаза. Любому дураку из четвертого класса, сидящему в зале, давно все ясно, а на экране разведчики мучаются, ломают головы...

— И по этой причине,— сказал Леня,— Сапожников должен быть исключен из ОИППХа.

— Почему? — удивился Марат, но тут же добавил: — Вообще-то да...

Но Горику это показалось нечестным. Сапог же не виноват в том, что у него папаша шпион. Откуда ему знать? Он же не интересуется отцовскими делами, правда же?

— А знаешь, что говорил мой отец? — сказал Леня, и его лицо при свете свечи стало жестким и скуластым, как у индейца.— Он недавно приезжал в Москву на пленум. Видел Сталина, Ворошилова, всех вождей. И вот он говорит, что сейчас самое труднейшее время, еще трудней, чем война. Потому что кругом враги. Вредители, шпионы, диверсанты, двурушники и так далее. Англия и Франция, говорит, переполнены немецкими шпионами. Почему же, говорит, их у нас не должно быть? Они есть, еще больше, чем там, но их разоблачить трудно, потому что, говорит, они прикрываются партийными билетами и прошлыми заслугами. Вообще очень хитро маскируются, гады.

Он умолк, морща лоб.

— Ну? — спросил Горик.

— Что «ну»? Баранки гну! Если бы мы взяли Вольку в пещеру, он бы проболтался отцу, и тот передал бы все сведения о пещере в германский штаб. А пещеры играют очень важную роль на войне. Ясно вам, лопухи?

«Лопухи» молчали. Все, что Карась сказал, было ясно и мудро, но от этой мудрости сделалось вдруг скучно. Игра кончалась. Начиналось что-то другое. Но им не хотелось верить в это. Почти всю свою жизнь, длинную у одного и короткую несчастную у другого, они не верили в то, что *игра кончалась*.

...Все разделились на два враждующих лагеря: одни за Сережкину Валю, другие против Сережкиной Вали. За — бабушка, мама, Женька, дядя Миша, Валерка, домработница Маруся; против — отец, Горик, тетя Дина, сам Сережка, дядя Гриша и его жена Зоя. Все было понятно, кроме одного: почему дядя Миша за? Наверно, только потому, что он неизменно спорил с отцом и особенно с Сережкой. Если они против, значит, уж он за. Свистопляска началась однажды вечером, когда бабушка пришла с работы очень возбужденная и сказала, что к ней в Секретариат приходила Сережкина Валя, плакала, даже рыдала, жаловалась на Сережку и называла его подлецом. Все это было рассказано за ужином одним взрослым, но Горик, несколько раз забегавший в столовую с учебником по геометрии — как бы спросить у отца насчет одной заковыристой задачки,— хотя и делал вид, что ничего не соображает и ничем не интересуется, кроме геометрии, и хотя бабушка всякий раз понижала голос, когда он вбегал, сумел все отлично понять. Услышанное поразило его. Он никогда не видел, как рыдают, но картина рыдающей Вали мгновенно возникла в его воображении. Это было нечто величественное и в то же время пугающее. Главное, что он понял,— Сережка не хочет больше быть женихом Вали и нашел себе другую невесту. Эту другую, по имени Ада, Горик уже видел раза три, Сережка приводил ее в гости, а однажды все вместе ходили в кино на «Арсен из Марбды», мировую картину про кавказских разбойников.

Ада была гораздо красивее Вали. Во-первых, Валя — в очках, черная, с черными глазками и смуглым, мулатским цветом лица. И если присмотреться, можно заметить у нее маленькие черные усики, какие бывают у ребят из десятого класса. Валя студентка, учится с Сережкой на одном курсе, а Ада художница, работает на киностудии и может доставать билеты на любой фильм без очереди. У Ады светлые кудрявые волосы, она играет в теннис, весело смеется, любит петь: «Нас утро встречает прохладой». Но некоторые говорят, что Ада не может быть настоящей невестой для Сережки, потому что у нее есть муж, ответственный работник, который живет здесь же в доме, в другом дворе. Но Сережка говорит, что с этим мужем Ада жить не хочет и все равно уйдет от него. Но бабушка говорит, что нельзя так обманывать человека, то есть Валю, как это сделал Сережка. Но отец говорит, что, как бы ни складывались отношения, нельзя приходить по такому поводу в Секретариат.

Как-то пришла Валя и долго сидела в комнате бабушки за портьерой болотного цвета. На другой день пришла Ада и пробыла целый час в кабинете отца, куда забегали то мама, то Сережка, но бабушка проходила мимо дверей кабинета с невозмутимым и гордым видом, и Горик слышал, как она сказала: «Нет, мне там делать нечего!» Потом Валя пришла прощаться. Она уезжала в другой город. Она зашла вдруг в детскую — никогда не заходила — и сказала, протянув Горику руку: «До свиданья, Горик! Желаю тебе всего-всего хорошего. Желаю тебе вырасти счастливым и честным человеком». Горик ответил: «Хорошо». Он не знал, что еще сказать, а Валя не уходила. Она сказала: «Помнишь, как мы катались на лыжах, на даче?» Он помнил. «И учили Пушкина...» «Ага»,— сказал он. Ему сделалось ее жаль, потому что он вспомнил, как она отвратительно каталась на лыжах и плохо запоминала стихи. Губы ее задергались, в глазах заблестело, и Горик испугался, подумав, что сейчас она будет р ы д а т ь, но она кивнула и вышла.

Еще через несколько дней Сережка устроил новую свистопляску. Он кричал на бабушку, ссорился с мамой, выбрасывал свои вещи из комнаты в коридор и бегал куда-то с кожаным чемоданом, набитым книгами, бумагами. Он сказал, что не может жить в доме с людьми, которые его не уважают и не верят ни одному его слову. И — тоже уехал в другой город. Но через два дня вернулся. Стояла удушливая весна. Зазеленели газоны. В школьном саду знойно пахло землей, свежей масляной краской, которой покрывались скамейки и низкий деревянный заборчик. На переменках разрешалось выходить в сад, а старшеклассникам — на набережную и прогуливаться там вдоль гранитного парапета.

Горик и Марат смотрели на старшеклассников через ограду. Все, кто были ниже девятого класса, не имели права выбегать на уютный, нагретый солнцем асфальт набережной: могли попасть под машину. Горик подошел к воротам и крикнул: «Эй, волосатики! Звонок!» Старшеклассники гурьбой повалили через дорогу, продолжая с важным видом разговаривать. И, только войдя во двор, заметили, что никто в школу не торопится. Горик с Маратом бросились наутек, крича: «Обманули дурачка на четыре кулачка!» Один из старшеклассников, здоровенный верзила с разбойничьим багрово-красным лицом, ринулся за Гориком и Маратом в погоню. Те побежали на задний двор, надеясь, что верзила отстанет, побоявшись грязи и луж. Но тот мчался за ними, разбрызгивая лужи и храпя, как лось. Его дружки и девчонки подбадривали разбойника криками: «Лови их! Держи! Ату!» Пробежав задний двор, Горик и Марат юркнули на черную лестницу — слава богу, какой-то добрый человек оставил открытой дверь! — и молнией устремились наверх, на третий этаж. Им чудилось, что верзила бежит следом. Честно говоря, они струхнули: на черной лестнице всегда темно, безлюдно, и верзила мог беспрепятственно навешать пилюль, никто не услышал бы криков о помощи. На третьем этаже они остановились, едва переводя дыхание. Нет, все было тихо. По-видимому, добежав до черного хода, багроворожий понял, что его попытка догнать вряд ли увенчается успехом, и прекратил преследование.

Багроворожий оказался братом Ады. Его звали Лева. Их отец был замнаркома, жил в одиннадцатом подъезде. Как-то Ада пришла с этим Левой к Сережке, оба были с теннисными ракетками в чехлах, и звали Сережку с собой — ехать на Петровку, на динамовские корты,— и Лева, увидев в коридоре Горика, сказал: «Эге, попался!» Больше он ничего не сказал. Горик вышел на балкон и смотрел сверху, как они идут втроем по двору: две светлых головы Ады и Левы и черная — Сережки. Сережка говорил, что Лева играл в теннис с самим Анри Коше, когда тот приезжал в Москву, и Анри Коше предсказал, что из Левы выйдет толк.

В тот апрельский день, с балкона, Горик последний раз видел Леву. Накануне Майских праздников разнеслась ужасная весть: Лева арестован милицией и над ним и еще четырьмя ребятами будет суд. Они грабили квартиры. Лева украл у своего отца пистолет. И в это дело был замешан Валька, сын Давида Шварца. Вальку не арестовали, как других, но вызывали к следователю и допрашивали. В грабежах он не участвовал, но знал о них и чем-то даже помогал грабителям. У себя в комнате, например, он несколько дней позволил жить одному парню, убежавшему из дому, а Давиду сказал, что этого парня бьет отец, бывший поп, за то, что парень вступил в комсомол. Этот мифический комсомолец оказался чуть ли не главным заводилой в шайке.

Давид Шварц пришел советоваться, что делать с Валькой.

Все сидели в столовой, кроме Жени, которая, болея ангиной, лежала в изоляции в бабушкиной комнате. Бабушка гневалась особенно сильно, но обрушивалась почему-то на Сережку:

— Я тебе говорила, что мне не нравится вся семья! Ты со мной спорил. Теперь ты видишь — какое разложение...

— При чем семья? Его отец уважаемый человек. Работал, кстати, с Орджоникидзе. Вот домой он приходит только ночью, это да, такая работа. Ада тоже порядочная, честная женщина, но она, как ты знаешь, не может воспитывать брата, потому что замужем и живет отдельно...

— Порядочная женщина не станет, будучи замужем...

— Это, по-моему, не касается! — багровел Сергей.

— Нет, касается. Это касается морали всех, всей семьи.

— О чем ты говоришь? Какой вздор! — кипятился Сергей.— А Анна Каренина? Постыдись!

— Сережа, ты не отмахивайся, в чем-то мама права,— рассудительно говорила мать Горика.— Почему такое случилось именно в той семье? Я не могу, например, представить себе, чтобы ты или Горик выкрали бы из стола Николая Григорьевича пистолет и пошли бы грабить квартиры. Возможно это? По-моему, невозможно. И так же не могу себе представить, как можно, разлюбив человека и изменяя ему, продолжать жить с ним в квартире, встречаться ежедневно...

— А что она должна делать?

— Уйти.

— Куда?

— К человеку, которого любит, очевидно.

— В шестиметровую комнату? У нее холсты, рамы, мольберт — где все это поместится? И вообще демагогия: ни ты, ни мама не хотите, чтобы Ада сюда пришла. Для вас это кошмарный сон. И она это чувствует. Зачем же говорить зря?

— Хорошо, пусть не сюда, пусть уйдет к отцу,— не сдавалась мать Горика.— У него достаточно большая квартира, найдется место для дочери.

— Вот именно! Да, да,— кивала бабушка.— У меня тоже не укладывается... Такая беспринципность, такой цинизм...

— Как же вы, черт вас возьми, легко решаете чужие проблемы! А если она не может вернуться к отцу? Если так сложились отношения с мачехой? Что тогда? Прыгать с Каменного моста? Пулю в лоб?

Горик сидел и слушал с огромным интересом. О нем забыли. И он старался ни звуком, ни малейшим шевелением тела не обратить на себя внимания. Бабушка упорно гнула свое:

— Я что хочу сказать: эта семья мне неприятна. Я знаю их отца, он очень малопринципиальный человек: то подписывает какие-то платформы, то с такой же легкостью отказывается. Таким людям, знаете ли, веры нет...

— Ну и что, подписывал платформы? Какая аморальность! Значит, имел свое мнение, пускай ошибочное.

— Мы с Николаем Григорьевичем почему-то так не ошибались: против партии, против генеральной линии. Мы ошибались вместе с партией, может быть...

— Допустим! Ну, хорошо! — закричал Сережка, вскакивая на ноги. Его лицо вдруг покраснело у глаз пятнами, что означало, что он не владеет собой.— Вот сидит Давид Александрович Шварц — так? Уважаемый всеми нами и кроме нас еще сотнями, тысячами людей. Так? А что случилось с Валентином? Значит, мы должны Валькины грехи объяснять какими-то, ну... свойствами Давида Александровича? Так, что ли?

— Объясните, пожалуйста,— прохрипел Шварц.— И будет не глупо.

Он сидел на диване, отдуваясь, храпя и поворачивая свои выпуклые, налитые усталостью, в желтоватых белках глаза то к одному, то к другому. Скорей всего, он не слушал, что говорили, а размышлял. Смотреть на него было забавно. Вдруг на его толстых губах надувались пузыри, вдруг он начинал ковырять пальцем в носу, делал это сосредоточенно, потом катал что-то между пальцами — у всех на виду,— не заботясь о том, что делать так неприлично.

Бабушка сказала, что самое разумное: отдать Вальку в лесную школу. Отец Горика присвистнул:

— Вот тебе на! А кто же ругал Ваню Снякина за то, что тот отдал сына в лесную?

— Не путай, Николай Григорьевич! Я знаю, что говорю,— отрезала бабушка. И она пообещала поговорить со своей подругой Бертой, страшненькой бородатой старухой, неимоверной курильщицей, которая работала в Наркомпросе как раз по лесным школам.

— У Снякиных были все условия воспитывать мальчишку дома,— сказала бабушка строго.— Но его жена слишком любила комфорт и легкую жизнь. Сейчас, правда, она живет без всякого комфорта где-то на Севере. Я, конечно, не злорадствую и, наоборот, сочувствую ей. А у Давида таких условий нет и не было.

Вопрос о лесной школе был решен. Мама, любившая все рационализировать, тут же предложила устроить Вальку в Шабановскую лесную школу, потому что в Шабанове, в музее композитора, работает тетя Дина и она могла бы навещать Вальку, а он мог бы приходить к ней в гости.

Давид Шварц кивал, соглашаясь со всем, а потом сказал:

— Это хороший план. Не знаю только, согласится ли он.

Все возмутились этой фразой. Николай Григорьевич требовал, чтобы Вальку прислали к нему, и он с ним крепко поговорит, а бабушка твердила:

— Вот результаты твоей политики!

Но Давид Шварц сказал, что, если бы Валька был его родным сыном, он бы поступил с ним по всей строгости, а так он обязан его жалеть. Тогда мама раздраженно сказала:

— Горик, ты что тут сидишь? Марш спать немедленно!

Уходя Горик слышал, как Сережка сказал неестественным, нахальным голосом:

— Почему ж так? Можно и наоборот — пожестче. Тоже есть своя логика.

После этого было молчание. Может быть, они принялись все одновременно пить чай или есть конфеты. Но, уйдя уже далеко по коридору, Горик продолжал ощущать странную неуклюжесть этого молчания. Он думал об этом молчании, сидя в уборной, потом в ванной комнате, и после ванной, и когда ложился спать. И ему было немного стыдно за Сережку, за его нахальный голос и за что-то еще, чего определить в точности не удавалось. Горик перекладывался с боку на бок и долго не мог заснуть.

Сережка был такой же неродной сын для бабушки, как Валька — для Шварца. Только Давид Шварц взял Вальку из детского дома недавно, лет семь назад, а бабушка взяла Сережку после гражданской войны, во время голода, когда Сережке было пять лет. Он по-русски не говорил, потому что он чуваш и родился на Волге, в чувашской деревне. Но никто, конечно,— ни бабушка, ни мама, ни дядя Гриша, ни отец, ни Горик и ни Женька — не показывали виду, что Сережка не родной сын бабушки. Горик даже не знал об этом много лет. Мама рассказала только в прошлом году. И вот недавно, когда Горик за что-то обозлился на Сережку и поругался с ним, назвав его «длинным дураком», мама сказала, чтобы он никогда не смел ругать Сережку и говорить ему грубости. «А если он первый?» — спросил Горик. «Ты все равно должен сдержаться и промолчать».

Поздним вечером Сергей надел костюм, взял на руку плащ, сунул в карман коробку «Герцеговины флор» — эти папиросы он почти не тратил, берег для торжественных случаев,— и заглянул в столовую, чтобы сказать: «Ну, пока! Пойду пройдусь перед сном». За чайным столом еще сидели Давид Александрович и бабушка. Они взглянули на него как будто из глубокого сна. Разумеется, Анна Генриховна, мать Сергея, которую он, как и все в доме, называл бабушкой или даже по-гориковски «бабишкой», никогда не требовала отчета: куда, с кем, надолго ли? Но сейчас он заявил в двенадцатом часу ночи свое «пока», она посмотрела на него слишком уж отчужденно. Кажется, она даже не поняла, что он уходит. Но Лиза, наткнувшись на него в большом коридоре, все поняла, и лицо ее кисло и слабо скривилось. Она вздохула: «Ой, Сережка...» —

на что Сергей отрывисто пробормотал: «Скоро приду! Но дверь закройте на один замок...»

Было тепло. Какие-то люди с горящими угольками папирос стояли кружком на асфальте перед подъездом и разговаривали вполголоса. Доносились слова: «Но здесь она неподражаема...» — «Где?» — «В «Лебедином».— «Ах, в «Лебедином» — я же не спорю, я говорю о...» Уходя по асфальтированной дорожке от этой кучки людей, дымивших папиросами перед сном и рассуждавших о балете, Сергей думал: это всерьез или понарошке? Слишком много людей делают вид, что увлечены чепухой. Половина ребят на курсе бредят футболом. Только и слышишь: Ильин, Старостин, беки, хавбеки. Другие помешались на шахматах. Чертят таблицы, дуются даже на лекциях. Как считаешь, кто победит в отложенной: Левенфиш или Юдович? Так и хотелось сказать дураку: «Милый, я тоже играю в шахматы, но не притворяюсь, что мне так уж безумно важно знать, кто победит — Левенфиш или Юдович. Кто победит: генерал Франко или генерал Вальтер? Мейерхольд или Керженцев? Сталин или Гитлер? Это коснется тебя лично, дурака, это проедет по твоей жизни, а в шахматы ты будешь играть в раю». Вот что хотел сказать Сергей, но не сказал вчера, когда один человек подполз к нему после общефакультетского собрания, на котором громили профессора Успенского как «троцкиста и идеологического диверсанта», и спросил: «Как считаешь, кто победит в отложенной: Левенфиш или Юдович?» Он посмотрел в пустые заячьи глаза под очками и, мгновенье помолчав, сказал: «Я считаю вообще-то, что у Левенфиша шансов побольше». И воспоминание об этом миге молчания, о том, что он сказал и чего не сказал, гнало его, гнало по асфальту за угол, в другой двор, к угловому подъезду.

Всегда, когда он подходил к этому подъезду, его морочил ерундовый и глупый страшок: перед вахтером. Перед его равнодушно-зорким взглядом и возможным вопросом. К счастью, в этом же подъезде на седьмом этаже — Ада жила на четвертом — жил товарищ школьных лет Борис Володичев, сейчас студент юридического института. С Борисом он почти не встречался, взаимные интересы иссякли, но можно было на вопрос «куда?» ответить — к нему. Еще ни разу не спрашивали, потому что вахтеры попадались знакомые, помнившие Сергея по временам, когда он действительно ходил в гости к Борису. Сергей предупредительно здоровался, и вахтеры, кивая в ответ, ленились задавать лишние, но полагавшиеся по инструкции вопросы. Все эти скучавшие за своими канцелярскими столами, неразговорчивые униформисты в черно-синих кителях были, без сомнения, сотрудниками НКВД. Это знали жители дома и относились к ним с привычной опасливостью, как относятся, например, к железным ящикам с надписью: «Осторожно! Ток высокого напряжения!» Бояться не боялись, но подолгу задерживаться вблизи избегали. Сергей-то, конечно, на это плевал, но тут была замешана женщина.

Он отвалил на себя тяжелую дверь, и нехорошее предчувствие заколотилось в сердце. Очень уж поздно, половина двенадцатого. Так и есть: вахтер новый. Сергей сказал «здравствуйте», в два скачка миновал первую лестницу и шагнул налево, к лифту. Вахтер остановил его снизу властным:

— Гражданин! К кому?

Еще никогда, ни в одном подъезде его не окликали так командирски... Сергей посмотрел внимательней: молодой толстяк, хорошо выбритый, с пухлыми, сочными губами. Лицо показалось Сергею напудренным, а взгляд темных маленьких глаз под темными бровями каким-то театрально-пристальным. Такому хорошо бы выйти на сцену и запеть тенором: «Ой, Галына, ой, дивчина...» Зачем-то улыбаясь, Сергей сказал:

— К Володичеву.

— А не поздно? — спросил вахтер, поворачиваясь и идя к телефону, висящему на стене. При этом толстяк зевал, нежно похлопывая ладонью по разинутому рту.

Эта необычная фамильярность тона и исполненные достоинства движения обнаруживали человека, знающего себе цену. «Небось лейтенант,— подумал Сергей.— Все будет делать по инструкции. А если Борьки нет дома?» Вахтер набрал номер и долго молчал. Видно, там уже легли спать. Сергей лихорадочно придумывал: что сказать Борьке?

— К вам тут гражданин...— Вахтер вопросительно и малопочтительно чуть поднял к Сергею подбородок.— Как?

— Вирский.

— Вирский.— Вахтер помолчал, потом повесил трубку.

Он ничего не сказал Сергею, не посмотрел на него, просто молча направился от телефона к своему стулу, на котором лежала круглая, зеленого цвета, плоская байковая подушечка. «Возможно, даже старший лейтенант»,— подумал с оттенком уважения Сергей, открыл лифт и нажал кнопку седьмого этажа. Дверь в квартиру Володичевых была отворена. На пороге стояла мать Бориса, в халате, как видно со сна, с пятнами белой, нездоровой, мятой кожи вокруг глаз-буравчиков, которыми она сверлила Сергея. Володичева не произносила ни слова, но всем своим ошарашенным видом кричала: «Что? Говори! Но если что-нибудь страшное, ты не должен был, не смел...» Сергей поспешно объяснил, что пришел к Борису по незначительному, но абсолютно неотложному делу. Когда-то он давал Борису книгу «Мастера искусства об искусстве», том первый, но завтра эта книга ему понадобится для семинара. Бориса дома не было, он еще не вернулся из института с праздничного вечера. Пошли к нему в комнату, рылись в шкафах, нашли книгу, потом Володичева, благодушествуя, расспрашивала про бабушку: они работали вместе в Секретариате. О бабушке Володичева всегда говорила с великим почтением. И бабушка о Володичевой отзывалась тоже с похвалой: особенно говоря о ее безудержном трудолюбии и непомерной добросовестности. Сергей слышал такие выражения: Мария Степановна у нас двужильная!», «Марию Степановну никто не пересидит!» Это значило, что Володичева могла свободно высиживать на работе до двенадцати, до часу, до трех ночи. Наконец Сергей выпутался из расспросов Володичевой — о Николае Григорьевиче, Лизе, ее детях, планах на лето, здоровье Давида Шварца, которого Володичева, по ее словам, «безумно уважала»,— и вырвался на лестничный простор. Часы показывали без пяти двенадцать. Сергей спустился на три этажа ниже и позвонил в квартиру, находившуюся как раз под квартирой Володичевых.

Ада открыла сразу. Знакомый раздражающий запах мастики: в этой квартире всегда сияли полы. Ада терла паркет сама, ежедневно — даже теперь, когда квартира треснула поперек, все нарушилось, перестал готовиться обед, ушла домработница. Но коридор сиял. Ада прыгала, наслаждаясь, не хуже полотера по утрам — ради зарядки, а после еды — чтоб не толстеть. Квартира была редкая для этого дома, маленькая, из двух комнат. И жили в ней двое: Ада и Воловик. Ада говорила, что с Воловиком все кончено, но Сергей не мог поверить этому в глубине души, хотя говорил ей, что верит. Воловик читал лекции в институте, где Сергей учился. Он был редактором философского журнала. Он шел в гору. И этот невзрачный, с темным лицом язвенника, пятидесятилетний задохлик имел права на Аду, молодую, таинственную, как Настасья Филипповна из романа «Идиот» Достоевского. Она могла быть его дочерью, но он сделал ее женой, обольстив насмешливым и желчным умом, громадной памятью, умением идти в гору и своим нерастраченным пылом, законсервированным в силу многих причин. До тридцати лет Воловику было недосуг интересоваться женщинами, он жил идеями, нелегальщиной, борьбой; после тридцати женщины утратили к нему интерес, ибо он слишком истощил себя в борьбе, и только теперь, когда он превратился в задохлика, он решил вскрыть грубым консервным ножом эту банку. И густое зловоние потекло оттуда. Ничего нельзя хранить бесконечно.

Не было человека в мире — не считая Гитлера и еще некоторых политических деятелей,— которого Сергей ненавидел бы более, чем Воловика. Он не спрашивал Аду, но почему-то был убежден, что Воловик поставил ее в безвыходное положение, одурманил хитростью, загнал в капкан. Было так: прошлым летом на Николиной горе, куда Сергей ездил погостить к приятелю, он познакомился с Адой на волейбольной площадке. Потом осенью пришел к Воловику сдавать зачет: того раздуло флюсом, он сидел дома, повязавшись шерстяным платком, как старая баба. И — увидел Аду. Потом пошли в консерваторию на «Орфея и Эвридику». Потом встречались во дворе, гуляли по набережной до Стрелки и обратно. Все истинное началось недавно. Воловик яростно воплощал в жизнь решения февральско-мартовского Пленума: пропадал до ночи на совещаниях, конференциях, громил, выкорчевывал, разоблачал. Его фамилия мелькала в отчетах. Сергей не мог без сжимания кулаков читать: «Т. Воловик раскрыл вражескую подоплеку выступления», «...т. Воловик на фактах доказал гнилую, меньшевистскую суть «трудов» горе-теоретика...» Это было, может быть, подлостью, но когда, обнимая Аду, он вспоминал вдруг воловиковские фразочки, страсть его бурно возрастала.

Он пытался догадаться: что соединило этих разных людей? И что так внезапно отбросило друг от друга? Видимо, было общее, какие-то струны звучали в унисон, но было что-то непреодолимо чужое. Этим общим, по догадке Сергея, была чувственность, поспешная и ранняя — Ады, запоздалая, ожесточившаяся — лысого сатира. И еще: насмешливость ко всему, что окружало, к людям, словам, вещам. А чужим была суть того и другой, которая постепенно очищалась и наконец, к исходу четвертого года, вышла наружу: сутью одного была подделка, вранье, сутью другой — природа, истинность. Так казалось Сергею, и ему страстно хотелось, чтобы это было правдой.

— Идем пить чай. Хочешь чаю? — не дожидаясь ответа, она вела его за руку по коридорчику на кухню.— Садись!

Он сел к столу. Смотрел на ее чуть выгнутую, сильную спину с круглыми боками, спину неутомимой волейболистки, пока она возилась у газовой плиты, чиркала спичками, полоскала чайник. Все ее движения были упруги, полны тайной силы. Она возилась как-то слишком долго, молча, стоя к нему спиной, и он не видел ее лица, и тревога вдруг овладела им. Он сказал, что договорился со своим другом, который живет на Дмитровке, и в июне можно переехать в его квартиру, на все лето.

— Сергей, я не могу оставить Иосифа Зиновьевича,— сказала Ада, повернувшись к нему. Он увидел в ее глазах что-то жалкое и понял, что она говорит правду.— Сейчас не могу...

Ошеломленный, он молчал мгновенье, потом рванулся к двери.

— Подожди! Я хочу... объяснить тебе... Сережа!

— Зачем? Прощай! Я вижу — ты действительно не можешь. А почему — это не так важно.

Но она сильной рукой оттянула его от двери. Он снова сел в угол на табуретку. У него не было сил ни слушать, ни спрашивать. Она сказала, что все изменилось за последние несколько дней: Воловику грозят смертельные неприятности. Арестованы два члена редколлегии и его заместитель в журнале. Три дня назад было отчетно-перевыборное собрание сотрудников журнала, где Воловика топтали его друзья, никто не заступился, никто не опроверг диких обвинений. Во вчерашнем номере «Известий» есть заметка об этом собрании.

— Неужели не читал?

— Нет.

Ада пошла в комнату за газетой.

«Она его любит? — ужаснулся Сергей.— Этого пустозвона, эту жулябию?.. Но ведь столько было сказано о том, как он ей ненавистен, как непереносимы его прикосновения, как пахнет у него изо рта... Но я не могу с ней расстаться, не могу, не могу!»

— Уйти от него сейчас — низко... Это все равно что...— Она бросила на стол газету.— Я думала, что нападки на него связаны, может быть, со мной, с этой Левиной историей, но он говорит — это не имеет значения. Он сказал, что уголовщина прекрасное, чистое дело, он с радостью украл бы у кого-нибудь бумажник и сел бы в тюрьму. Переждать, как он говорит, полгодика. А когда он уезжал вчера на Николину Гору, он вдруг сказал: «Запомни: единственное, что я любил в жизни, это — ты...»

Сергей, с трудом вникая, читал газетную заметку на последней полосе: «Выступавшие товарищи на ряде примеров показали, как притупление большевистской бдительности и отсутствие самокритики облегчает врагам народа их подлую деятельность. Так, разоблаченный в настоящее время троцкистский вредитель Сульцмахер, бывший заместитель главного редактора...»

— А зачем он поехал на Николину Гору? — спросил Сергей.

— Там на даче есть какие-то документы, которые могут понадобиться. Что-то, подтверждающее его работу в годы гражданской войны. И потом, надо попасть к Александру Васильевичу, наши дачи рядом. Александр Васильевич к нему всегда относился хорошо.

— Почему-то я за Иосифа Зиновьевича не волнуюсь,— сказал Сергей, неприятно задетый словами Ады «надо попасть» и «наши дачи». Она говорила как единомышленница Воловика. Раньше она всегда отделяла себя от него. Сострадание? Для людей, как Ада, это почти любовь. Не дай бог с ним что-то случится, тогда она будет потеряна навсегда, свихнется от сострадания. Он ловил в скачущих газетных строчках слово «Сульцмахер».

Вот: «Сульцмахер... еще несколько лет назад выпустил книгу, кишащую антимарксистскими положениями. Никакой критике эта стряпня не подверглась. Мало того, главный редактор журнала Воловик считал возможным держать замаскированного врага на должности своего заместителя. Большевистский метод подбора кадров сплошь и рядом подменялся «принципом» делячества и семейственности. Только этим можно объяснить, что такие заклятые враги народа, как Смирнов и Урбанович, представляющие собой полное ничтожество в научном отношении... Идиотская болезнь — беспечность привела к тому, что в 1936 году журнал поместил статью о борьбе т. Сталина за диалектический материализм, написанную врагом народа... С настороженным вниманием была заслушана речь Воловика, выступавшего дважды по требованию актива... Беспринципное, лишенное истинной самокритики и путаное выступление главного редактора не удовлетворило... откат на позиции меньшевиствующего идеализма... в условиях отрыва теории от практики... решительно положить конец, выкурить изо всех нор».

— Какой-то бред, ничего не понятно...— Сергей стискивал ладонями виски. Внезапно заболела голова, как бывало в минуты сильного мозгового напряжения. Он в самом деле как ни напрягался, ничего не мог понять.— Ведь он им нужен... Зачем же это делается?

Ада смотрела в окно. По ее остановившемуся взгляду он понял, что она не слыщит. Он увидел, что она объята состраданием, мощным и все пожирающим, как тяжелое опьянение, как боль всего тела, бывающая при болезнях сердца, и почувствовал зависть к Воловику и с утроенной силой — ненависть к нему. Раньше он завидовал ему и ненавидел его только за то, что он и Ада спали на одном диване, что их подушки лежали рядом, что он видел ее по утрам в халате и без халата и за то, что Воловик был ее первым мужчиной. Но теперь его мука ото всех этих ощущений громадно усилилась, ибо он почувствовал боль ее души, причиненную другим. И, странно, его собственное чувство любви тоже громадно и необъяснимо усилилось и просто толкнуло к ней: обнять, успокоить.

— Родная моя, ну что ты? Все обойдется... Ведь он такой правоверный...

И, успокаивая ее, он стал рассказывать, как Воловик выступал на общеинститутском собрании, как он громил и клеймил, невзирая на авторитеты, в точности, как требовал товарищ Хрущев на последнем пленуме МК: «критиковать, невзирая на лица и переживания этих лиц». И с каким страхом обращался к нему сам директор, а представитель МК несколько раз в своем выступлении повторил: «Как указывал здесь товарищ Воловик». Так что, по мнению Сергея, бояться за Иосифа Зиновьевича не следовало. Он-то как раз должен быть в порядке. Он из тех, кто бьет, но не из тех, кого бьют. Если ему и досталось слегка, то это ошибка, недоразумение, которое непременно будет исправлено. Сейчас такое время, когда все друг друга отчаянно критикуют. Такая эпидемия. Такая мода, что ли. Даже разумные люди поддаются психозу — вот, например... И он рассказал, какой вздор молол один его приятель, студент, неглупый малый, но, как выяснилось, большой дурак.

Ада успокоилась и заговорила о том, что происходит на студии. Она рассказывала почти со смехом, потому что на студии тоже творилась какая-то ерунда. Одного оператора, старика, обвинили в подрывной деятельности за то, что он неудачно снял кадр посещения членами Политбюро строительства канала Москва — Волга; тень от дерева легла на лицо Сталина. Этот кадр оператор, он же режиссер ленты, сам забраковал и не вставил в сюжет, но кто-то вытащил пленку из корзины — а вся пленка со Сталиным, малейшие обрезки должны учитываться, их нельзя уничтожать,— и завертелось дело о преступном замысле, провокационной вылазке и так далее. В многотиражке появилась заметка «Наглая выходка врага». Бедный старик не знает, как спасаться, даже бросился за помощью к Аде: хотел, чтоб Воловик позвонил директору или парторгу студии, но Воловик отказался. С Воловиком происходит что-то неясное. Какие-то колесики побежали в обратную сторону. Это началось с марта. Он перестал понимать юмор. Он весь как-то перекосился, переменил мнения обо всем, обо всех. Давида Шварца он раньше очень уважал, заказывал ему статьи для журнала, добивался этих статей, а теперь иначе как «ханжа» или «старый путаник» Шварца не называет. С отцом Ады, которого он тоже уважал и даже любил, недавно вдребезги разругался. А на днях пришел в гости старый его товарищ по ИКП, милейший человек, сейчас он инвалид, тяжелый сердечник, который позволил себе что-то слабо и безобидно пошутить о Сталине — что-то по поводу его роста и роста Ежова, о том, что Ежов, совсем крошка, меньше Сталина и что Сталину, мол, это должно нравиться. И вдруг Воловик стал на него орать: «Не смейте в моем доме! Я не желаю слушать!» Тот человек встал и, не прощаясь, ушел. Ночью Воловик не мог спать, стонал, терзался.

— Он слабый,— говорила Ада.— И это самое опасное. Он может признать все что угодно, подпишет любое обвинение и — погибнет...

— Не погибнет твой Иосиф Зиновьевич. Я тебя уверяю: не погибнет,— говорил Сергей.— И в воде он не потонет, и в огне он не сгорит.

На самом-то деле он не был так уж уверен в том, что у Воловика обойдется. Тот был близок к Бухарину, а Бухарина уже открыто, в газетах, называли врагом. Но Сергею почему-то приятнее было думать именно так: Воловик неуязвим.

— Он погибнет,— сказала Ада.— Я чувствую...

— Ну и шут с ним! — вдруг взорвался Сергей. Он схватил ее за руки.— Что же, если он погибнет, нам тоже погибать? Да или нет?

Она молчала. Он повторил:

— Да или нет? Отвечай!

Она сказала:

— Не надо меня ни о чем спрашивать.

Потом они пошли в комнату Ады и больше не говорили, потому что все было ясно и ничего сделать было нельзя, и расстаться тоже было нельзя. Перед тем как лечь, Ада распахнула окно. Тепло ночи с шарканьем чьих-то ног по асфальту вошло в комнату. Они стали забывать о том, что их только что волновало. Они забывали с трудом и постепенно, но потом сами не заметили, как забывание стало полным, окончательным, навсегда, затемняющим сознание и душным, как ночь. И они заснули. Звонок в дверь разбудил их. Они вскочили разом, сели на диване, оцепенело прислушиваясь, надеясь на то, что звонок обоим приснился. Но звонок прозвенел вновь. Сергей взял часы, лежавшие на деревянной полке в изголовье дивана. Было без четверти четыре. Он подумал: «Сейчас я ему все скажу. Так даже лучше!» Страх и оцепенение исчезли. Он обнял Аду, прижал к себе, говоря:

— Так даже лучше. Пусть! Я открою!

— Холодные руки,— сказала Ада, высвобождаясь.

Он чувствовал, что она дрожит.

— Я открою.

— Нет. Оставайся здесь...

Она прошла в коридорчик, щелкнула выключателем. Сергей вышел за нею следом и остановился в дверях комнаты. Третий раз продолжительно, с убивающей силой зазвонил звонок. Он все еще звонил, когда Ада, одной рукой придерживая халат под подбородком, другой отмыкала запор. Сергей вдруг подумал: «А если не Воловик? Надо спросить...» Выше русой головы Ады появилась фуражка защитного цвета с такого же защитного цвета лакированным козырьком, и, когда Ада отступила на шаг, в коридор вошел незнакомый, высокого роста, очень прямо державшийся молодой человек в гимнастерке, в ремнях, в сапогах. Не здороваясь, он пошел прямо на Сергея, и следом за ним, стуча сапогами, вошел второй, очень похожий на первого, тоже высокий, прямо державшийся, тоже в гимнастерке, в ремнях, с таким же бледным, ничего не выражающим лицом, как у первого, и затем — все похожие, как братья, с одинаково бледными, несколько сонными лицами — появились третий, четвертый и пятый. Они сразу заставили собой весь коридорчик. Двое, вошедшие последними, держали в руках свернутыми пустые холщовые мешки. Вид у всех пятерых, несмотря на молодецкую выправку, был усталый. Один откровенно зевал. В первую минуту, пока длилось это вхождение из-за кулис на сцену новых людей, ничего не говорилось и ничего не было слышно, кроме стука сапог. Ада, прижатая спиной к вешалке и все еще придерживая одной рукой края халата на груди, читала какую-то бумажку. Сергей видел ее побелевшие щеки и пронзительно горящий взор глаз, бегающих по строчкам.

— А где Иосиф Зиновьевич? — услышал Сергей ее чужой голос.

— Там, где полагается,— ответил человек, вошедший первым, он как будто ждал, чтобы Ада дочитала написанное, вернее, ждал, чтобы прошли четыре или пять секунд, положенные для чтения таких бумажек.

— Что там написано? — не выдержав, спросил Сергей.

— Это ордер на обыск,— сказала Ада, продолжая смотреть на бумажку.— Написано: «Произвести обыск на квартире Воловика И. З. и его арест». Я не понимаю.

— Чего вы не понимаете? — уже грубо сказал первый, потерявший, видимо, терпение оттого, что четыре или пять положенных секунд прошли.— Где кабинет Воловика?

— Кабинет — вот он... Но я не понимаю: где Иосиф Зиновьевич?

Пятеро быстро разошлись по комнатам, и начался обыск. Трое работали в кабинете, двое вошли в комнату Ады, где на диване еще лежала неубранная постель. Никто не ответил на вопрос Ады. Было ясно, что Воловик арестован. По-видимому, на даче. Может быть, он сидел внизу в машине, а может, был уже на Лубянке. Сергей, подойдя к Аде, спросил одними губами:

— Мне уходить?

— Я боюсь,— сказала Ада едва слышно, хотя по ней это совсем не было видно. Она держалась спокойно, только очень сильно побледнела.

Он обнял ее, давая понять, что никуда не уйдет. На него не обращали внимания. Неубранная постель тоже никого не смутила, кто-то просто содрал ее, схватив за углы, одним резким движением на пол. Отодвинув диван от стены, стали поднимать и швырять на пол диванные подушки. Сергей и Ада, находясь в коридорчике, смотрели сквозь открытые двери на то, что делается в обеих комнатах. Ада непрерывно ходила по коридорчику туда-сюда, а Сергей стоял неподвижно. Одну за другой он курил папиросы из коробки «Герцеговина флор». Пришла мысль: они должны знать, что Сталин любил курить именно эти папиросы. Может, поэтому отнеслись к нему снисходительно и не спрашивают: «Вы кто? Ваши документы!» Каждую секунду он ждал, что спросят. Никаких документов не было. Зачем, впрочем, спрашивать документы? Они могли догадаться о том, что он тут делал. Наверное, догадались. Эта сфера жизни их не интересует. Они сосредоточены на другом. Вот если б он захотел вдруг уйти, это могло бы вызвать подозрения, и они бы всполошились: «А почему, собственно, вы хотите уйти?» Надо стоять неподвижно, с равнодушным и спокойным видом.

Именно так он и стоял, хотя сердце его колотилось и все в нем напряглось. Он боялся, что, если спросят фамилию и узнают, что он Вирский, неприятности будут у мамы. Больше чем за кого либо, он боялся за нее. Ведь она работала в Секретариате.

В кабинете Воловика ящики из письменного стола были вынуты, поставлены на ковер и два человека рылись в них быстро, споро и в то же время небрежно, не задерживаясь подолгу ни на одной бумажке. Казалось, они искали что-то определенное. Сергей подумал: может, ищут письма от Бухарина? Какой-нибудь тайный бухаринский циркуляр, который тот рассылал своим единомышленникам?

Некоторые бумаги и целые папки они бросали в мешок, который держал наготове третий. В мешок же засунули пишущую машинку и бинокль. Один из агентов взял со стола бронзовый разрезательный нож, сделанный в виде красивого кинжала, и, подумав, тоже бросил его в мешок. А в комнате Ады работа кипела вокруг ее большого стола, заваленного картонами, тюбиками, банками красок, листами и обрывками белой бумаги. Содержимое ящиков вытряхивали, как мусор из мусорного ведра. Ада заикнулась было о том, что стол принадлежит ей и в нем хранятся ее личные вещи, но старший, не пускаясь в объяснения, прикрикнул из кабинета на своих подчиненных:

— Продолжайте, продолжайте обыск!

Около семи утра дело закончилось. На кабинет наложили печать. Запах пыли, старых бумаг, табачного дыма, нафталина и ежесекундное напряжение в течение трех часов вновь усилили у Сергея головную боль. Он изнемогал, его тошнило. И он изумлялся Аде: насколько она сильней его. Она все три часа ходила по коридорчику, не присела ни на минуту. Уходя, старший сказал ей, что справки о муже она может получить на Кузнецком, дом 24, в приемной НКВД. С десяти до двух.

Четверо, дымя папиросами, вышли на лестничную

площадку, а пятый сказал Сергею, что хочет помыть руки, и попросил мыло. Сергей проводил его в ванную. Руки не отмывались, потому что тот испачкался масляной краской. Сергей принес флакон со скипидаром. Он сделал это непроизвольно, не из услужливости, а просто потому, что хотелось, чтобы тот поскорее ушел. Пока тот оттирал руки скипидаром, намыливал и полоскал их под краном, Сергей смотрел на его простецкое, с выпирающими скулами и скупым щелястым ртом, лицо, на то, как он деловито и старательно собирает губы в пучок, поднимая при этом брови и чуть кряхтя — не столько от усталости, сколько, должно быть, от каких-то посторонних забот,— и думал: «Такой сделает все, что прикажут. Самое страшное. Только будет при этом кряхтеть и собирать свой крестьянский ротик в пучок». Но что-то в этой злой мысли было пустое. Злоба была какая-то рассеянная, ненастоящая.

— Я, видишь, с дежурства прямо к теще в Павшино. Жинка у ней сейчас,— стал объяснять тот.— Всю неделю не виделись. Какой неделю! Больше...— И, посмотрев на Сергея, неожиданно осклабился: — Мужик у твоей бабы совсем червивый, гниль, а она ничего — форсовая...— Он мигнул как бы с одобрением и побежал, ступая на носки, по коридору догонять своих.

Один из четверых ждал его на лестничной площадке, они заговорили вполголоса, Сергей захлопнул дверь. Ада сидела на краю разгромленного дивана, смотрела в пол. Сергей опустился рядом, обнял ее. Они просидели так, не двигаясь и молча, минут двадцать. Стало совсем светло. Небо синело, предвещая теплый день. С Каменного моста отчетливо и одиноко звенел трамвай. Ада сказала, что не может здесь быть, пойдет к отцу, и встала. Даже не встала, а рванулась куда-то с дивана. Она принялась поспешно собирать, складывать в папку какие-то листы с рисунками, потом вдруг бросила папку на стол и сказала, что не может идти к отцу. Он и так убит историей с Левой. Что же, добивать его? И там эта дура, его жена...

— Так-с,— сказал Сергей.— Пойдем ко мне. Пошли!

— К тебе... А ты думаешь, Анна Генриховна обрадуется, когда увидит меня? И все узнает?

— Ну и что? Мало ли...— Сергей нахмурился. Он представил себе выражение лица матери, когда она откроет дверь — она всегда встает раньше всех, даже раньше Маруси,— и в половине восьмого увидит в дверях Сергея и Аду: лицо ее после мига оторопелости примет выражение холодной и несколько презрительной учтивости, и она скажет: «Здрасте». И затем он представил себе второе выражение лица мамы, когда она услышит о Воловике: неодобрение — вот, что оно изобразит, очень суровое и прямое неодобрение, слегка смягченное внезапным человеческим сочувствием к Аде. Она сразу будет что-нибудь предлагать: «Может, вы хотите поесть, Ада? Вы, наверное, голодны?» — или: — «Не хотите таблетку от головной боли?»

— Мы поговорим с Николаем Григорьевичем,— сказал Сергей.— Он знаком с Флоринским. И можно еще через Шварца, у него связи в прокуратуре.

— Что — можно?

— Узнать...

— Нет,— сказала Ада.— Я не хочу видеть твою мать и твою сестру. Вообще не хочу видеть никого. Даже отца. Я сама себе...— Она закрыла ладонью глаза. Он почувствовал, что сейчас она произнесет какую-то громкую, самобичующую фразу, вроде «я сама себе отвратительна», «я сама себе гадка» или «если б я не обманывала его», но она промолчала, и он испугался. Произнесенное вслух было бы неправдой, но то, что она промолчала, говорило о другом. Бессмысленное чувство вины терзало ее.

То, чего он боялся, случилось: она уходила от него. Уходила к человеку, которого никогда не любила. Вся сила которого заключалась в его жутком бессилии, в том, что он погибал, исчезал.

— Ты хочешь, чтоб я сейчас ушел? — спросил Сергей после молчания.

— Да.— Она кивнула.— Ты сейчас уйди, Сережа. А в девять часов я поеду на Кузнецкий мост.

VIII

Николай Григорьевич положил на сундук в прихожей тяжелый праздничный пакет с какой-то снедью, буграми апельсинов, чем-то стеклянным, постукивавшим внутри, все было прочно упаковано в белую глянцевую бумагу и перевязано ленточкой. Пришлось ради этого, нужного детям и кому-то еще, кто нуждался в доказательствах, что мир по-прежнему прочно упакован и перевязан ленточкой, выстоять нудную очередь в столовке, минут десять топтанья на месте и выматывающих разговоров. Впрочем, Николай Григорьевич умел обрубать свои ощущения. Старался не слушать шуток, старых анекдотов, мнимо-праздничной болтовни о пустяках, не видеть лиц, на которых не было ничего, кроме улыбок, ясных и непорочных, уверенно глядящих вдаль. Больше половины людей, толпившихся в очереди за пакетами, были незнакомы Николаю Григорьевичу. Может, они и в самом деле уверенно глядели вдаль. Знакомых с каждым днем в столовке встречалось все меньше. Но когда-то должен был наступить конец. Не могло же это длиться бесконечно! Вручение пакета свидетельствовало о некоем эфимерном благополучии на сегодняшний день. Пожалуй, даже на вчерашний вечер, когда утверждались в хозуправлении списки. Кое-кто не получил пакета, хотя имел право. Несколько часов, разделявших утверждение списков и получение пакетов, было громадным сроком. И главное, что было в этом сроке,— ночь.

Старик Исайченков, подойдя сзади, шепнул: «Кларин, Миронов, Суходольская». Про Кларина еще утром сказал Николаю Григорьевичу Федя Лерберг, когда ехали в лифте. Кларин должен был пасть, ничего удивительного, наоборот, удивлялись тому, что держится долго, но Миронов? И Вероника Суходольская? Сталин эту бабу ценил. Во время второй генеральной чистки Давид хотел ее исключить, какие-то махинации с дачным кооперативом, но Сталин ее защитил. В махинациях уличили мужа, она была как будто непричастна, но все равно не спаслась бы, если б не поддержка сверху. Впрочем, с той поры прошло девять лет, и отношение Сталина к Веронике шло к тем обстоятельствам, которые заставляли его когда-то защищать ее, и могло много раз измениться. Но мимо Сталина это не прошло. Тут могли быть еще два объяснения: ему представлены очень серьезные разоблачения или же... Или же — все это вырывается из его рук. Еще не вырвалось, но уже рвется, трещит. Самое страшное, как считают иные. Николай Григорьевич так не считал. Наоборот, ему мерещилась тут надежда, какой-то шанс на спасение.

О своем спасении Николай Григорьевич не думал. Ему сорок семь лет, жизнь прожита. Да и как-то так вышло, что о своем спасении никогда не думалось: странная, ничем не объяснимая сначала молодая, а потом просто глупая, торчала в душе уверенность, что ничего дурного с ним лично никогда не случится. Ну, убьют в крайнем случае. Или заболеет тифом, умрет в бреду. Разобьется на автодрезине, как Володька Крылов. А что еще? Все это уже почти было. Нет, за себя страха нет, есть страх за Лизу, за детей — но это почти то же, что за себя, так что, можно сказать, что и этого страха нет, чересчур личное, никого не касается, практически не существует,— и есть страх за то, ради чего прошла жизнь.

В ящике лежала вечерняя почта: пачка поздравительных открыток, «Вечерняя Москва», «Литературная газета», которую выписывала Лиза, три каких-то письма. Дом был пуст. Ребята гуляли, бабушка еще утром предупредила, что задержится в Секретариате, а Лиза, как всегда, праздновала первомайский вечер в Наркомземе: всю ночь сочиняла стихи для стенгазеты и рисовала карикатуры. Газеты Николай Григорьевич проглядел мигом, открытки тоже не представляли интереса. Одно письмо было от старого друга из Кисловодска, где друг лечился, обычное поздравление, другое, написанное детским почерком, адресовалось Горику, а третье — без марки, без штемпеля, просто белый конверт — «Баюкову Н. Г.». Кто-то без помощи почты бросил в ящик. На листке из блокнота почерком непонятно знакомым, женским, размашистым, ударившим в сердце, значилось: «Коля, я приходила, но никого не застала. Очень нужно тебя увидеть. Около восьми вечера буду в аптеке на Большой Полянке. Извини. Мария Полуб.». Маша Полубоярова! Не виделись двенадцать лет. Откуда? Она же где-то в Батайске или в Таганроге. Последний раз встречались в Алупке, в санатории, в двадцать пятом году, и Маша тогда была уже с мужем, каким-то черноватым, неприятной внешности.

И почему в аптеке на Большой Полянке?

Лиза ничего не знала о существовании Маши. И никто не знал, кроме Мишкиной жены Ванды и самого Мишки. Да и они забыли, наверно, прошло столько лет. А Маша Полубоярова существовала кратко, но грозно и неизгладимо в жизни Николая Григорьевича.

Несколько месяцев: осень и зима двадцатого года в Ростове. Назаровский мятеж. Внезапное известие: машинистка Донпродкома, девятнадцатилетняя девица, устроенная в Донпродком Николаем Григорьевичем по просьбе Мишкиной Ванды,— сестра полковника Полубоярова, одного из главарей назаровцев. Отчего скрывала? Боялась, что расстреляют и няня, беспомощная старуха, погибнет. Был такой Кравчук в Ревтрибунале, стучал коробкой маузера по столу, кричал: «А вы, буржуйская гниль, без нянек жизни не мыслите?!» Ванда знала Машу с детства, по Новочеркасской гимназии, но тут притихла, боялась пискнуть в защиту, и Михаил был далеко: со своей девятой кавдивизией на Польском фронте. Маша Полубоярова жила вдвоем с няней. Мать давно умерла, отец пропал безвестно на германском, а брат ушел с добровольцами. И вдруг — с десантом. Ей-то откуда знать? Николай Григорьевич спас девицу. Поверил глазам, голосу. И потом уж, когда узнал ближе, понял, что поверил правильно: редко встречал людей такой открытости и наивной доброты, как эта смуглая, синеглазая, с черкесской кровью. А Николаю Григорьевичу было тогда — что ж? — двадцать восемь лет, носил он бороду, звали его «стариком».

В аптеке на деревянной скамье сидела немолодая, невзрачная на вид женщина, смотрела испуганно. И, увидев Николая Григорьевича, тотчас поднялась и — без улыбки — протянула руку. А рука-то была не Машина, грубая, красная, пальчики сморщенные, как морковки. И совсем ледяная.

— Ты озябла, что ли? — спросил Николай Григорьевич.— Смотри, даже зубами стучишь...

— Нет,— сказала Маша с усилием.— Это я волновалась, что увижу тебя. Я думала, ты забыл меня или просто не придешь.

И вдруг улыбнулась, и он узнал ее.

На Маше было нелепое для мая теплое, клетчатое пальто с оторочкой из рыжего меха и такая же шапочка. Николай Григорьевич спросил, почему она не захотела снова зайти в дом, не позвонила хотя бы.

— А чего-то не понравилось, как меня постовой в подъезде допрашивал: кто, да что, да к кому? Да и дом какой-то неприятный. Вроде тюрьмы...— Она усмехнулась, но в глазах ее опять мелькнула тень испуга.— Лучше по улицам погуляем. Тем более — праздник, иллюминация. Красота! Я всегда мечтала в Москву попасть на праздники. Сейчас на трамвае через Театральную площадь ехала, мимо Манежа — такая прелесть! Все сверкает, горит, как в театре, очень здорово.

— Погуляем, если хочешь, но потом все-таки зайдем ко мне.

— Ну, пожалуйста, хорошо. Зайдем к тебе.— Маша взяла его под руку.— А ты образцовый муж, Коля, да?

Она засмеялась. Он тоже засмеялся: ему стало вдруг легко и как-то забавно. Как будто он увидел что-то приятно-знакомое и давным-давно забытое.

— О да! — сказал он.— Конечно.

— Зайдем, зайдем. Обязательно зайдем. Старшему твоему сколько?

— Двенадцатый год. Здоровенный архаровец, с тебя ростом.

— Значит, он родился знаешь когда? Как раз в том году, когда мы виделись с тобой в Алупке, да? Я была уже с Яшей, а ты все играл в шахматы со Шварцем, Давидом Александровичем.— Она спросила быстро: — Шварц здоров?

— Да,— сказал он.

— Вот только с твоей супругой я незнакома. А вдруг ей не понравится, что я...

— Что?

— Ну вот так свалилась на праздники, не спросясь. Чужая тетка. Хотя...— Она сделала решительное движение кистью.— Мне важно тебя увидеть. А все остальное — ерунда.

Шли по улице в сторону Канавы. Маша сказала, что остановилась у дальней родственницы, которая сейчас болеет. Для нее и лекарство брала в аптеке. Сказала, что вчера разыскала Ванду, встретилась с ней, узнала про все ее невзгоды, несчастья, надежды. Значит, разошлись с Михаилом? Николай Григорьевич не знал твердо. Вроде бы разошлись, а вроде и нет: то опять вместе, то Михаил у нее ночует на Арбате, то Ванда к нему ездит в Кратово. Валерку жалко во всей этой кутерьме. Но Маша из слов Ванды поняла, что разошлись окончательно.

Комнатка на Арбате крохотная — в огромной коммунальной квартире, где двадцать восемь соседей, шесть семей. Однако Ванда не унывает: надеется на перемену судьбы. У нее есть какой-то человек — да, да, Николай Григорьевич знает про человека,— какой-то дипломат, вдовец с двумя маленькими детьми. Ванда, конечно, сдала, располнела, но все еще красивая, милая, совсем седая, этакая маркиза восемнадцатого века. В тридцать семь лет вся седая. Но, как всегда, как двадцать лет назад,— поразительное равнодушие ко всему, что не касается ее личности. Точнее говоря, ее личной жизни. Какая-то совершенно ветхозаветная и наивная аполитичность. Ничем не интересуется, ничего не знает. Вся в мечтах, в глупостях. Димпломат задурил ей голову, обещал, что на будущий год поедут во Францию, поселятся на Лазурном берегу, и она ни о чем другом не может ни говорить, ни думать. Волнуется, что не пустят за границу потому, что у нее во Франции старшая сестра с матерью. Словом, Ванда — это Ванда, птичка божия. А Маша приехала в Москву только затем, чтоб увидеть Николая Григорьевича.

— Да ну? — Николай Григорьевич усмехнулся, будто не веря. Но уж догадывался, что она говорит правду.

— Потому что, Коля, ты единственный человек, который может объяснить. В прошлом месяце арестовали Яшу...— Взяв за руку, она резким движением остановила его.

И он вдруг вспомнил ее манеру двигаться резко. Они стояли на мосту через Канаву и, облокотясь на перила, смотрели в черную воду. Здесь, на мосту, было темновато, зато начало Полянки и особенно кинотеатр «Ударник» сияли иллюминацией. Толпа возле «Ударника» была озарена сверху ярко-белыми и розовыми снопами прожекторов и светом сотен висевших гирляндами лампочек. Дальше, на новом громадном мосту и на набережной Москвы-реки, тоже все пылало огнями.

Что он мог объяснить? Он слушал. Странные манипуляции производит с людьми время. Нет, не старение самое удивительное, не одряхление плоти, а перемены, которые происходят в составе души. И следов не осталось от той новочеркасской гимназистки, поклонницы Веры Холодной, сестры добровольца, только случайно не оказавшейся в Константинополе или в Париже. Перед Николаем Григорьевичем была советская дама, жена ответственного работника, рассуждавшая разумно и политически зрело.

— Мне объявили, что Яша какой-то японский шпион. Ну что за бред, прости господи? Что за ерунда собачья? Такого честнейшего человека, такого фанатичного коммуниста нет, наверно, на всей Владикавказской дороге. Я добилась через знакомых, очень сложным путем, приема в краевом управлении НКВД у работника, который ведет дело Яши, некоего Сахарнова. И оказалось, что это никакой не Сахарнов, а Борис Пчелинцев, приятель моего брата по Атаманскому училищу, я его отлично помню, сын войскового старшины. Я сразу его узнала, и он меня тоже. Конечно, он удивился, потому что я уже не Маркова, а Сливянская, и он ожидал увидеть какую-то совсем другую Сливянскую. Я говорю: «Борис, я тебя умоляю разобраться в деле Якова Сливянского, моего мужа, честнейшего коммуниста...» Он стал вдруг кричать: «Ваш муж японский шпион, мразь, провокатор, мы его расстреляем! И вас постигнет та же участь!» И что-то орал, орал. Не помню, как я оттуда ушла. Мне посоветовали скрыться, уехать куда-нибудь. Я отвезла детей к его родным в Каменку, и вот я здесь. Но я прошу не защиты, а объяснения. Что это все значит, Коля? Почему Пчелинцев сидит в краевом управлении, а Яша в тюрьме? Власть переменилась? Здесь, в Москве, чего-то не знают? Из моих знакомых за этот месяц арестовано девять человек. И самое страшное знаешь что? Все мы толстокожие, пока не коснется нашей шкуры. И я такая же сволочь. Пока Яшу не взяли, я думала: а шут его знает, может, Бондаренко в чем-то и замешан, и Федя Косиков мог где-то оплошать, а Гнедов из бывших офицеров, так что ничего странного. Ты понимаешь? А Цейтлин работал с Пятаковым. А сейчас, наверное, Яшины знакомые думают: что ж, жена из казачьей семьи, сестра назаровца...

Николаю Григорьевичу за последние месяцы часто приходило то же на ум. Слишком легко верят в виновность других, в то, что «что-то есть», и чересчур спокойны за собственную персону. Это грозный факт, и он не предвещает добра. Но несчастной Маше говорить об этом не следует. Нужно успокоить. Только вот как?

— Я тебя столько лет не видела. Иногда слышала

кое-что о тебе, мелькала твоя фамилия в газете...— Маша глядела, неуверенно улыбаясь.— Даже не знаю, как ты вообще... Может, ты иначе думаешь? Почему ты молчишь?

Николай Григорьевич видел эту женщину молодой. Поэтому он молчал. И все вокруг нее он видел молодым.

— Пойдем-ка домой. Попьем чайку и поговорим.— Он потянул ее за руку.

— Нет, постой! Сначала скажи: что ты думаешь обо всем этом?

Николай Григорьевич вздохнул. Ну, что он думает? Он думает, что власть не переменилась. И здесь в общих чертах знают о том, что происходит на местах. Однако знать — одно, а объяснить — другое. Нет, один Пчелинцев ничего не решает. Даже тысяча Пчелинцевых ничего не решает. Даже Флоринский Арсюшка, который сейчас помощником у Ежова,— помнит ли она его по Ростову? Молодой такой идиот в красных немецких сапогах? — даже этот Арсюшка, находящийся сейчас на такой вышке, сам по себе ничего не значит. Николаю Григорьевичу кажется, что подоплека этих странных политических конвульсий — страх перед фашизмом. Возможна даже провокация со стороны фашизма. Влияние Гитлера несомненно. Других объяснений нет. А что же другое? Но должен быть конец. Не может же это длиться бесконечно, иначе все друг друга перегрызут. Волна идет на убыль, есть сведения, что кое-кого уже освобождают...

Маша обрадовалась: «Правда? Освобождают?» Николай Григорьевич подтвердил. Он действительно слышал, что некий Зальцман, из старых партийцев, арестованный в феврале, недавно вернулся домой.

В этот вечер затащить Машу в дом не удалось: она спешила к больной родственнице. Но обещала в один из праздничных дней обязательно прийти.

Николай Григорьевич особенно не настаивал Он замечал, как за последние годы гас интерес к людям, даже некогда близким. Круг становился все уже. Когда-то море людей окружало его, годы и города подполья, ссылок, войны бросали навстречу сотни редкостно прекрасных людей, которые на лету становились друзьями, но вот уже нет никого — они-то есть, но необходимость дружб исчезла,— никого, кроме Давида, Мишки, еще двоих или троих. И осталась в круге Лиза с детьми. Поэтому Маша, прилетевшая издалека, как воспоминание, не пробудила ничего, кроме ледовых мыслей и привычной, грызущей время от времени где-то в середине груди, под сердцем, тяжести.

Ребята выбежали навстречу, Горик кричал: «Мы идем с Ленькой, с Ленькой! Ты обещал!» — а Женя молчала с непроницаемо-мрачным лицом, и Николай Григорьевич, как всегда, когда видел маленькое, насупленное лицо дочки, вспоминал свою суровую мать. На парад на Красную площадь Николай Григорьевич брал обычно троих: Горика, Женю и кого-то из их товарищей. Из-за этой третьей кандидатуры и вспыхивали распри. Чаще побеждал сын с помощью довода, что, мол, военный парад — дело мужское, девчонкам там делать нечего. И верно, сила желания попасть на трибуны была у них несоизмерима. Но сегодня крики Горика, его телячья взбудораженность раздражали Николая Григорьевича, зато мрачность дочки соответствовала его настроению, и он сказал холодно:

— Перестань орать, а то и тебя не возьму.

Сын, обидевшись, юркнул в детскую.

В столовой пили чай. Лиза что-то возбужденно рассказывала, по-видимому о вечере в Наркомземе, декламировала стихи — свои, что ли? — ее со вниманием слушали бабушка и бабушкина приятельница по работе в Секретариате, старая партийная функционерка Эрна Ивановна, жена Коли Лациса, которую Николай Григорьевич недолюбливал, считая дурой. Но бабушка ее ценила. Говорила, что она человек кристальной честности. Эрна Ивановна хохотала басом, а бабушка смотрела на дочку с нескрываемой гордостью и, когда Николай Григорьевич вошел в столовую, сделала пальцем знак, чтобы он не перебивал декламацию. Лиза читала про какого-то Игната Ивановича, «который был когда-то смелым, но постепенно, год от года, он смелость растерял в угоду желанью жить благополучно и преспокойно, хоть и скучно». Тут же сидел Михаил в новенькой командирской гимнастерке с орденом, прихлебывал громко чай из блюдца, уставясь запотевшими стеклами пенсне в стол и даже не подняв головы при появлении брата.

Николай Григорьевич тихонько, стараясь не шуметь, присел к столу, налил себе чаю. Лиза читала еще несколько минут. Ребята тоже пришли слушать. Когда Лиза кончила, все стали хлопать в ладоши. Эрна Ивановна заявила басом, и как всегда безапелляционно, что Лиза должна была стать поэтом, а не зоотехником, на что бабушка заметила, что виноват Николай Григорьевич, заставивший Лизу идти в Тимирязевку.

— Коля, куда ты пропал, интересно знать? — спросила Лиза.

— Ходил на свидание. К одной даме,— ответил Николай Григорьевич, зная, что этот ответ не вызовет у Лизы, как у ценительницы юмора, ничего, кроме легкой улыбки. Он знал, что она совершенно спокойна за него, так же как он был совершенно спокоен за нее, и они оба, каждый в отдельности, были совершенно спокойны за себя. Но все же почему-то не хотелось, чтобы Лиза спросила: «А к какой даме?»— и ему пришлось бы сказать

Лиза не спросила. По вечерам она читала вслух ребятам «Трех мушкетеров», и сейчас они все трое взгромоздились на диван. Лиза зажгла настенную лампу, а Горик, все еще с выражением обиды и независимости, пробежал мимо Николая Григорьевича в детскую, чтобы взять книгу.

— Послушай-ка, братец,— сказал Михаил.— Эти балбесы из Военного издательства вернули мне рукопись. Резолюция дурацкая: «На эту тему у нас запланирована книга комдива Богинца». А от Михаила Николаевича ни ответа ни привета. Ты мог бы ему звякнуть?

Брат, как всегда, являлся с каким-то недовольством или просьбами. Тон был такой, будто Николай Григорьевич имел отношение к «этим балбесам из Военного издательства» или даже принадлежал к их числу. Николай Григорьевич сказал, что Михаилу Николаевичу сейчас, наверное, недосуг заниматься делами издательства. И подумал: «Как Миша не понимает? Все-таки оторванность от большой работы, бирючья жизнь в этом Кратове у черта на рогах не проходят даром... Будет Михаил Николаевич заниматься его рукописью, как же!»

Михаил с подозрительностью поглядел на брата:

— Почему же недосуг? По-моему, он как раз в порядке.

— Прошел слух, что не вполне.

— Брехня!— Михаил решительно рубанул ладонью.

Ну конечно, в Кратове ведь всё знают из первых рук.— Этот друг всегда будет в хорошем порядке. Я за него не волнуюсь. Скажи, что просто некогда звонить.

— Нет, не скажу! Не скажу, потому что дело не в «неохота», а в «некстати». Некстати, понимаешь? Ты там, на хуторе, не очень-то представляешь...

— Что не очень-то? Чего не представляю?— повысил голос Михаил, который всегда болезненно и грубо реагировал на слова брата, сказанные даже в шутку, намекающие на его, кратовскую, пенсионную жизнь.— Бросьте вы! Все представляю прекрасно. И давно предвидел. Да, да, еще раньше вас! Спорил с вами, умниками. Помнишь разговор у Денисыча в двадцать пятом году? В декабре?

— Разговоров было много. Пошли-ка в кабинет.

Но брат уже скрипел зубами, уже сапоги ему жали, раздражение кипело. Он встал, прошелся по комнате, резкими движениями сдвигая со своего пути стулья. И тут очень удачно вступила Эрна Ивановна:

— Да, кстати! Миша,— сказала она,— а где твой Валерий?

— У матери.

— Ах, так? У матери? Он что же, теперь с ней?

Кристальная честность старой дуры заключалась в том, что она простодушно и бесцеремонно вмешивалась в личную жизнь товарищей, давала советы и расставляла оценки.

— Нет,— мрачно глядя на Эрну Ивановну, сказал Михаил.— На праздники поехали в Ленинград.

— Когда же поехали?— спросил Николай Григорьевич.

— Сегодня едут. «Стрелой».

— Вдвоем?— удивилась бабушка, хорошо знавшая лень и скаредность Ванды.

— Не знаю,— еще более мрачно ответил Михаил.— Кажется, с этим господином из Наркоминдела. А что, это так важно знать?

— Ах, вот это мне не нравится!— Эрна Ивановна досадливо шлепнула ладонью по столу и уже приготовилась дать товарищеский совет, но бабушка, соображавшая все-таки побольше, прервала ее:

— Ничего, очень хорошо, посмотрят Ленинград...

— Вы нам дадите читать или нет?— спросила Лиза с дивана.

Николай Григорьевич потянул брата к двери.

Но Эрна Ивановна не успокаивалась. Вдруг тоненько зафыркала, захихикала в нос и крикнула:

— Миша, Миша! А ты знаешь, что говорят у нас, в доме политкаторжан? Что ты женился! Это правда?

Михаил остановился в дверях, не оборачиваясь и тыча назад, через плечо, на Эрну Ивановну пальцем, сказал брату:

— Ты понял, почему я на их собрания не хожу? Нет, ты понял? Я уж и скрылся от них за сорок верст, ни с кем не вижусь, на письма не отвечаю, а всё — жгучий интерес к моей персоне. Что за напасть за такая?

— А может, и вправду женился? — спросил Николай Григорьевич.— Признайся уж, злодей.

Михаил шепнул что-то ругательное и, махнув рукой, вышел из столовой.

Эрна Ивановна, хохоча, кричала вслед:

— На молоденькой, говорят!.. А? Верно?

Пришли в кабинет, заперлись. Михаил потребовал коньяку. В стенном шкафу Николая Григорьевича всегда стоял замаскированный книгами граненый графинчик. Выпили по две рюмки, Михаил зарозовел, отмяк, снял шашку со стены, стал рубить воздух и, как обычно, корить Николая Григорьевича за то, что тот держит драгунскую шашку вместо казачьей:

— Выбрось ты эту дрянь! Или мне отдай.

Он крякал от удовольствия, подсвистывал, люстра была в опасности. Через минуту стал задыхаться. Николай Григорьевич угрюмо смотрел на брата. Тяжесть в середине груди вновь сделалась ощутимей. Он думал: брату пятьдесят три, выглядит на шестьдесят, разрушен временем, невзгодами и все же еще мальчишка в душе. Люди, которые в юности были стариками, в старости делаются мальчишками. И размахивают игрушечными шашками в своих кабинетах и на дачных верандах, где сосновые доски медленно оттаивают после долгой зимы.

Они обсуждали то, что рассказала Маша про их родной город. Сама Маша интересовала их мало. Брат вспомнил ее с трудом. Потом говорили о Сталине, которого знали и помнили гораздо лучше, с давних времен. Николай Григорьевич был с ним в Енисейской ссылке, а Михаил Григорьевич узнал его в Питере в начале семнадцатого, когда оба почти одновременно вернулись из Сибири, и потом через год работали вместе на Царицынском фронте — первые стычки, угрозы Сталина, ругань Михаила, окончательный раздор. Была какая-то встреча братьев, когда Николай Григорьевич ехал с юга в Москву, и Михаил смеясь сказал: «Ну, если Коба заберет власть в Царицыне — наломает дров!» Смеялись потому, что не верили. Ни казак, ни военный — партийный функционер. Но тот забрал власть в Царицыне очень скоро. Оттеснил Минина, убрал латыша Карла, Михаила выпер в Москву на командирские курсы. Раньше многих они поняли, что такое Коба, забирающий власть. Еще никто не догадывался. А они уже знали. Головы хрустели в его кулаке, как спелые, просохшие на солнце орехи.

— Ты помнишь, что я тебе говорил?..

— Ты? Это я тебе сказал, старому обалдую!

Но тайная вражда к тому, другому, в пенсне, говоруну с черной бородкой, тоже умевшему трещать черепами в кулаке, была сильнее. Недоверие к одному и вражда к другому, переплетаясь, тянулись через годы и наполняли их. И то, что казалось анекдотом в Царицыне, стало тупой и могущественной истиной, распростертой над миром наподобие громадной, не имеющей меры, железной плиты. Она висела, покачиваясь. На нее смотрели привычно, как смотрят снизу на небеса. Но ведь должен был наступить час, когда истина весом в миллиарды тонн упадет, не могла же она висеть вечно и покачиваться. Михаил не знал подробностей последнего пленума, на котором разбиралось дело Бухарина и Рыкова,— откуда ему в Кратове знать? И в Москве-то знали немногие. Николай Григорьевич узнал сам недавно от Давида. Подробности были мрачные. Перед пленумом Бухарин, оказывается, объявил голодовку. Девять дней голодал. Когда вошел в зал заседания, Сталин его спросил: «Ты на кого похож, Николай? Против кого голодовку объявил?» Тот ответил: «Что же мне делать, если меня хотят арестовать?» Пленум будто бы потребовал, чтоб Бухарин прекратил голодовку. Выступал Бухарин резко, обвинял органы НКВД, говорил, что там творятся безобразия. Сталин зло прервал его: «Вот мы тебя туда пошлем, ты там и разберешься!» Пленум выделил комиссию по делу Бухарина и Рыкова — под руководством Микояна. В комиссию вошла будто бы и Крупская. А когда Бухарин выходил из зала, Крупская обняла его и поцеловала. В это что-то не верилось. И на Надежду Константиновну не похоже, и не в духе большевистских собраний, какая-то театральщина. Но говорят, что так было. Дух-то меняется. Когда решалась их судьба, членам Политбюро раздали бюллетени, где требовалось написать — кратко, одним-двумя словами,— как поступить с обвиняемыми. Все члены Политбюро написали: «Арестовать, судить, расстрелять». А Сталин написал: «Передать в НКВД».

Михаил сидел на краю дивана ссутулясь, опять посерев лицом, слушал с жадным вниманием. После молчания сказал:

— Знаешь, Колька, а мы сей год не дотянем...

Николай Григорьевич не ответил. Походил по ковру в мягких туфлях, качнулся, счистил с брючины полоску пыли, неведомо откуда взявшуюся — может, от детского велосипеда, который стаскивал сегодня с антресолей?— и, разгибаясь, чувствуя шум в ушах, сказал:

— А вполне возможно.— И сказалось как-то спокойно, рассеянно даже.— Вполне, мой милый. Но дело-то вот в чем... Война грядет. И очень скоро. Так что внутренняя наша пря кончится поневоле, все наденем шинели и пойдем бить фашистов...

Заговорили об этом. Михаил предположил — мысль не новая, уже слышанная: а не провокация ли со стороны немчуры? Вся эта кампания, разгром кадров? Николай Григорьевич считал, что немецкая кишка тонка для такой провокации. Это, пожалуй, наше добротное, отечественное производство. Причем с древними традициями, еще со времен Ивана Васильевича, когда вырубались бояре, чтоб укрепить единоличную власть. Вопрос только — на что обратится эта власть? К какой цели будет направлена?

Михаил махал рукой:

— А тебе все цель нужна? Без цели никуда? С целью чай пьешь, в сортир ходишь?

Николай Григорьевич, сердясь — ибо разговор приближался к болезненному пункту,— объяснил, что во всяком движении привык видеть логику, начало и конец.

— Ну конечно, ты наблюдаешь!— издевался брат.— Видишь логику. А движение тащит тебя, как кутенка, ты даже не барахтаешься.

— А в чем заключается твое барахтанье? В том, что переселился на дачу и возделываешь огородик?

— Хотя бы, черт вас подрал! В том, что не участвую, не служу, не езжу в черном «роллс-ройсе», ядри вашу в корень, наблюдателей...

Кончилось, как обычно, руганью, новыми прикладываниями к коньяку. Стали вырывать из памяти дела двадцатилетней давности, Ростов восемнадцатого года, только что взятый отрядами Сиверса и Антонова-Овсеенко. Все это уже не могло волновать, но было нужно для спора. Михаил все стремился доказать — и это злило Николая Григорьевича,— что и он, младший и удачливый брат, тоже замешан, хотя и косвенно, в той чудовищной неразберихе, «своя своих не узнаша», которая сейчас творится. Тут была и ревность, копившаяся годами, и разочарование всей своей, по существу, разбитой, долгой жизни, и даже доля злорадства, и искренняя, смертельная тревога — главное, что кипело в сердце,— за дело, которое стало судьбой.

И Николай Григорьевич понимал это и видел за всеми злобными наскоками, несправедливостью и грубыми словами вот эту тревогу. Поэтому его собственная злость исчезала, едва возникнув. Он не мог долго сердиться на брата, старого дебошира, родного крикуна, на этого фантастического неудачника, у которого к концу жизни не осталось ничего — ни дела, ни семьи, ни дома.

Стучались в дверь. Николай Григорьевич открыл. Вошел Сергей, не здороваясь и глядя странно.

— Слыхали, что вчера ночью арестовали Воловика?

— Нет,— сказал Николай Григорьевич.

— А кто такой Воловик?— спросил Михаил.

— При мне был обыск. Прошлой ночью. Но самого Воловика дома не было. Были только Ада и я...

— Ничего не понимаю,— сказал Михаил, поднявшись с дивана, и налил в рюмку коньяк.— Какой Воловик? Какая Ада?

— Есть такой Воловик. Но его-то зачем?— Николай Григорьевич с изумлением смотрел на Сергея.— Черт их знает, совсем с глузду съехали... А где ты был эти два дня? Вчера и сегодня?

— У Ады. Я утром звонил маме. Она так разъярилась...

— Не знаю, не сказала мне ни слова.

— Ну как же — конспирация! Наше знаменитое

качество. Можно?— Сергей налил себе коньяку и тоже выпил.— Ночью мы, конечно, не спали. Даже не раздевались. Ада была уверена, что сегодня придут за ней, но, слава богу, никто не пришел. А на рассвете была такая история. Мы сидим в ее комнате с балконом, окно выходит на тот двор, где котельная. На задний. И вот часов около шести утра видим, как мимо окна сверху летит женщина в черном, старуха с седыми волосами. Совершенно беззвучно, головой вниз. Утром лифтер сказал, что ночью взяли одного старика, а на рассвете его жена прыгнула с балкона, с восьмого этажа.

— Как фамилия?— спросил Николай Григорьевич.

— Не знаю. Какая-то очень старая старуха, вся седая.

— Старуха? С балкона?— переспросил Михаил с выражением брезгливости. Он был уже сильно пьян. Как ему мало теперь нужно!

— Вот что, милый друг, не ходил бы ты сейчас к своей Аде. Повремени недельку. Просто дружеский тебе совет,— сказал Николай Григорьевич.— Встречайтесь в другом месте, на улице, где угодно. Пускай к нам приходит.

— А вам тоже, Николай Григорьевич, дружеский совет,— сказал Сергей.— Уберите все это к лешему.

— Что?

— Да вон то.— Сергей носком ботинка показал на металлический ящик, стоявший под письменным столом. В этом ящике, запертом на замок, Николай Григорьевич хранил оружие, три пистолета и патроны.

— Не имеет значения,— сказал Николай Григорьевич.

— Нет, имеет.

— Ни малейшего. И кстати: на браунинг у меня есть разрешение, а те две штуки — подарки РВС фронта и армии. А...— Он презрительно взмахнул пальцем.— А-а...

— Я же вам говорю...— зашептал Сергей почти с отчаянием.

— Ладно, перестань. Ты в этом мало смыслишь.

Некоторое время молчали. Сергей, выпив, задымил папиросой. С улицы, со стороны набережной напротив клуба, отрывочно неслась музыка. Может быть, играл оркестр, может — радио.

Михаил бормотал:

— Ни в коем случае...— и качал пальцем многозначительно.— Ни за что... Никогда...

— Вы о чем, дядя Миша?— спросил Сергей.

— Он знает. Никогда...

Вошла бабушка и, холодно и несколько высокомерно глядя на Сергея, позвала его в столовую ужинать. Потом, когда ушла наконец идиотка Эрна Ивановна, все сошлись в кабинете и долго разговаривали. Ребята легли спать. Наверху, где жил какой-то новый человек взамен полгода назад изъятого Арсеньева, уже встречали праздник: раздавалась музыка, пляски, стучали пятками в пол. Бабушка рассказывала о событиях в Секретариате. Как всегда, о главном умалчивала, главное держалось в тайне, железный характер, к которому все в доме привыкли и не пытались расшатать. Единственное, что сообщила: «В «Правде» сразу после праздника должна появиться громаднейшая статья какого-то крупного чекиста о вербовке шпионов». Потом разговор съехал на Серебряный Бор, ибо Николай Григорьевич тоже сообщил новость, слышанную в столовке: Арсюшка Флоринский сделался соседом и по Серебряному Бору, получил дачу. Ну да, за забором, двухэтажную, с солярием, теннисным кортом. Вот, вот, именно эту. В ней всегда жили тузы ОГПУ: когда-то Раузер, потом Рабинье, Томсон и вот теперь Флоринский.

Отсюда разговор стал ветвиться: к судьбе Паши Никодимова, в коей Флоринский обещал разобраться, но уже третий месяц ни слуху ни духу, и к Серебряному Бору, дачным заботам. Кооператив прислал требование уплатить срочно по жировкам за первый квартал и за водопроводные работы, намеченные на май. Денег не было, думали, где достать. Лиза очень бодро пообещала достать у себя в Наркомземе, в кассе взаимопомощи.

Николай Григорьевич хотел было сказать: «О чем вы хлопочете? Какая дача? Какой водопровод?»— но женщины обсуждали эти дела с таким честным энтузиазмом, что язык не поворачивался их пресечь. Часов в одиннадцать вышли пройтись перед сном. Вечер был теплый. На мосту стояли войска, приготовленные к завтрашнему параду. Михаил, слегка протрезвев на воздухе, принялся рассуждать о преимуществах танкеток перед тяжелыми танками. Слушать его было скучно, а спорить с ним опасно. В глубине души Николай Григорьевич был убежден, что разбирается в военных вопросах лучше брата, хотя и не кончал военной академии. Кремль был высечен из тьмы прожекторами, и в черном небе над ним висел, прицепленный к невидимому и замаскированному аэростату, портрет Сталина. Гигантское усатое лицо сверкало и переливалось в серебряном свете прожекторов. Оно было почти неподвижным, лишь едва заметно надувалось от легкого ветра посередине, а мимо сверкающего портрета проплывали самолеты, несущие портреты поменьше: Маркса, Энгельса, Ленина и снова Сталина. Все остановились на мосту и смотрели на эту медленно проплывающую в ясном небе, озаренную снизу вереницу знакомых лиц. Самолеты с небольшими портретами, рокоча и четко соблюдая строй, исчезли из пределов досягаемости прожекторов, гул моторов удалялся, в небе над Кремлем остался висеть один громадный портрет. Там были мимолетность, временность, проплывание, исчезновение, а здесь — прочность, вечность. Портрет светился наподобие киноэкрана невероятных размеров. И одновременно его с т о я н и е в воздухе казалось сверхъестественным, было чудом и отдаленно напоминало неподвижное парение маленького паучка, висящего на незримой нитке. Проход в Александровский сад был закрыт. Военные регулировщики показывали направо, пришлось повернуть к библиотеке Ленина и потом через Ленивку снова пройти на мост и вернуться домой.

В первом часу ночи, когда Михаил уже храпел на диване, Лиза спала в детской с ребятами, а Николай Григорьевич выходил в халате, в шлепанцах на босу ногу из ванной, раздался звонок в дверь.

Николай Григорьевич быстро прошел в кабинет и стал одеваться. Сердце колотилось толчками, руки не слушались. Он почувствовал гнусную слабость где-то внутри, под животом, чего не было очень давно, может быть, с детских лет. Никто в квартире еще не слышал звонка. Люди за дверью ждали. Сейчас они позвонят снова, длиннее, тверже. Надо ли что-то уничтожать? Ничего. Вот этот час. Он настал. Никто не может избежать смерти, и никого не минует этот час, который настал для него. Почему он должен быть счастливей других? Нет, он не хочет никаких льгот. Белая рубашка никак не застегивалась на груди, запонки не находились. Засунул куда-то десять минут назад. Ведь только что были здесь. Ну хорошо, можно без них. Грязные носки оставил в ванной, чистые брать не хотелось, было некогда, тяжело, уже томило страшное, знобящее нетерпение. Снова раздался звонок — на этот раз долгий, напряженный, как и положено быть. И кто-то постукивает пальцем в дверь. Разбудить Лизу или пойти сразу открыть?

Еще не решив, как лучше, он уже пошел по коридору. Твердой рукой отбросил цепочку, она загремела, качаясь.

На площадке стоял Валерка.

— Ты? Откуда ты, чертов сын?

— А я с вокзала. Удрал... Батька здесь?

— Здесь. Иди. Раздевайся. Мойся.— Николай Григорьевич подождал, пока племянник снимет пальтишко и кепку, и, взяв его за ухо, придвинул к себе и очень сладко и крепко, с оттяжкой, влепил ему в макушку щелчка. Валерка даже подпрыгнул, сказал шепотом: «Ой!»— но, видимо, принял как должное: послушно побежал на цыпочках в ванную.

Белым квадратом стояли краснофлотцы, синим — летчики, зеленым — пограничники, оливково-стальным — Пролетарская дивизия. Все это Горик видел не раз и понимал отлично, потому что так было на всех парадах. И так же на всех парадах ровно в десять, когда часы на Спасской башне вбивали в тишину над площадью последний, проникающий во все сердца, колокольно-звонкий удар, из ворот легким галопом выезжал Ворошилов, и начиналось: «Ааа... Ааа...» Как будто вслед за цокотом ворошиловского коня раскатывался громадный ковер, состоящий из живого слитного шума. Шум катился волнами. Ковер разворачивался и разворачивался, опоясывая площадь. Но каждый раз снова, хотя было знакомо, в минуты этого «Ааа...» Горика охватывал озноб, в животе дрожало от восторга, ладони потели, сжимались в кулаки, и он беззвучно кричал со всеми: «Ааа...»

Кроме того, он испытывал приятное чувство самодовольства от сознания, что привел на это замечательное зрелище Леню и тот должен быть ему благодарен. Ведь мало кто из их класса может увидеть парад на Красной площади. Пожалуй, только Катька Флоринская да еще тот новенький, чей отец замнаркома.

Раньше ходил на парады Сапог, но теперь-то он, бедняга, сидит дома. Горик изредка поглядывал на товарища, стараясь прочесть на его напряженно-внимательном, несколько бледном лице какие-то следы благодарности, но пока ничего не обнаруживал. Карась как будто даже забыл, с кем пришел сюда. Не отрываясь он глядел на марширующие войска. Не произносил ни слова, словно окаменел. А Валерка, наоборот, не стоял на месте, вертелся между взрослыми, то и дело куда-то п р о т ы р и в а л с я, однажды исчез надолго и, вернувшись, сообщил, что п р о т ы р и л с я к самому Мавзолею, близко-близко, видел Сталина, Молотова, Калинина и всех вождей. Дядя Миша дернул его за ворот матросской курточки и сказал очень злобно:

— Если еще раз, поганец, куда-нибудь удерешь...

— Подумаешь!— ответил Валерка. И, помолчав, шепнул:— Какой командир...

Тогда дядя Миша сильно треснул его по заднему месту. А Леня ничего этого не слышал, даже не обернулся.

Скакала конница, колыхались пики, алым и голубым рябили в глазах казачьи башлыки, на трибунах радостно шелестели:

— Впервые... Казаки... А вы знаете, впервые на параде участвуют красные казаки...

Какая-то женщина смеялась:

— Нет, не могу на них смотреть!

Но все вокруг хлопали в ладоши, кто-то кричал:

— Ура, казаки!

Горику хотелось, чтобы стоявшие рядом — в особенности Леня — знали, что его отец сам настоящий донской казак, и он спросил нарочно громким голосом:

— Пап, это донские казаки или кубанские?

Николай Григорьевич, к удивлению Горика, ответил равнодушно:

— Да наверно уж... Я думаю — да...

Зато дядя Миша объяснил: сводная казачья дивизия. Впереди шли донцы, вторыми — кубанцы, за ними — терцы. Потом мчались по влажной от утреннего дождя брусчатке бесшумные самокаты, потом, треща наперебой и оглушительно хлопая, катились мотоциклы с колясками, в которых стояли пулеметы. Это была новинка. Вот это да! Мотоциклы с пулеметами! Хорошенький сюрприз для иностранных военных атташе, вот уж они, наверное, кривятся и бледнеют от злости на своей трибуне. Горик кричал: «Ура, мотоциклисты!» На гусеницах ползли тяжелые противотанковые орудия, за ними лавиной шли танки — танки-лилипуты и танки-великаны, дым выхлопных газов застилал воздух, было трудно дышать, как в настоящем бою, земля содрогалась, ревело небо, от грома моторов истребителей и скоростных бомбардировщиков люди на трибунах, казалось, вот-вот оглохнут, женщины затыкали уши их лица выражали ужас, но Горик и Карась стояли с непоколебимым спокойствием. Они могли бы стоять так два часа, три, четыре, сколько нужно.

И потом, когда уже подгибались ноги, а руки устали хлопать, когда от шума, треска, мельканья, музыки кружилась голова, когда прошли физкультурники, пробежали испанские ребята в забавных двурогих шапочках, которые почему-то назывались «пилотками», прошагали весельчаки на ходулях, когда радио гремело: «Включаем канал! Кричат первые пароходы!.. Включаем Мадрид! Говорит Мадрид!.. Включаем поезд, увозящий отряд комсомолок на Дальний Восток!»— когда выглянуло солнце, стало жарко и отец сказал, что пора домой, там ждут с обедом, а Горик, едва держась на ногах, ответил, что обязательно должен досмотреть до конца... что было тогда? Отец сказал: «Ничего, досмотришь в следующий раз. В будущем году». И вдруг Горику подумалось, что отец говорит неправду, следующего раза не будет. Непонятно откуда это взялось. Просто вдруг подумалось сердцем, восторженным, полумертвым от усталости. А может быть, отец так улыбнулся и сжал руку Горику. Подумалось — и все, ни с того ни с сего.

Горик кивнул, и они стали пробираться к выходу, в сторону Александровского сада.

А вечером было много гостей, человек двадцать. Приехали из Коломны дядя Гриша с Зоей Пришла одна старая знакомая отца, еще по гражданской войне, тетя Маруся из Ростова, симпатичная тетка, принесла подарки: игру «Аквариум» (при помощи магнита на удочке вылавливать бумажных рыб) и прекрасно изданную книгу «Губерт в стране чудес», про немецкого пионера, который приехал в Советский Союз. У Горика такая книга уже была, но он, разумеется, промолчал, чтобы не огорчать тетю Марусю. Перед ужином Валерка устроил небольшой скандал, не хотел принимать ванну — он здорово измызгался, когда играли в мушкетеров и ползали по-пластунски на заднем дворе, возле церкви,— и дядя Миша учил его ремнем в кабинете. Валерка орал благим матом, женщины за него заступались, но дядя Миша был разъярен, не хотел слушать, всех выгонял. Вдруг звонок: пришла Валеркина мать, тетя Ванда. Все страшно изумились. Оказывается, тетя Ванда, не доехав до Ленинграда, пересела на московский поезд и вернулась обратно. Потому что очень беспокоилась за Валерку, этакого негодяя. Он ведь удрал незаметно, обманул мамашу, сказав, что постоит до отхода поезда в тамбуре, и она, этакая шляпа, вместе со своим Дмитрием Васильевичем спохватилась, когда поезд уже отъехал. Горик-то знал, в чем дело: Валерка ни за что не хотел ехать вместе с Дмитрием Васильевичем, но тетя Ванда его заставляла. Она обещала купить ему фотоаппарат. Теперь тетя Ванда плакала, обнимала Валерку и говорила: «Ах, какое счастье! Боже мой!» Она думала, что он погиб под колесами. Валерка сказал, что больше так делать не будет и что хочет жить с тетей Вандой, а не с дядей Мишей, потому что «отец руки распускает». Дядя Миша от такой наглости вышел из себя и закатил сыночку хорошую оплеуху. И правильно сделал, не будь предателем. Тетя Ванда снова плакала, кричала: «Не могу здесь жить! Уеду от всех! Маша, возьми меня с собой в Ростов, там прошло мое детство!» Тетя Маруся сказала, что она согласна. Кое-как все это успокоилось, бабушка и баба Вера стали играть на пианино в четыре руки, потом сели ужинать, было три торта, несколько бутылок крем-соды, не считая вина, и самодельное мороженое, очень вкусное, хотя немного жидкое и напоминающее запахом кипяченое молоко: Сережка полдня провозился, ремонтируя мороженицу. Во время ужина с Гориком произошел конфуз. Он вдруг увидел на скатерти рядом со своей чашкой клопа и громко оповестил об этом всех присутствующих.

— Клоп!— крикнул он бодрым и, пожалуй, даже радостным голосом.— Смотрите, клоп!

Трудно сказать, что побудило Горика так закричать. Ведь он впервые за весь вечер раскрыл рот. Больше часа он сидел среди взрослых, скованный и угнетенный собственным молчанием, неумением принимать участие в застольном разговоре — Женька была куда развязней его, про Марину и говорить нечего, она не умолкая рассказывала всякие глупости, и даже Валерка пропищал какой-то анекдот,— и вот, мучаясь своей бездарностью и глядя в основном на скатерть, Горик увидел клопа. И ему показалось, что это забавно и может всех развеселить. И он сам как-то выделится на общем фоне. Действительно, его радостный возглас произвел впечатление бомбы. Поднялась суматоха, кто-то вскочил, кто-то стал хохотать. Особенно громко хохотали тетя Дина и бабушка Вера. Потом, когда уже все забыли про клопа, Горик случайно зашел в кабинет и увидел отца, стоявшего возле окна и глядевшего на двор. Было полутемно, горела одна маленькая лампа над диваном.

— Пап...— начал Горик, подходя к отцу.

Отец вдруг повернулся и больно шлепнул Горика по щеке, сказав:

— Идиот!

Горик понял, что отец все еще помнит про клопа. И это его расстроило. Он никак не мог заснуть, и, когда Женька уже спала мертвым сном и Валерка тоже храпел на кушетке, он босиком, в одной рубашке подбежал к столовой, на секунду открыл дверь и вызвал маму. Она пришла и села на кровать. Они долго шептались. Сначала для отвода глаз он говорил о всяких школьных делах, а потом спросил: забудут ли когда-нибудь про этого клопа?

— Конечно, забудут,— сказала мама.— Я думаю, что уже завтра или в крайнем случае послезавтра забудут. Главное, чтобы ты сам забыл.

Но прошло много лет...

СОДЕРЖАНИЕ

Юрий Валентинович
Трифонов

ОТБЛЕСК КОСТРА
ИСЧЕЗНОВЕНИЕ

Редактор
Г. А. Блистанова
Худож. редактор
Е. Ф. Капустин
Техн. редактор
Г. В. Климушкина
Корректор
О. В. Селиванова

ИБ № 6669

Сдано в набор 29.01.88. Подписано к печати 19.05.88. Формат $84 \times 108^1/_{32}$. Бумага тип. № 1 Литературная гарнитура. Высокая печать. Усл. печ. л. 16,38. Уч.-изд. л. 16,02. Тираж 200 000 экз. Заказ № 73. Цена 1 р. 40 к. Ордена Дружбы народов издательство «Советский писатель», 121069, Москва, ул. Воровского, 11. Тульская типография Союзполиграфпрома при Государственном комитете СССР по делам издательств, полиграфии и книжной торговли. 300600, г. Тула, проспект Ленина, 109

Трифонов Ю. В.

Т 69 Отблеск костра. Исчезновение: Документальная повесть, роман.— М.: Советский писатель, 1988.— 304 с.

ISBN 5—265—00159—X

В книгу известного советского писателя Юрия Трифонова (1925—1981) входят документальная повесть «Отблеск костра» и не законченный при жизни роман «Исчезновение».

«Отблеск костра» основан на документальных материалах, касающихся революции и гражданской войны. Герои повести не вымышлены, они взяты из истории семьи писателя.

Также во многом автобиографичен и роман «Исчезновение». Он посвящен трудным судьбам людей 30-х годов, и в какой-то степени его можно считать продолжением «Дома на набережной».

$$Т \frac{4702010201-211}{083(02)-88} 138-88$$

ББК 84 Р7